Germanisch-deutsche Sprachgeschichte im Überblick

Günther Schweikle

Germanisch-
deutsche
Sprachgeschichte
im Überblick

Zweite, verbesserte und ergänzte Auflage

J.B. Metzlersche
Verlagsbuchhandlung
Stuttgart

Die Umschlagabbildung zeigt die goldene Preßblechfibel
aus Pliezhausen bei Tübingen
(7. Jh. n. Chr., Württ. Landesmuseum Stuttgart).

CIP-Kurztitelaufnahme der Deutschen Bibliothek

Schweikle, Günther:
Germanisch-deutsche Sprachgeschichte im Überblick /
Günther Schweikle. –
2., verb. u. erg. Aufl. – Stuttgart : Metzler, 1987.
ISBN 3-476-00629-8

© 1986/87 J. B. Metzlersche Verlagsbuchhandlung
und Carl Ernst Poechsel Verlag GmbH in Stuttgart
Umschlagentwurf: Willy Löffelhardt
Druck: Gulde-Druck GmbH, Tübingen
Printed in Germany

8-8-88

Inhaltsverzeichnis

Vorwort

I Wer die Gegenwartssprache verstehen will, sollte sie auch als
G e w o r d e n e s zu erfassen suchen, ihr Werden verfolgen,
um so hinter ihre Bewegkräfte und Strukturgesetze zu kommen,
die auch in der Gegenwart, gegebenenfalls in anderer Relevanz
und Zielrichtung, noch aktiv sein können.

Sprache ist ein immerwährender Prozeß, ein Prozeß allerdings,
der in den einzelnen sprachlichen Sektoren (Laut, Wort, Bedeutung usw.) in unterschiedlicher Intensität und Extensität,
jeweils auch in unterschiedlichen zeitlichen Dimensionen ablaufen kann.

Sprache ist letztlich ein offenes System (der Eindruck einer
gewissen Geschlossenheit ergibt sich oft nur aus Darstellungs-
zwängen) -
synchron offen, weil eine Sprachgemeinschaft nie die Sprache
ihrer Zeit in ihrer Gesamtheit gleichermaßen beherrscht,
diachron offen, weil Entwicklungen nicht einsinnig und geschlossen ablaufen. Die Sprache 'spielt' vielmehr jeweils
mit mehreren Möglichkeiten, bis sich die Entwicklungstendenzen
(für eine bestimmte Zeit) bei einem gewissen Mittelwert ein-
pendeln, der je nach Sprache, Raum und Zeit verschieden aus-
sehen kann und jeweils eine eigene Auswahl aus einer Mehrheit
von Möglichkeiten trifft, die gesteuert wird durch die Be-
dürfnisse nachbarschaftlicher Verständigung. Denn Sprache ist
auch Konvention, ausgerichtet auf zwischenmenschliche Kommunikation. - Neben Entwicklungsschüben gibt es immer wieder
auch weitgehend beharrende Phasen.

Im Unterschied zu phonologischen Theorien werden auch schon
Versuchsstadien der Lautentwicklung in der Schrift registriert,
wie die mittelalterlichen Handschriften allenthalben zeigen;
jedoch in unterschiedlicher Konsequenz - je nach dem Differen-
zierungsgrad des Schreibverfahrens: dabei sind periphere, ak-
zidentielle (z.B. durch den syntaktischen kontextuellen Zusammenhang bedingte) Schreibungen und solche, die sich dann zumindest in gewissen Regionen generell durchgesetzt haben, zu
unterscheiden.

Gründe für unterschiedliche Entwicklungen lassen sich nicht
immer genau ausmachen. Neben sprachimmanenten, eigendynamischen,
entelechialen Motiven (z.B. akzentbedingten), sind auch sprach-
externe zu beobachten (z.B. kulturelle Einflüsse).

Lautentwicklungen erklären sich vor allem aus einem Zusammen-
wirken von sowohl physischen und physikalischen (Assimilation)
als auch psychischen Agentien (Antizipation). Ein wichtiger
Aspekt der Lautentwicklung, die Koartikulation in Wort und Satz,
welche die jeweiligen Lautprofile mitbestimmt, ist z.B. in den
atomistischen linearen Erklärungen der Junggrammatiker (auf die
bis heute auch von Phonologen gebaut wird) vernachlässigt.

Entwicklungen verlaufen auch jeweils anders, ob es sich um gesprochene oder geschriebene Sprache handelt, um weitgehend

schriftfreie Sprache (Mundarten) oder um schriftreglementierte
Sprache (Schrift-, Normsprache).

Sprachwandel entsteht durch Normabweichung. Eine neue Norm entsteht - zumindest in der Umgangssprache - dadurch, daß eine Mehrheit der Sprachbenützer diese neue Form sich zu eigen macht.
Sprache ist also ihrem Wesen nach ein demokratisches Organ: Die
Entscheidung einer Mehrheit gilt auch, wenn sie etymologisch und
sachlich falsch ist, wie etwa die neue Verwendung des Wortes
'Flair' (s. § 24 I B 1 f) oder Volksetymologien beweisen.

II Zweck dieses Heftes ist es, den Prozeß sprachlichen Wandels verständlich zu machen, zu den Prinzipien der Sprachgeschichte am
Beispiel des Germanischen und Deutschen hinzuführen. Dazu werden
einmal die bekannten Daten und Fakten, das 'Basiswissen' über die
germ.-dt. Sprachgeschichte, übersichtlich zusammengestellt, wird
auf idg. Verflechtungen wenigstens ansatzweise verwiesen, werden
überdies gelegentlich Unterschiede zu anderen europ. Sprachen
(Frz., Engl., Ital.) und Gemeinsamkeiten aufgezeigt.
Zur Diskussion gestellt werden jeweils auch Überlegungen zu möglichen Wirkkräften für Entwicklungsmechanismen (s. Assimilationskette § 16)

Mit Rücksicht auf einen vorgegebenen Umfang mußte ich mich allerdings auf wesentliche Grundzüge und Paradigmatisches beschränken
(im besonderen auf Entwicklungen in Haupttonsilben, bei Substantiven und Verben).

Die Komplexität des Phänomens Sprache erschwert nicht nur eine
erkenntnismäßige Durchdringung ihrer Strukturen und Entwicklungen,
sondern auch eine adäquate Darstellung der Fakten und Prozesse.
Dies führt notgedrungen auch öfters zu einer Vermischung von sy-
stematischer und chronologischer Darstellung. Schwierigkeiten ergaben sich etwa dadurch, daß die Entwicklung der Lautung vom Germ.
zum Nhd. nicht so geradlinig und einsinnig verläuft, wie es die
üblichen Schemata suggerieren.

Dem Prozeßhaften der Sprache ist dadurch Rechnung getragen, daß
die Sprachgeschichte nicht in bestimmte Epochen eingeteilt ist,
sondern jeweils Übergangsphasen benannt werden (z.B. 'Vom Idg.
zum Germ.' usw.). Lautveränderungen werden aber jeweils durch die
Epochenattribute gekennzeichnet, in denen sie erstmals voll ausgeprägt erscheinen (ahd. Umlaut, mhd. Umlaut usw.).

Um Prinzipielles der Entwicklungen zu verdeutlichen, wurde die
Terminologie vereinheitlicht. Diese soll Hilfsmittel zum Verständnis sein, sie darf sich weder vor die Sache stellen (wie z.B. ein
zu eng gefaßter Umlaut-Begriff) noch unverständliche Chiffre sein.
Deshalb habe ich weitgehend neutrale, deskriptive Bezeichnungen
gewählt (Basis ist die Nomenklatur der lat. Grammatik), Parallel-
bezeichnungen der Orientierung wegen aber mit aufgeführt und jeweils etymologische Erklärungen beigefügt.

Analoge Lautentwicklungen werden gleich benannt, nicht terminolo-
gisch als scheinbar verschiedenartige sprachgeschichtliche Pro-

zesse voneinander geschieden (z.B. die Vokalassimilationen im
Westgerm. von den gleichgerichteten im Ahd., s. Assimilationskette § 16).

Ferner wurden Definitionen auf ihre sachliche Stimmigkeit hin
korrigiert, z.B. die Umlautdefinition: Wenn Umlaut als Antizipation eines Folgevokals und als Assimilation an diesen erklärt
wird, kann er nur stattfinden, wenn das Agens tatsächlich synchron vorhanden war; bei einem Paradigma wie vorahd. *+hŏrjan*,
ahd. *hŏren*, mhd. *hoeren* war jedoch bei Eintritt des Umlauts das
Agens *j* schon nahezu ein halbes Jahrhundert geschwunden.

Die angeführten Beispiele und Erklärungen können nur Anregungen
sein, den jeweiligen Phänomenen mit Hilfe weiterführender sprach-
wissenschaftlicher Publikationen oder Beobachtungen an der eigenen Sprache in ihren diachronen und synchronen Verästelungen
nachzugehen, d.h. ein gewisses Maß an selbständiger Mit- und Wei-
terarbeit ist vorausgesetzt.

Zur Anlage: Erschlossene Formen sind durch + gekennzeichnet; Beispiele aus historischen Sprachstufen erscheinen kursiv, nhd. Beispiele recte oder in einfachen Anführungszeichen, Parallelformen
sind durch Schrägstrich markiert, Endungen sind in erschlossenen
Beispielen dann vernachlässigt, wenn die Entwicklung in der Haupttonsilbe behandelt wird. Die Abkürzungen entsprechen den üblichen
Formen.

Zu Dank verpflichtet bin ich den Verfassern der im Literaturverzeichnis zusammengestellten Werke - sei es für das dort bereitge-
stellte Material, sei es auch, weil ich in der Auseinandersetzung
mit den dort vertretenen Theorien meinen eigenen Weg gefunden habe.

Danken möchte ich auch den Teilnehmern zahlreicher sprachgeschicht-
licher Seminare, die mich durch ihre Fragen oft erst auf Erklärungs-
'Untiefen' aufmerksam gemacht haben - und nicht zuletzt der
Metzlerschen Verlagsbuchhandlung, insbesondere Herrn Dr. Bernd Lutz,
ohne dessen sanftes Drängen der Band noch nicht so bald fertig geworden wäre.

Dank gebührt aber vor allem Frau Hildegund Fischer und Frau Sonja
Mohles für die stets geduldige und sorgfältige Anfertigung der
Druckvorlage, sowie Herrn Stefan Froelig für die Ausführung der
graphischen Formen, Frau Sigrid Noelle, Frau Gudrun Kainz und
Frau Elisabeth Utz für die Hilfe bei der Bibliographie und beim
Register, schließlich, wie immer, meiner Frau, welche die Ent-
stehung des Heftes mit großer Langmut in allen Phasen begleitet
hat und das Typoskript herstellte.

Stuttgart, im Januar 1986   G.S.

Vorwort zur 2. Auflage

Mit einer so bald fälligen 2. Auflage hatte ich nicht gerechnet.
So konnten noch nicht alle inzwischen geplanten Erweiterungen - v.a.
beim Kapitel 'Syntax' und ein zusätzliches Kapitel 'Daten zur Entwicklung der nhd. Schriftsprache' - ausgeführt werden. Ergänzt wurde
(im Anhang) lediglich der Abschnitt 'Sprachentwicklungstheorien',
neu aufgenommen ist ein Kurzkapitel zur 'Entmouillierung'.

So sehr mich die positive Resonanz auf diesen Band gefreut hat, so
bin ich doch etwas enttäuscht, daß die hier zur Diskussion gestellten
neuen Theorien öfters anscheinend nicht entdeckt worden sind, so die
Assimilationskette (§16), welche die Basis einer sowohl von den jung-
grammatischen als auch linguistischen Theorien abweichende Auffassung
der Lautentwicklung - mit einer neuen Umlauttheorie - bildet, und die
von gängigen Darstellungen abweichende Auffassung der Entwicklung der
1. und 2. L a u t verschiebung, welche insofern diese Bezeichnung
zurecht tragen, als es sich um prinzipielle Umschichtungen des gesamten
L a u t gefüges handelt, die sich in bestimmten Konsonanten im besonderen offenbaren, also nur phänomenologisch Konsonantenverschiebungen
zu sein scheinen.

Eher bemerkt wurde die didaktische Aufbereitung des Stoffes, die
durchgehende Erklärung der grammatischen Begriffe, die Synopse von
Form- und Lautgeschichte im Kapitel 'Verbklassen' (S. 169ff.) und der
vergleichende Einbezug anderer europäischer Sprachen mit dem Ziel,
prinzipielle Tendenzen der Sprachentwicklung auf breiterer Basis
verstehbar zu machen.

Der Band möchte der Einführung in die historische Sprachwissenschaft
dienen, wobei der Gegenstand nicht hinter Schleiern prätentiöser
Begriffsbildungen und überanstrengter selbstzweckhafter Theorien
verschwinden sollte.

Zu danken habe ich für Hinweise auf Fehler und für Ergänzungsvor-
schläge Herrn Dr. Wolf-Otto Dreeßen und Frau Hildegund Froelig-Fischer,
die mit gewohnter Pünktlichkeit auch die korrigierten Druckvorlagen
herstellte und das Register vervollständigte.

April 1987   G.S.

Grundlegender Teil

Sprache, ein vielfältiges und vielschichtiges System aus Lauten und
Zeichen (Schrift), kann auf Grund ihrer komplexen Strukturen und
zahlreichen Anwendungsformen unter verschiedenen Aspekten und mit
wechselnden Erkenntniszielen erforscht werden. Je nach den ange-
wandten Methoden und den untersuchten Sprachbereichen ergeben sich
unterschiedliche Forschungsgebiete.

§ 1 Kursorischer Überblick über die Geschichte der Sprach-forschung (Ansätze und Tendenzen)

Die Geschichte der Sprachforschung ist geprägt durch zwei unterschiedliche Erkenntnisziele. Sie richten sich

a) auf die jeweilige Gegenwartssprache: synchrone[1] Sprachbetrachtung, gilt einem sprachlichen Querschnitt, der Sprache
   als menschlichem Kommunikationsmittel und geistigem System

b) auf die Geschichte, die Herkunft und das Werden von Sprache:
   diachrone[2] Sprachbetrachtung, gilt einem sprachgeschichtlichen
   Längsschnitt.

1. Im Altertum, im Mittelalter und in der Neuzeit bis zum 18. Jh.
   galt das Interesse vordringlich der jeweils g e g e n w ä r -
   t i g e n   S p r a c h e, die man deskriptiv mit logisch-
   grammatischer Begrifflichkeit zu erfassen suchte.

   Ansätze dazu finden sich schon bei ARISTOTELES ("Peri her-
   meneias" - Über die Sprache, 4. Jh.v.Chr.), der u.a. den Satz
   als zweigliedriges Urteil (Subjekt - Prädikat) definierte
   und die Wörter im Anschluß an PLATON in die Hauptgruppen
   'Substantiva' und 'Verba' einteilte.

   In hellenistischer Zeit wurden die bisherigen Beobachtungen
   und Überlegungen zur Sprache in Philosophie und Sprachlehre
   v.a. durch DIONYSIOS THRAX (170 - 90 v.Chr.) zusammengefaßt
   und in ein grammatisches System gebracht. Er ordnete die
   Wörter nach noch heute gültigen (acht) Wortklassen. S e i n e

---

1 griech. *syn* zusammen, zugleich, *chronos* Zeit - zu gleicher Zeit, gleichzeitig
2 griech. *dia* durch, *chronos* Zeit - in zeitlichem Nach-
  einander

griech. Elementargrammatik[1] ist das älteste erhaltene sprach-
systematische Lehrbuch. Es wurde zur Grundlage aller folgenden
abendländischen Grammatiken.

Auf die lat. Sprache angewandt wurden diese Erkenntnisse v.a.
von dem röm. Grammatiker und Rhetor Aelius D. DONATUS[2] (4. Jh.).
Seine "Ars[3] grammatica" wurde zum Begriff für 'Grammatik'
schlechthin; der 'Donatus' zum Grundbuch des mittelalterlichen
Lateinunterrichts. Es gehörte zu den ersten Drucken: Bereits
Mitte des 15. Jh.s lagen 24 verschiedene Druck-Ausgaben vor.

Seit der Spätantike zählte Grammatik neben Rhetorik und Dia-
lektik zum philologischen Trivium[4], den einführenden Disziplinen der Septem artes liberales (der Sieben freien Künste),
eines Systems der profanen Wissenschaften - für das Mittelalter verbindlich geworden durch die philosophische Allegorie
des MARTIANUS CAPELLA "De nuptiis Mercurii et Philologiae"
(Von der Vermählung des Merkur und der Philologie, 5. Jh.).

Bis in die Neuzeit blieb Grammatik an der Struktur der lat.
Sprache, ihrer systematischen Aufschlüsselung und der an ihr
entwickelten Terminologie orientiert. Sie beschränkte sich
weitgehend auf Morphologie[5]; die Syntax spielte eine geringere
Rolle.

Neben einer allgemeinen Systematik gab es auch Ansätze zur Er-
fassung eines besonderen Sprachsektors oder bestimmter Aspekte.
So untersucht ein anonymer altisländischer Traktat[6] des 13.
Jh.s das Verhältnis von Laut und Buchstabe.

---

1 griech. *grammatikḗ technḗ: technḗ* Kunst, Wissenschaft,
  grammatikos des Lesens und Schreibens kundig, zu
  gramma Buchstabe, Schrift
2 dem Lehrer des Hieronymus, welcher d i e maßgebende
  lat. Bibelübersetzung (Vulgata) schuf
3 lat.: Kunst, Wissenschaft
4 lat.: Dreiweg
5 griech. *morphḗ* Gestalt, *logos* Lehre - Lehre von den
  Formen
6 Dt. Übersetzung: Die jüngere Edda mit dem sogenannten
  ersten grammatischen Traktat. Übertragen von G. NECKEL
  und F. NIEDNER. Sammlung Thule 1925.

DANTE ALIGHIERI (1265 - 1321) lenkte in seiner Abhandlung
"De vulgari eloquentia"[1] (1303/04) die Aufmerksamkeit auf die
Volkssprache, das Italienische, und verteidigt es gegenüber
dem gelehrten Latein.

Erst im 17. Jh. setzt die Beschäftigung auch mit der deutschen
Sprache als einer Literatursprache ein, z.T. schon mit historischen Implikationen.

Insbesondere die Sprachgesellschaften[2] richten ihr Augenmerk
auf Fragen der Sprachrichtigkeit in Lautung, Formenbildung und
Wortschatz und versuchen eine kritische Sichtung und Klärung
der Bemühungen um eine gemeindeutsche Hochsprache. Verwiesen
sei hier auf J. G. SCHOTTELs "Ausführliche Arbeit von der
Teutschen Haubt Sprache" (1663), eine umfangreiche Auflistung
und Erörterung von normstiftenden Beispielen zur Orthographie,
Flexion, Wortbildung, Interpunktion und Syntax.

Im selben Zeitraum treten auch Pläne zu einer - vorwiegend
normativ orientierten - Erfassung des Wortschatzes der dt.
Sprache auf.

Lexikographie[3] diente bis dahin der Fremdsprachenvermittlung[4].
Die Lemma[5]-Grundlage war das Latein (ein Wörterbuch mit deut-
scher Lemmabasis findet sich - neben einem lat.-dt. Glossar -
als Einzelfall erstmals im 14. Jh. im "Vocabularium" des
Straßburger Klerikers Fritsche KLOSENER).

Anregungen der Sprachgesellschaften folgend, lieferte Caspar
STIELER Ende des 17. Jh.s das erste umfassende Wörterbuch der
deutschen Sprache (68 Tsd. Wörter), in dem er verschiedene
Prinzipien der Darstellung erprobte; der Hauptteil ist nach
Wortstämmen gegliedert: "Der Teutschen Sprache Stammbaum und
Fortwachs oder Teutscher Sprachschatz" (1691).

---

1 Über das Dichten in der Muttersprache. Dt. Übersetzung
  von F. DORNSEIFF und J. BALOGH. 1925
2 Erste und bedeutendste: die Fruchtbringende Gesell-
  schaft, gegr. 1617 in Weimar
3 griech. *lexikon (biblion)* Wörterbuch, *graphein* schreiben
4 so schon das älteste dt. 'Buch', der sog. ahd. Abrogans,
  eine Verdeutschung eines spätlat. Synonymenlexikons
5 griech.: Stichwort

Einen ersten Höhepunkt fand die Lexikographie des Deutschen
in J. Ch. ADELUNGs "Versuch eines vollständigen grammatisch-
kritischen Wörterbuches der hochdeutschen Mundart mit bestän-
diger Vergleichung der übrigen Mundarten, besonders aber der
oberdeutschen" (1774 - 86).

Das "Deutsche Wörterbuch" von J. und W. GRIMM (Bd. 1 1854,
beendet 1961) gehört mit seiner geschichtlichen Ausrichtung
bereits in den Bereich der historischen Sprachwissenschaft.

Neben den grammatischen und lexikographischen Bemühungen um
eine deutsche Einheits- und Schriftsprache entwickelte sich
vor dem Hintergrund der Hochsprache auch ein Interesse für
die Mundarten und für ältere Sprachstufen. Am Anfang der dia-
lektalen Publikationen stehen Wörterbücher, so J. L. PRASCHs
"Glossarium Bavaricum" (1689) oder M. RICHEYs "Idiotikon
Hamburgense" (1743). Grundlegend wurde dann J. A. SCHMELLERs
"Bayrisches Wörterbuch" (1827 - 37). - Als ältestes sprach-
historisches Werk gilt J. G. ECCARDs "Historia studii etymo-
logici linguae Germanicae hactenus impensi" (1711)[1].

Im 19. Jh. trat die synchrone Sprachbetrachtung hinter der
sich entfaltenden historischen Sprachwissenschaft zurück. Erst
im 20. Jh. rückte sie erneut ins Zentrum: Die Sprachwissenschaft wendet sich nun - unter der Bezeichnung 'Linguistik'[2] -
wieder stärker den Gegenwarts-Sprachen zu, v.a. den von der
früheren Sprachwissenschaft zum Teil vernachlässigten Sektoren
der gesprochenen Sprache, der Syntax, der Semantik und der
Sprachtheorie. Richtungweisend wurde der Strukturalismus.

Eine bewußte Abkehr von der in historischen Dimensionen be-
fangenen Sprachwissenschaft des 19. Jh.s vollzog v.a.
F. DE SAUSSURE in dem aus Vorlesungsmitschriften zusammengestellten Werk "Cours de linguistique générale" (1916, dt.

---

1 Die älteste Grammatik altgermanischer Dialekte enthalten
  die "Institutiones grammaticae Anglo-Saxonicae et Moeso-
  gothicae" (1689) des engl. Theologen George HICKES
2 zu lat. *lingua* Zunge, Sprache

Übersetzung: "Grundfragen der allgemeinen Sprachwissenschaft",
1931). Er führte die folgenden kategorialen[1] Dichotomien[2] in
die Sprachanalyse ein:

synchron - diachron (Sprachzustand, Sprachentwicklung)

la langue - la parole (Sprachsystem - Sprachrealisation,
                                          Sprechakt)

la langue - langage (Sprachsystem - Sprachfähigkeit)

signifié - signifiant (Bezeichnetes - Bezeichnendes)

Opposition - Analogie (Gegensatz - Entsprechung)

Im 20. Jh. entwickelten sich verschiedene Richtungen (Disziplinen[3]) der modernen Linguistik, die sich sowohl empirisch
als auch theoriebildend mit Sprache als System mit ihren verschiedenen Anwendungsgebieten beschäftigen:

Sprachphilosophie: prinzipielle Fragen (zum Teil mit Rückgriff
auf ältere Ansätze von J.G. HERDER und W. VON HUMBOLDT) nach
sprachlichen Universalien, nach der Zeichenhaftigkeit der Sprache (Sprache als solche), Metasprache[4] (Sprache über Sprache)
u.a.

Sprachpsychologie[5] (anfangs völkerpsychologisch orientiert):
Fragen nach einem in der Sprache dokumentierten Weltbild und
ihrem möglichen Verhältnis zu einem vermuteten Volkscharakter.

Psycholinguistik: allgemeine Fragen des Sprachverhaltens, des
Spracherwerbs, verschiedene Aspekte sprachlicher Kommunikation.

Sprachsoziologie[6] (Soziolinguistik): Untersuchung der sozialen
Aspekte der Sprache, insbesondere deren gesellschaftliche Be-
dingtheit, ihre Abhängigkeit von sozialen Gegebenheiten
(Schichtentheorie) und konkreten Situationen (Defizithypothese).

Pragmalinguistik[7], Teilbereich der Semiotik[8]: sieht Sprache als
System von Zeichen und fragt nach der Art ihrer Verwendung
durch die Sprachbenutzer.

Diese neueren Tendenzen blieben auch nicht ohne Auswirkung auf
die historische Sprachwissenschaft im 20. Jh.

---

1 griech. *kategoria* Aussage über ein Subjekt
2 Zweiteilung, zu griech. *dicha* in zwei Teile (geteilt),
  tomé Schnitt
3 lat. *disciplina* Lehre, Schule, Fachwissenschaft
4 griech. *meta* hinter, nach
5 griech. *psyché* Bewußtsein, Seele, Gemüt, *logos* Rede,
  Wort, Lehre
6 lat. *socius* Gefährte, Genosse, Mitmensch
7 griech. *pragma* Handeln, Tun
8 griech. *sema* Zeichen

2. Neben der Beschäftigung mit der jeweiligen Gegenwartssprache finden sich schon in der Antike vereinzelte - allerdings rein spekulative - Versuche, U r s p r u n g und Wesen der Sprache oder die H e r k u n f t der Wörter (Etymologie) zu ergründen, in eingeschränktem Sinne ein frühzeitlicher h i s t o - r i s c h e r Zugriff:

Dies gilt schon für die älteste sprachphilosophische Abhandlung, "Kratylos oder Über die Richtigkeit der Wörter" von PLATON (427 - 347 v. Chr.), ebenso wie noch für die "Etymologien" ISIDORs VON SEVILLA (ca. 570 - 656), die zu einer der wichtigsten Sammlungen des Mittelalters wurden.

Historische Aspekte berührt auch DANTE im Traktat "De vulgari eloquentia" (s. oben) im Rahmen der Fragen nach einer Ursprache und nach dem Verhältnis der drei sogenannten heiligen Sprachen (Hebräisch, Griechisch, Lateinisch).

Zum Ausgangspunkt für die neuere historische Sprachwissenschaft wird der Sprachenvergleich. Schon J.C. SCALIGER geht in seinem Werk "De causis linguae Latinae" (1540) Fragen nach dem Wandel von Konsonanten oder Diphthongen im Lateinischen bei Wörtern griech. Herkunft nach; E. GUICHARD untersucht die "Etymologische Harmonie des Hebräischen, Chaldäischen, Syrischen, Griechischen, Spanischen, Deutschen..." (1606). Auch G.W. LEIBNIZ (1646 - 1716) stellt in seinen zerstreuten Abhandlungen zur Sprache unter vielen anderen auch Fragen nach der Sprachverwandtschaft und Sprachentwicklung.

Einen grundlegenden Wandel in diesen meist spekulativen Beschäf- tigungen mit sprachlichen Entwicklungen brachte erst der Histo- rismus zu Beginn des 19. Jh.s mit seinem ausgreifenden Interesse für vergangene Kulturstufen. Methodisch abgesicherte Fragen nach Ursprung und Entfaltung bestimmter Nationalsprachen drängen die synchrone Betrachtung in den Hintergrund. Sprache wird nun haupt- sächlich als diachrone Folge erforscht, frühere Sprachen und Sprachstufen systematisch und in konkreten Analysen untersucht. Basis solcher Arbeiten wird der Sprachvergleich im Rahmen des Indogermanischen. Dabei wurden die Verwandtschaften der indogerm. Sprachen aufgedeckt.

Schon 1786 machte der engl. Orientalist William JONES auf die
genetischen Zusammenhänge des Sanskrit mit dem Griechischen,
dem Lateinischen, Gotischen und Keltischen aufmerksam, eine
Arbeit, die Friedrich SCHLEGEL in seiner Abhandlung "Über die
Sprache und Weisheit der Indier" (1808) aufgriff.

Richtungweisend wurden dann v.a. die Untersuchungen von Franz
BOPP (1816) und Rasmus Kristian RASK (1818, s. § 4). Der Orientalist BOPP ging vom Sanskrit aus und zeigte durch Vergleich
der Verbflexionen die Urverwandtschaft des Indischen und Per-
sischen mit europäischen Sprachen auf; RASK ging vom Altnor-
dischen aus und wies ebenfalls anhand der Konjugation dessen
Verwandtschaft mit dem Slawischen, Griechischen und Lateinischen
nach.

Das Hauptwerk der germanistischen Sprachforschung wurde dann
die "Deutsche Grammatik" (1819) von Jacob GRIMM. Er faßte
hierin die Ergebnisse der historischen Sprachwissenschaft zusammen und verhalf der historisch-genetischen Methode zu brei-
ter Anerkennung. Entscheidende Leistungen J. GRIMMs waren der
Nachweis lautgeschichtlicher Gesetzmäßigkeiten, z.B. bei der
1. und 2. Lautverschiebung (vorformuliert bereits von RASK),
und seine z.T. bis heute gültigen Beiträge zum sprachgeschichtlichen Begriffsapparat (Ablaut, Umlaut, starke - schwache
Flexion).

Ausgebaut wurden diese grundlegenden Ergebnisse durch die
'Jung-Grammatiker' W. BRAUNE, H. PAUL, E. SIEVERS u.a. im An-
schluß an den Positivismus: Sie übertrugen naturwissenschaft-
liche Methoden auf die Sprachforschung und exemplifizierten
diese an der (dafür am besten geeigneten) Lautentwicklung
(Aufstellung von Lautgesetzen).
Auf ihrem Erkenntnisstand ruht im wesentlichen die historische
Sprachwissenschaft des 20. Jh.s.

§ 2 Methoden und Aspekte in der Sprachforschung

Zur Aufschlüsselung eines so komplexen Phänomens wie es Sprache darstellt, werden entsprechend den jeweiligen Erkenntniszielen unterschiedliche Verfahren und Methoden angewandt, Wege der Untersuchung eingeschlagen.

Der Begriff 'Methode'[1] wird (sofern überhaupt ausdrücklich definiert) allerdings recht komplex verstanden: Einerseits als planmäßiges Verfahren, als Mittel zur Erkenntnisgewinnung (z.B. analytische Methode), andererseits aber auch als System von Regeln und schließlich im Sinne eines ganzen Forschungsbereiches, wobei die dafür dienlichen Untersuchungsmittel mitgemeint sind (z.B. soziolinguistische Methode).

Während 'Methode' einen bestimmten Zugriff des Forschenden, eine Annäherungsweise des Betrachters an ein Objekt bezeichnet, werden unter 'Aspekt'[2] eine Teilansicht, ein Teilbereich, bestimmte Eigenschaften eines Objektes verstanden, die wiederum bestimmte Zugriffe des Betrachters erforderlich machen (z.B. synchrone oder diachrone Betrachtungsweise).

I   Das Untersuchungsobjekt Sprache kann unter zwei Aspekten gesehen werden:

1. Sprache als autonomes System: Ihre Erforschung bedient sich

   s p r a c h i n t e r n e r (innersprachlicher, intra-

   lingualer, sprachimmanenter) Zugriffe

2. Sprache als Subsystem in Abhängigkeit von außersprachlichen Faktoren und Situationen. Dies verlangt

   s p r a c h e x t e r n e (sprachüberschreitende, extra-

   linguale) Zugriffe,

   wobei z.T. Methoden, Kategorien und Terminologien von benachbarten Disziplinen übernommen werden, z.B.:

   a) Kulturhistorische Methode: Sprachliche Phänomene werden zu Daten und Erkenntnissen der Kulturhistorie in Beziehung gesetzt (z.B. Fremdworteinfluß)

      Aus dem Wortschatz einer bestimmten Zeit wird auf den zugehörigen Kulturraum, auf einen bestimmten Stand der Sachkultur geschlossen (kulturhistorische Linguistik).

   b) Soziologische Methode: Sprachschichten werden nach gesellschaftlichen Bedingtheiten aufgeschlüsselt. Untersucht werden Sondersprachen, sozial bedingte Sprachkompetenz u.a. (s. auch Soziolinguistik, § 1).

---

1 griech. *methodos* Weg zu etwas, einer Untersuchung
2 lat. *aspectus* Anblick

c) <u>Pragmatische Methode</u>: Behandelt die Umsetzung von Sprache
in bestimmte kommunikativ und situativ bedingte Äußerungs-
formen, Sender-Empfänger-Beziehungen, Sprechakte (s. auch
Pragmalinguistik, § 1).

II Für konkrete Sprache bestehen zwei erfaßbare zeitliche Dimensionen[1]: Gegenwart und Vergangenheit. Sprache kann mithin in
zwei Untersuchungsrichtungen (synchron und diachron) ange-
gangen werden:

1. S y n c h r o n e Sprachbetrachtung/ Sprachwissenschaft
(neuerdings im besonderen als 'Linguistik' bezeichnet)
Sie geht in der Regel empirisch[2] und induktiv[3] vor, untersucht <u>Sprache als Zustand, als System</u> in einem bestimmten
zeitlichen Querschnitt (meist der Gegenwart), registriert,
systematisiert, normiert. Ihr Ziel ist die deskriptive Erfassung des Sprachgebrauchs in einer bestimmten Zeitebene.
Sie beschäftigt sich sowohl mit Nationalsprachen und Dialekten als auch mit dem Vergleich mehrerer Sprachen (Komparatistik[4]) mit besonderem Augenmerk auf die jeweiligen Eigenheiten und Unterschiede (kontrastive[5] Linguistik). Sie
ist auch Grundlage für die angewandte Linguistik mit ihrer
Ausrichtung auf den Fremdsprachenunterricht. Zu den Unter-
suchungsfeldern vgl. § 1.

2. D i a c h r o n e Sprachbetrachtung
(historische Sprachwissenschaft, auch als 'Sprachgeschichte'
bezeichnet - wobei der Begriff sowohl den Gegenstand als
auch die Methode meint; auch 'historische Linguistik').
Befaßt sich mit der <u>Sprache als Prozess</u>, mit den geschichtlichen Entwicklungen von Lauten, Formen, Bedeutungen, mit
den Veränderungen des Wortschatzes und der Syntax. Stellt
historische Abfolgen (Reihen) von Sprachelementen, Wörtern,
syntaktischen Prinzipien zusammen. Sucht durch Vergleich
verschiedener Sprachstufen nach Erklärungen für die Veränderungen, z.B. durch Ausgriff auf ähnlich strukturierte

---

1 lat. *dimensio* Ausmessung, Ausdehnung
2 griech. *empeiria* Erfahrung
3 lat. *inducere* (hin)einführen
4 lat. *comparare* vergleichen
5 ital. *contrasto* Gegensatz, vgl. lat. *contra* gegen, *stare* stehen

Sprachen: historisch-vergleichende Methode.

Im diachronen Zugriff lassen sich zwei Untersuchungsfelder
ausmachen:

a) genetisch[1]: gefragt wird nach dem Ursprung einer historischen Reihe, nach der Entstehung bestimmter Sprachformen (vgl. bes. Etymologie)

b) genealogisch[2]: untersucht wird der Grad der Verwandtschaft von Sprache (vgl. auch Sprachtypologie § 10).

III In den unter I und II aufgeführten Untersuchungsbereichen
    lassen sich je nach Erkenntnisinteresse folgende Verfahren
    und Methoden einsetzen:

1. S a m m e l n des Untersuchungsmaterials (Schriften,
   Sprachbelege): positivistisches (faktenorientiertes) Registrieren von sachdienlichen Sprachzeugnissen.

2. O r d n e n des Materials (Systematik)
   a) nach formal-logischen Aspekten: Zusammenstellen von
      Gruppen (Klassen) gleicher Merkmale, klassifizieren
      (z.B. Verben, Substantive),

   b) nach Aspekten gegenseitiger Abhängigkeiten und Bedingt-
      heiten (nach Interdependenzen[3]), nach (binären[4]) Oppo-
      sitionen und Korrespondenzen, Herausarbeitung (meist
      dichotomer) Kategorien im Hinblick auf ein übergeordnetes
      System: strukturalistische Methode.

3. A n a l y s i e r e n : Aufschlüsselung eines Tatbestandes
   oder Phänomens in seine Elemente (Segmente[5], Sektoren[6]),
   Rückführung auf Ursprünge, Aufweis von Grundprinzipien, Bedingtheiten
   a) induktiv: ausgehend vom Gegenstand; Aufsteigen vom Ein-
      zelnen, Besonderen zum Allgemeinen.

---

1 lat. *genere* erzeigen, erschaffen
2 lat. *genealogia* Stammbaum
3 aus lat. *inter* zwischen, gegenseitig und *dependere* abhängen
4 lat. *bini* je zwei
5 lat. *segmentum* Abschnitt, Stück
6 Abschnitt, Ausschnitt zu lat. *secare* abschneiden, trennen

b) <u>deduktiv</u>[1]: ausgehend von einem Lehrsatz, einer Hypothese;
Absteigen vom Allgemeinen zum Besonderen, Einzelnen.

Vgl. z.B. die traditionellen Umlauterklärungen, die von
einer Definition ausgehen, bei der nicht alle historischen
Daten erfaßt sind und erklärt werden (s. auch Einführung
und § 16).

4. V e r g l e i c h e n

a) von Material einer Zeitstufe, Zeitebene innerhalb einer

Sprache (synchron),

z.B. zur Feststellung unterschiedlicher vertikal geschich-
teter Sprachebenen (s. Soziolinguistik) oder von unterschiedlichem Sprachgebrauch je nach Anwendungsbereichen

b) von Material aus zeitlich verschiedenen Ebenen innerhalb

einer Sprache (diachron),

z.B. zur Erfassung entwicklungsbedingter Unterschiede:
Grundmethode der historischen Sprachwissenschaft

c) von Material verschiedener Sprachen (als <u>Komparatistik</u> im

engeren Sinne bezeichnet, auch: komparative, kontrastive

Linguistik),

z.B. Herausarbeitung kennzeichnender Gemeinsamkeiten und
Unterschiede zweier oder mehrerer Sprachen, genealogische
Typologie (s. § 10),

Ausgangsbasis der indogerm. Sprachwissenschaft

5. A u s w e r t u n g   (Synthese)

a) Registrierung eines Bestandes von Sprachformen und Sprach-

elementen. <u>Formal-deskriptive</u> Darstellungsmethode:

Prinzip der lat. Grammatik und der auf ihr aufbauenden
Grammatiken

b) Aufspüren von <u>Regeln</u> und <u>Gesetzen</u>

geleistet v.a. von Jacob GRIMM und anderen historischen
Sprachwissenschaftlern

c) Aufstellen von <u>Hypothesen</u>: dialektisches Verfahren zur Er-

schließung von Formen; durch Abwägen des sic et non[2] (des

Für und Wider), von These und Gegenthese wird eine

Synthese versucht.

---

1 lat. *deducere* ableiten, herabführen
2 lat. *sic* ja, *non* nein

Methode bei vorgeschichtlichen Entwicklungsphasen, wo keine
schriftlichen Zeugnisse überliefert sind: Ausgehend von erhaltenen Sprachzeugnissen werden durch vergleichende Analogie
nicht-belegte Formen erschlossen.

Methode der indogerm. Sprachwissenschaft zur Erschließung
indogerm. und germ. Wortformen.

Bis ins 19. Jh. wurde dieses Feld meist durch nicht nachvoll-
ziehbare Spekulationen bestellt (vgl. mittelalterliche
Etymologie).

d) Werten: axiologische[1] Methode. Mit ihrer Hilfe werden
Leistungen der Sprache festgestellt:

- auf der Ebene der Kommunikation: z.B. Sprachrichtigkeit

- auf der Ebene der Sprachästhetik: z.B. Fragen nach stilistischen und poetischen Valenzen, nach Stilstufen
(Stilistik, Poetik)

6. B e g r i f f s f i n d u n g , Begriffsgebung (Nomenklatur[2])

a) deskriptive Terminologie: Aus dem Begriff läßt sich die Sache
(zumindest ein Teilaspekt) unmittelbar ableiten, z.B.

- nach der syntaktischen Stellung: z.B.
'Präposition', ein Wort, das einem anderen (Substantiv)
vorangestellt ist (lat. praeponere)

- nach der Funktion im Lautsystem: z.B.
'Konsonant' (Mit-Laut), bezogen auf Vokale ('Sonanten')

b) interpretative Terminologie: Die Deutung eines Tatbestandes
wird in den Begriff hineingenommen, z.B.

'verbum substantivum': ein Wort, das die Substanz eines
Gegenstandes anspricht.

c) definierte Terminologie: Begriffe sind nur verständlich
aus entsprechender Definition, z.B.

'Umlaut' (im Unterschied zur deskriptiven Bezeichnung
'Assimilation'), 'Phonem' (im Unterschied etwa zu 'Phon',
Laut).

Die Methoden und Aspekte und ihre Darstellungsprinzipien greifen
alle mehr oder weniger ineinander. Sie lassen sich also nur zu
heuristischen[3] Zwecken in eine fortlaufende Skala bringen. Gewöhnlich hat für ein bestimmtes Erkenntnisinteresse eine der
Methoden, ein bestimmtes Verfahren den Vorrang.

---

1 griech. *axía* Wert, Preis
2 lat. *nomenclatura* Namensverzeichnis, Namengebung
3 Heuristik: Kunst des Findens, Zusammenfassung methodischer Wege
zum Auffinden neuer Erkenntnisse, zu griech. *euriskein* finden

§ 3 Sektoren[1] der Sprachgeschichte

Die Sprachgeschichte wird nach den Elementen der Sprache in verschiedene Disziplinen eingeteilt, die sich diachron (und synchron) befassen mit

- dem Laut, seiner Entwicklung und seinen (graphischen) Umsetzungen,

- dem Wort, seinen Formen (Morphematik, Morphologie),
        Bedeutungen (Semasiologie, Semantik),
        Anwendungen (Bezeichnungen, Onomasiologie, Onomantik),
        seiner Herkunft (Etymologie),
        seinen Erweiterungen (Wortbildung),

- dem Wortschatz (Lexik[2]), seiner Klassifikation, z.B. nach
        Schichtungen oder Herkunft (Erb-, Fremdwortschatz),

- der Wortfolge (Syntax)

I Laut

A synchrone Aspekte

1. Phonetik[3] (Lehre von der Lautbildung):
   Handelt von der Erzeugung von Lauten, ihren physikalischen und physiologischen Bedingtheiten, dem Lautbestand einer Sprache; arbeitet mit naturwissenschaftlichen Methoden. In der dt. Hochsprache werden je nach Differenzierungsgraden zwischen 57 und 73 Laute unterschieden.

2. Phonologie[4] (Lehre von den Lauten)
   Handelt von den kleinsten (abstrakten) Einheiten eines Lautsystems mit bedeutungsdifferenzierender und wortkonstituierender Funktion, in der modernen Linguistik P h o n e m [5] genannt. Der Begriff ist aus der Perspektive einer systematisierten Schriftsprache konzipiert und wird sekundär in die Lautebene projiziert. Ein Phonem kann phonetisch unterschiedlich realisiert sein und auch unterschiedlich

---

1 lat. *secare, sectus* (ab)schneiden, trennen - Ausschnitt
2 griech. *lexis* Rede, Wort
3 griech. *(techné) phonetiké* den Laut *(phoné)* betreffende Wissenschaft
4 griech. *phoné* Laut, *logos* Lehre
5 griech. *phonemā*, Nebenform zu *phoné* Laut

in der Schrift erscheinen (s. unten 3. und § 9 Sprache und Schrift).

Ausgangspunkt der Phonologie ist die Relevanz bestimmter Wortelemente (Phoneme) für die Bedeutungsdifferenzierung nach folgenden Momenten:

- verschiedene Artikulationsart und -stelle:
    Band - fand - Hand - Land - Rand - Sand - Tand - Wand
- verschiedene Stimmenergie:
    Greis - Kreis
- verschiedene Vokalqualität:
    Schlacht - schlecht - schlicht - Schlucht
- verschiedene Vokalquantität:
    kann (a) - Kahn (ā)

Die Zahl der Phoneme einer Sprache (Phonem-Inventar)[1] ist nicht identisch mit derjenigen der Laute im Sinne der Phonetik:

p h o n e t i s c h betrachtet steht das Konsonantenzeichen ch in 'ich' (palatal) und 'ach' (velar) für zwei verschiedene Laute; dasselbe gilt für Zungenspitzen-r und Zäpfchen-r;

p h o n o l o g i s c h betrachtet handelt es sich um zwei Varianten eines Phonems (Phonemvarianten, A l l o p h o n e[2]), deren unterschiedliche Aussprache semantisch bedeutungslos ist.

3. Orthographie[3]

Lehre von der an einer bestimmten Tradition oder Autorität (DUDEN) orientierten verbindlichen Schreibnorm.

Dem Phonem entspricht das Graphem[4], das durch unterschiedliche Graphe (Allographe) wiedergegeben sein kann: h (hoch), H (Hochhaus) oder v (Vater), f (fahren).

4. Orthophonie

Lehre von der 'richtigen' Aussprache der Wörter einer Sprache (z.B. Bühnenaussprache nach Theodor SIEBS, Dt. Aussprache. [19]1969).

---

1 auch: phonematisches System: Anzahl der bedeutungsrelevanten Laute einer Sprache. Im Russ. gibt es z.B. im Unterschied zum Dt. zwei verschiedene l-Phoneme (dunkles, helles l), im Jap. fehlt der Laut r.
2 griech. *allos* anderer, sonstiger, *phoné* Laut, Stimme
3 griech. *orthos* richtig, *graphein* schreiben
4 Analogiebildung zu 'Phonem', aus griech. *graphein* schreiben

B diachroner Aspekt

<u>Lautgeschichte</u>

auch: historische Lautlehre, historische Phonologie. Registriert lautliche Unterschiede zwischen einzelnen Sprachepochen,
verfolgt die Entwicklung einzelner Laute und sucht nach Erklärungen für den zu beobachtenden L a u t w a n d e l . Getrennt zu behandeln sind auf Grund verschiedener Akzente Veränderungen in Tonsilben und solche in Neben- und Endsilben.
Methode: Vergleich verschiedener Sprachstufen und Sprachen
        (s. § 2).

II W o r t

A Formenlehre

Behandelt die verschiedenen Formen (Ausprägungen) der
F l e x i o n [1], welche Funktion und Stellung der Wörter im
Satzzusammenhang angeben.

1. Morphematik[2]

synchrone (strukturalistische) Formenlehre. Verfährt deskriptiv (beschreibend), stellt den Formenbestand und die
zur Formenbildung verwendeten sprachlichen Elemente fest.

Man unterscheidet:

das M o r p h e m[3] (funktional bestimmt) und

das L e x e m[4] (semantisch, bedeutungstragend bestimmt):

z.B. ge-arbeit-et: ge- und -et = Morpheme
                    -arbeit-   = Lexem

2. Morphologie

diachrone (historische) Formenlehre. Verfolgt die ge-
schichtliche Entwicklung des Formenbestands einer Sprache

---

1 lat. *flectere* beugen, ausrichten (auf andere Wörter im Satz)
2 griech. *(technē) morphematikē* die Form *(morphē)* betreffende
  Wissenschaft
3 griech. *morphema*, Nebenform zu *morphē* Gestalt, Form
4 Analogiebildung zu 'Phonem', aus griech. *lexis* Rede, Wort

Kategorien der Formenlehre sind

beim V e r b u m

- konjugierte[1] (finite[2]) Formen: sie bezeichnen
Person, Numerus (Zahl), Modus (Art und Weise), Tempus (Zeit),
Genus (Geschlecht), Aktionsarten
- deklinierte[3] (infinite[4]) Formen:
Infinitiv, Partizipien (des Präsens, des Perfekts oder
Präteritums)

beim N o m e n

- deklinierte Formen:
Substantiv, Artikel, Pronomen, Adjektiv, Numerale;
bezeichnen Numerus, Kasus (Nominativ, Genitiv etc.), Genus

indeklinabel, also nicht zur Formenlehre gehörig sind:
Adverbien, Präpositionen, Konjunktionen, Interjektionen.

B Bedeutungslehre

1. Semasiologie[5]

Lehre vom Bedeutungswandel einzelner Wörter (diachron);

unterschieden werden u.a.

- Bedeutungserweiterung:
mhd. *sache* Rechtsgegenstand, nhd. Gegenstand allgemein
- Bedeutungsverengung:
mhd. *wirt* Herr eines Hauses, nhd. Gastwirt
(noch veraltet in 'Hauswirt')
- Bedeutungsverschlechterung:
mhd. *biderbe* tüchtig, nhd. bieder
- Bedeutungsverbesserung:
ahd. *marahscalc* Pferdeknecht, nhd. Marschall
- Bedeutungsübertragung (Metaphorik[6]):
Flügel: Vogelschwinge - Musikinstrument - Gebäudeteil,
Heeresabteilung u.a.

---

1 lat. *coniugare* verbinden, verknüpfen (mit den entsprechenden
Konjugationskategorien: Person, Numerus etc.)
2 lat. *finire* begrenzen, definieren (durch Angaben zu Person,
Numerus etc.)
3 lat. *declinare* abweichen (vom Nominativ)
4 lat. *infinitus* unbestimmt, nicht (durch Angaben zur Person etc.)
festgelegt
5 griech. *sema* (sprachliches) Zeichen, *logos* Lehre
6 griech. *metaphorein* übertragen

2. Semantik[1]

Registriert Ergebnisse des Bedeutungswandels (synchron)

a) bezogen auf das E i n z e l w o r t :

Polysemie[2]: ein Wort erhält im Laufe der Zeit verschiedene Bedeutungen, vgl. z.B. Flügel

Homonymie[3]: verschiedene Bedeutung gleichlautender und
gleichgeschriebener, jedoch etymologisch verschiedener
Wörter:

Reif = Ring (< mhd. *reif*)   und
Reif = Niederschlag (< mhd. *rîfe*)

Homophonie: verschiedene Bedeutung gleichlautender, jedoch orthographisch und etymologisch verschiedener
Wörter:

Mohr - Moor

Homographie: Wörter gleicher Schreibung, jedoch verschiedener Aussprache und Bedeutung

Montage: Wochentag(e)
Montage: Substantiv zu 'montieren'

b) bezogen auf W o r t f e l d e r :

Synonymie[4]: gleiche oder ähnliche Bedeutung verschiedener
Wörter:

Kopf, Haupt, Schädel usw.

C Bezeichnungslehre

Lehre von der Benennung von Sachen, Phänomenen, Personen usw.
durch unterschiedliche Wörter (reziprok zu Semasiologie/
Semantik).

1. Onomasiologie[5] (Bezeichnungswandel)

Handelt von unterschiedlichen Bezeichnungen im Verlaufe der

Sprachgeschichte (diachron), z.B.

mhd. *frouwe*   - nhd. Herrin
mhd. *brûtlouf* - nhd. Hochzeit, dagegen:
mhd. *hôchzît* = (kirchliches) Fest allgemein

---

1 griech. *(technê) semantikê* Wissenschaft von den Zeichen, zu
griech. *sema* Zeichen
2 griech. *polys* viel, *sema* Zeichen
3 griech. *homos* gleich, *onoma* Name, Wort
4 griech. *syn* zusammen, zugleich, *onoma* Name
5 griech. *onoma* Name, *logos* Lehre

2. <u>Onomantik</u>[1] (Bezeichnungsvielfalt)

Ordnet Benennungen nach Sachgruppen (Pflanzen, Tiere),
synchron:

vgl. onomantisch angelegte Wörterbücher, z.B. Franz
DORNSEIFF, Der deutsche Wortschatz nach Sachgruppen, 1965

D Etymologie[2]

Lehre von der Herkunft und den Verwandtschaften der Wörter
einer Sprache oder Sprachengruppe; erforscht die Wurzel oder
das E t y m o n, d.h. die erste erschließbare Lautgestalt
und deren Bedeutung, ihre formalen Ableitungen und in Zusammen-
arbeit mit der Semasiologie die späteren Bedeutungsentwicklungen, z.B.:

nhd. fahren < mhd. *varn* sich (fort-)bewegen
vgl. idg. *+por-* bewegen, lat. *por-tare* tragen

E Wortbildung

Herstellung neuer Wörter aus einem Grundwort,
z.B. fahren:

1. Ableitung (Derivation[3]) durch Ableitungssilben (Affixe[4]):
   Praefix: aus-, be-, ein-fahren
   Suffix: Fahrt, Fährnis
   Praefix + Suffix: <u>Erfahrung</u>, <u>Ausfahrt</u>

2. Zusammensetzung (Komposition):
   Fahr-zeug, fahr-bereit

III W o r t s c h a t z (Lexik)

Die Wortschatzforschung (Lexikologie) untersucht den Wortbe-
stand einer Sprache nach synchronen und diachronen Aspekten.
Ergebnisse werden durch die Lexikographie erfaßt.

---

1 griech. *(techné) onomantiké*, Wissenschaft von den Namen
2 griech. *etymos* wahr, *logos* Lehre (von der wahren, der
  eigentlichen Bedeutung)
3 lat. *derivare* ableiten
4 lat. *affigere* etwas anheften, vgl. auch *praefigere*
  vorn anheften, *suffigere* unten (hinten) anheften

A synchrone Aspekte der Klassifikation

1. **formal** - nach Wortarten:

    Nomen (Substantiv, Artikel, Pronomen, Adjektiv,
                Numerale -
                Adverb, Konjunktion, Präposition)
    Verbum

2. **funktional** - nach Geltungsbereichen:

    Gesamtwortschatz, Gebrauchswortschatz (umgangs-
    sprachliches Wörter-Reservoir)

    soziale und regionale Sprachschichten

    sondersprachlicher Wortbestand (z.B. Berufs-
    sprachen)

    Bildungswortschatz (Dichtersprache etc.)

    Individualwortschatz (aktiv: Sprachvermögen,
    passiv: Sprachkenntnis)

B diachroner Aspekt der Klassifikation

nach Herkunft der Wörter:

    idg. oder germ. Grund- und Erbwörter

    Ableitungen, Neubildungen, Wortverluste,
    Reaktivierungen

    Fremd- und Lehnwörter

IV S y n t a x[1]

handelt von den Regeln für die Zusammenstellung von Wörtern zu
sinnvollen Aussagen (Sätzen), von der Funktion bestimmter Wortarten und Wortformen bei der Satzbildung, von Kombinationskonstan-
ten, sog. Phrasen[2] (Nominalphrase, Verbalphrase, Präpositional-
phrase), von der Kombination von Sätzen durch Beiordnung (Parataxe[3])
oder Unterordnung (Hypotaxe[4]).

Historische Syntax verfolgt die Entstehung und den Wandel solcher
Kombinationsmöglichkeiten (diachron).

Strukturale Syntax beschreibt den Zustand einer Sprachstufe
(synchron), meist der Gegenwart.

---

1 griech. *syn* (Präp.) zusammen, *taxis* Anordnung, Ordnung, Reihenfolge
2 griech. *phrasis* das Sprechen, Ausdruck, Wendung
3 griech. *para* (Präp.) neben, bei
4 griech. *hypo* (Präp.) unter

§ 4 Die indogermanische oder indoeuropäische Sprachenfamilie

Das I n d o g e r m a n i s c h e ist keine bezeugte Sprache,
sondern ein Archetypus[1], erschlossen und zusammengesetzt aus lautlichen, morphologischen und lexikalischen Entsprechungen von Einzelsprachen späterer Epochen[2]. 'Indogermanisch' ist ein rein
sprachlicher Begriff, dem nicht unbedingt ein entsprechendes ein-
heitliches 'Urvolk' zugeordnet werden kann; der Begriff umreißt
wahrscheinlich nur einen offenen Sprach- und Kulturverbund.

Bez. indogermanisch nach der wichtigsten östlichen und wichtigsten
westlichen Sprachengruppe, dem Indischen und dem Germanischen
(so der Orientalist Heinrich Julius KLAPPROTH, Asia poly-
glotta. 1823);

indoeuropäisch nach der geographischen Ausbreitung der Sprachenfamilie (so Franz BOPP, s. unten).

Die Verwandtschaften dieser idg. Sprachen wurden Anfang des 19.Jh.s
schrittweise von der vergleichenden Sprachwissenschaft aufgedeckt:

Wichtige Schriften:

Friedrich SCHLEGEL, Über die Sprache und Weisheit der Indier.
1808.

Franz BOPP, Über das Conjugationssystem der Sanskritsprache in
Vergleichung mit jenem der griechischen, lateinischen, per-
sischen und germanischen Sprache. 1816.

Rasmus Kristian RASK, Untersuchung über den Ursprung der alten
nordischen und isländischen Sprache. 1818

Jacob GRIMM, Deutsche Grammatik. 1819.

Die idg. Sprachenfamilie wird nach bestimmten konsonantischen Merk-
malen in zwei Großgruppen aufgeteilt,
in S a t e m - Sprachen und K e n t u m - Sprachen[3].
Bez. nach dem jeweiligen Zahlwort 'hundert', dessen konsonantischer
Anlaut die für jede Gruppe charakteristische Artikulation von idg.
k (+k $\underset{.}{m}$ t $\acute{o}$ m) zeigt:

---

1 griech. *arché* Ursprung, *typos* Form
2 solche erschlossenen Formen werden durch Asteriskus (+) gekennzeichnet; Beispiele siehe Kap. Lautgeschichte, Wortschatz, Wortbildung, Flexion
3 im folgenden geordnet nach dem Alter der sprachlichen und literari-
schen Zeugnisse

Satemsprachen nach avestisch *satəm* hundert:

    erster Laut (idg. *k*) ein dentaler Reibelaut

Kentumsprachen nach lat. *centum* (gespr. kentum) hundert:

    erster Laut (idg. *k*) ein gutturaler Verschlußlaut

vgl. auch idg. *+oktō(u)* acht

      avest. *ašta*   (Satemsprache)

      lat. *octo*   (Kentumsprache)

I Satemsprachen

A Indisch

  1. Vedisch (aus sanskr.[1] *veda* [heiliges] Wissen, vgl. lat.
      videre [geistig ein-] sehen),

      Sprache der *Veden*, der kanonischen Schriften des Brah-
      manismus; die ältesten Sammlungen:

      der *Rigveda* (sanskr. = Wissen von den Versen),
        Slg. von Götterpreisliedern;
        entstanden um 1500 v. Chr.

      die *Upanishaden* (sankr. = Sitzung),
        theologisch-philosophische (Prosa-)Texte,
        seit 500 v. Chr.

  2. Sanskrit (d.h. künstlerisch gebildet, kunstvoll zuberei-
      tet),

      streng geregelte Kunstsprache der ind. Nationalepen
      der Frühzeit:

      das *Mahābhārata* (d.h. das große Epos [vom Kampf] der
        Bharatas),
        schildert Kämpfe zweier vorzeitlicher Dynastien;
        erstmals erwähnt 4. Jh. v. Chr.

      das *Rāmāyana* (d.h. Rāmas Lebenslauf) abgeschlossen 2.
      Jh. n. Chr.

      die Werke des Kālidāsa, insbes. das Drama *Śakuntala*
      (4./5. Jh.).

B Iranisch

  1. östlicher Zweig: Avestisch

      Sprache des *Avesta/Awesta* (d.h. Grundtext), der Samm-
      lung heiliger Texte der Anhänger des Zarathustra;
      schriftlich seit 2. Jh. v. Chr.,

---

1 Subst. das Sanskrit

die ältesten Texte des Avesta, die *Gâthâs* (Lieder), wahrscheinlich entstanden vor 600 v. Chr.

Avestisch ist noch heute Kultsprache der Parsen.

2. westlicher Zweig: Altpersisch

Amtssprache der Achämeniden-Dynastie[1] seit Darius I., dem
Großen (522-485 v. Chr.).

Zeugnisse: Keilschrift-Inschriften, 6.-4. Jh. v. Chr.

C Armenisch (Kaukasus-Gebiet)

Altarmenisch (5.-9. Jh.)

als nicht mehr gesprochene Literatur- und Kanzleisprache bis
ins 19. Jh. in Gebrauch.

Zeugnisse seit 5. Jh. n. Chr.

D Slawisch

1. Südslawisch

a) Bulgarisch

älteste überlieferte slawische Schriftsprache

Altbulgarisch/Altkirchenslawisch überliefert seit 10.
Jh. n. Chr.

b) Serbokroatisch
überliefert seit dem 12. Jh.

c) Slowenisch

2. Ostslawisch

a) Kleinrussisch/Ukrainisch (Reich von Kiew)
überliefert seit 11. Jh. (*Igorlied*, 12. Jh.)

b) Großrussisch (Reich von Moskau)
überliefert seit 15. Jh. (Heiligenleben, u.a. von Epi-
fanij dem Weisen, gest. um 1420)

c) Weißrussisch (West-Rußland)
überliefert seit 16. Jh.

3. Westslawisch

a) Tschechisch
überliefert seit 13. Jh.

b) Polnisch
überliefert seit 14. Jh.

c) Sorbisch/Wendisch (Lausitz)

---

1 altpers. Königsgeschlecht 700-330 v. Chr.

E Baltisch

  1. Westbaltisch

      Preußisch
      überliefert seit 14. Jh. (*Elbinger Vocabularium*); er-
      loschen Ende 17. Jh.

  2. Ostbaltisch

    a) Litauisch

    b) Lettisch
       überliefert seit Ende 16. Jh.

F Albanisch
  überliefert seit 15. Jh.

Untergegangene Sprachen

  G Phrygisch (Nordwesten Kleinasiens)
    Inschriften seit 7. Jh. v. Chr., bezeugt bis 5. Jh. n. Chr.

  H Thrakisch (östl. Balkan)
    einzelne Namen belegt; untergegangen 6. Jh. n. Chr.

II Kentumsprachen

  A Griechisch

  Älteste Zeugnisse:

    Inschriften: Epigraphik in der sog. Linearschrift B, Knos-
    sos (Kreta), Pylos (Peloponnes) um 1400 v. Chr. (umstrit-
    ten)

    seit 8. Jh. v. Chr. im griech. Alphabet, z.B. älteste
    metrische Inschrift auf einer am Athener Dipylon (Doppel-
    tor) gefundenen Kanne.

    Handschriftl. Überlieferung seit 4. Jh. v. Chr.: *Klage der
    Artemisia* (Papyrusfragment) *Perser*-Fragment von Timotheus.

  Das Griechische zerfällt in drei Hauptdialekte

  1. Ionisch/Attisch (Westküste Kleinasiens, Attika, [Athen])
    Homer (8. Jh. v. Chr.), Platon (5. Jh. v. Chr.), Aristo-
    teles (4. Jh. v. Chr.) - Aischylos, Sophokles (5. Jh. v.
    Chr.)

  2. Äolisch (nördl. Kleinasien, Thessalien, Böotien [Theben])
    Alkaios, Sappho (Lyriker um 600 v. Chr.)

3. Dorisch (Peleponnes, Kreta, Unteritalien)

      Alkman (Lyriker, 7. Jh. v. Chr.)

Griech. Gemeinsprache auf attischer Basis:

    die K o i n e[1], ab 3. Jh. v. Chr.

B Italisch

1. Latino-Faliskisch (nach dem Stammesnamen Latinus; Siedlungslandschaft: Latium und der Mundart von Falerii, südl. Etrurien, nördl. Rom)

Hauptmundart: Lateinisch
    Stadtsprache von Rom; wurde mit der Ausdehnung der politischen Macht Roms zur

    Haupt- und Verkehrssprache der Antike

Älteste röm. Literatur 3. Jh. v. Chr.: Livius Andronicus (Dramen, Odyssee-Übersetzung), Gnaeus Naevius (Epos *Bellum punicum*)

Älteste Zeugnisse:

Inschriften: Goldene Fibel von Praeneste (heute Palaestrina bei Rom) mit Widmung in griech. Buchstaben und Grab des Romulus, sog. lapis niger, auf dem Forum Romanum, beide 6. Jh. v. Chr.

Handschriftliche Überlieferung: Sklavenbrief (Mitte 1. Jh. v. Chr.), richterliche Sentenz (um 40 n. Chr.)

2. Oskisch/Umbrisch (Campagna, südl. Rom, Umbrien, Mittelitalien)
    Sprache der altitalischen Volksstämme der Osker und Umbrer.

Das L a t e i n blieb nach dem Untergang des römischen Reiches als Kirchen-, Mönchs- und Gelehrtensprache erhalten (Mittellatein, Neulatein).

Nachfolgesprachen auf der Basis des Vulgärlatein, der röm. Umgangssprache, sind die

r o m a n i s c h e n S p r a c h e n :

Staatssprachen: Portugiesisch, Spanisch, Französisch, Italienisch, Rumänisch

Dialekte: Katalanisch, Provenzalisch, Rätoromanisch (Graubündisch, Ladinisch, Friaulisch)

---

1 griech. *koinos* gemeinsam

C Keltisch

  1. Festlandkeltisch

  Gallisch

    Sprache Galliens (Frankreich, westl. Süddeutschland,
           Oberitalien)

    Erhalten in Namen, Lehnwörtern, Inschriften, Glossen;
    erloschen in den ersten Jahrhunderten n. Chr.

  2. Inselkeltisch

    a) Britannisch: Bretonisch (Halbinsel Bretagne)

             Walisisch/Kymrisch (Wales)

             Kornisch (Cornwall)

    b) Gälisch (Irland, Schottland, Insel Man)
        Inschriften 4. - 7. Jh. n. Chr.

D Germanisch vgl. § 5

Untergegangene Sprachen

  E Hethitisch (östl. Kleinasien, Zentrum: Chattuša/Bogazköy)
    Keilschrift-Inschriften seit 2. Jt. v. Chr., erloschen
    1. Jt. v. Chr., entdeckt im 20. Jh.

  F Illyrisch (Italien, westl. Balkan-Halbinsel)
    Erhalten nur geographische und Personen-Namen; unterge-
    gangen Ende 1. Jh. v. Chr.

  G Tocharisch (Ost-Turkestan, nördl. Tibet; östl. Einspreng-
    sel im Satem-Gebiet)
    Handschriften mit buddhistischen Texten aus dem 6.-8. Jh.,
    untergegangen vor 1000 n. Chr., entdeckt Anfang 20. Jh.

Nicht-indogermanische Sprachen im europ. Raum:

Finnisch, Estnisch, Lappisch - Ungarisch
  (Diese finnisch-ugrischen Sprachen gehören zur uralischen
  Sprachfamilie).

Baskisch

Etruskisch (?, untergegangen, Schriftzeugnisse - vom 6.-3.Jh.
      v. Chr. - bis jetzt nicht entziffert).

§ 5 <u>Germanisch</u>

Die Frage nach einer einheitlichen Ursprache (Urgermanisch) ist
ebenso offen wie die nach dem geographischen Ursprungsgebiet
(westlicher Ostseeraum?).

Ab Ende 2. Jt. v. Chr. werden verschiedene Dialektgruppen angenom-
men. Zu ihrer Darstellung bietet die Forschung verschiedene Ein-
teilungsschemata an. Das g e o g r a p h i s c h e Koordinaten-
system ändert sich hierbei entsprechend der jeweiligen Z e i t -
e b e n e : Ausgegangen wird meist von der Situation zwischen
500 v. Chr. und Christi Geburt.

Die Germanen siedelten ursprünglich auf dem nordeuropäischen Fest-
land zwischen Schelde- und Oder-Mündung und breiteten sich zunehmend nach Süden, Osten und Norden aus.

Die germanischen Wanderungsbewegungen führten v.a. ostgerman. Stämme schließlich bis zur Krim (4. Jh.), nach Italien (5. Jh.), Spani-
en und Nordafrika (6. Jh.).

I G l i e d e r u n g   d e r   g e r m.   D i a l e k t e

   A Dreiteilung (für das 5. - 9. Jh.)

     nach August SCHLEICHER, Compendium der vergleichenden Gram-
     matik der idg. Sprachen. 1869 und Wilhelm STREITBERG, Urgerm.
     Grammatik. 1896.

     1. Nordgermanisch (Skandinavien)

        Urnordisch

        <u>Altnordisch</u>

        a) Westnordisch: Altnorwegisch, <u>Altisländisch</u>

        b) Ostnordisch: Altdänisch, Altschwedisch

     2. Ostgermanisch   (Elbe-/Weichselgebiet)

        a) <u>Gotisch</u> (nach Gotland, Schweden)

           Ostgotisch
              untergegangen 6. Jh. (Sage um Dietrich v. Bern)

           Westgotisch
              untergegangen 7. Jh.

           Krimgotisch
              bezeugt bis 17. Jh.

        b) <u>Wandalisch</u>
              untergegangen 6. Jh., Nordafrika

c) Burgundisch (nach Borgundar Holm/Bornholm,
        dort bis 2. Jh. n. Chr.); untergegangen
    5. Jh., Mitteleuropa (vgl. Nibelungensage).

3. Westgermanisch (Nordwest-Deutschland, Südengland)

    a) Anglo-Friesisch

        Angelsächsisch/Altenglisch

        Friesisch

    b) Altniederdeutsch

        Niederfränkisch/Altniederländisch

        Altsächsisch/Altniederdeutsch

    c) Althochdeutsch

        Mitteldeutsch: Fränkisch, Thüringisch

        Oberdeutsch: Alemannisch, Bairisch,

                    Langobardisch untergegangen 8. Jh.

T a c i t u s (*Germania*, cap. 2; um 100 n. Chr.)
unterteilt die (west?-)germ. Stämme in 3 Gruppen:

    Ingaevones – Hermiones – Istaevones

benannt nach den drei Söhnen ihres 'Stammvaters' Mannus
(Mensch), des Sohnes des Gottes Tuisto.

Den ungefähren Lokalisierungen des Tacitus wurden in der Forschung bestimmte Siedlungsräume zugeordnet:

Ingwäonen – Nordseegermanen (Angeln, Sachsen, Friesen)

    ≙ Anglo-Friesisch / Altniederdeutsch

Istwäonen – Weser-Rheingermanen (Franken, Hessen)

    ≙ Mitteldeutsch

Erminonen (Irminonen) – Elbgermanen (Alemannen, Baiern,
                                            Langobarden)
    ≙ Oberdeutsch

B Fünfteilung (für die Zeit um Christi Geburt)

    durch Differenzierung des Westgermanischen entsprechend der
    auf Tacitus fußenden Einteilung (der eigentlich eine eben-
    solche des Nord- und Ostgermanischen korrespondieren müßte);
    terminologisch auf ethnische Basis transponiert; nach
    Friedrich MAURER, Nordseegermanen und Alemannen. [3]1951:

1. Nordgermanen (Nordjütland, Südskandinavien)

2. Ostgermanen (Oder-Weichselgebiet)

   Goten, Wandalen, Burgunden

3. Elbgermanen

   Alemannen, Markomannen, Langobarden u.a.

4. Nordseegermanen (Nordseeküste)

   Sachsen, Friesen

5. Weser-Rheingermanen

   Franken, Hessen

C   Zweiteilung (für die Zeit um Christi Geburt)

nach Hans KRAHE, Germ. Sprachwissenschaft I. ^{3}1956:

1. Nordgermanisch oder Goto-Nordisch (Skandinavien)
   Urnordisch - Gotisch, Wandalisch, Burgundisch

2. Südgermanisch, auch: Westgermanisch (Jütland und südl. An-
   ≙ Westgermanisch der Dreiteilung.   grenzungen)

D   Einteilung nach sprachlichen Kennzeichen (für die Zeit
                                        Wulfilas, 4. Jh.)
    nach Wolfgang KRAUSE, Handbuch des Gotischen. 1953:

1. *dagaz* - Gruppe   (≙ Nordgermanisch)

2. *dags* - Gruppe   (≙ Ostgermanisch)

3. *dag*   - Gruppe   (≙ Westgermanisch)

II G e m e i n s a m k e i t e n   der   g e r m.   D i a l e k t -
   g r u p p e n   (auf der Basis der üblichen Dreiteilung)

A   auf Grund alter (geographischer) Nachbarschaften, sog. Ver-
    kehrsgemeinschaften. Zwischen Dialekten, die zu bestimmten
    Zeiten Kontakte gehabt haben konnten, bestehen mehr Gemein-
    samkeiten als zwischen solchen, bei denen diese Kontakte
    nicht ebenso naheliegen (wie z.B. zwischen West- und Ost-
    germanen).

1. Goto-nordische Gemeinsamkeiten

   a) Lautung:

   germ. *-ii-* und *-uu-* < ↗ got. *-ddj-* und *-ggw-*
   ↘ an. *-ggj-* und *-ggv-*

   (im Westgerm. dagegen verbinden sich das jeweils erste
   i und *u* mit dem vorhergehenden Vokal zu einem Diphthong)

   germ. *+tuaiio(n)* > got. *twaddje*, an. *tveggja*
   aber: ahd. *zweiio* (zweier, Gen. Pl.)

   germ. *+triuua* > got. *triggwa*, an. *tryggva (tryggvr)*
   aber: ahd. *triuwi* (treu)

   b) Flexion:

   - 2. Sg. Ind. Praet. der starken Verben:
     got./an.: alte Perfekt-Endung erhalten (s. westgerm.
                                              Praet. Praes.)

     (im Westgerm. durch Aoristform ersetzt)

     got./an. *þu namt*
     dagegen ahd. *du nâmi*, mhd. *naeme* (du nahmst)

   - im Got. und Altnord. eine vierte Klasse der schwachen
     Verben: Inchoativa auf *-nan:*
     got. *fullnan*, an. *follna* (voll werden)

   c) Wortschatz:
     im Got. und Altnord. fehlen die etymologischen Entspre-
     chungen zu den *mi*-Verben (ahd. *tuon*, *gân*, *stân*).

2. West- und nordgerm. Gemeinsamkeiten

   a) Lautung:
     - germ. *fl* im West- und Nordgerm. erhalten:
       ahd. *fliohan*, an. *flýa*
       dagegen got. *þliuhan* (fliehen)

     - germ. *z* > wg./ng. *r* (Rhotazismus)
       ahd. *mêro*, an. *meire*
       dagegen got. *maiza* (mehr)

- germ. *ê* > wg./ng. *â*

ahd. *lâzzan*, an. *lâta*

<u>dagegen</u> got. *lêtan* (lassen)

(bei den beiden letzten Lautveränderungen ist im Got. ein älterer Lautstand bewahrt, der sich evtl. wie im Ahd. hätte entwickeln können)

- germ. *a* > ahd./an. *e* vor folgendem *i* (vgl. § 15 III 2)

ahd. N.Sg. *gast* - N.Pl. *gesti*, an. N.Sg. *gestr* (aus urnord. *gastiR*)

b) Flexion:

im West- und Nordgerm. in der 7. Verb-Klasse Reduplikation verschwunden:

ahd. *lâzzan*, *liez*, an. *lâta*, *lêt*

<u>dagegen</u> got. *lêtan*, *laílôt*

c) Wortbildung:

Neubildung eines erweiterten Demonstrativpronomens vom Typ 'dieser' aus ursprüngl. Demonstr.-Pron. *der* (Artikel) + Demonstr.-Partikel -*se*.

d) Wortschatz:

Wörter wie sagen, sterben; Segel, Kohle; weich u.a. im Got. nicht belegt.

B Parallelen zwischen Dialektgruppen, die sich <u>unabhängig</u>, <u>entelechial</u> entwickelten.

1. <u>Gotisch/Ahd.</u> - <u>Altengl. /Altsächsisch</u>

a) Lautung: Nasal vor stimmlosen Spiranten *f*, *þ*, *s*:
got./ahd. erhalten: *fimf* (fünf)
ae./as. ausgefallen: *fîf* (neuengl. five)

b) Personalpronomen 3. Pers. masc. Sg.:
got. *is*, ahd. *er* (Rhotazismus)
ae./as. *hê* (neuengl. he)

2. <u>Gotisch/Ahd.</u> - <u>Altnord./Altengl./Altsächsisch</u>

Flexion der 3. Sg. Ind. Praes. vom verbum substantivum:
got./ahd. *ist* - an. *es*, ae./as. *is*.

3. Gotisch/Ahd./Altnord. - Altengl./Altsächsisch

Unterschied zw. Dat. und Akk. beim Personalpronomen der 1. Pers.
got. *mis - mik*, ahd. *mir - mih*, an. *mer - mik*, ae./as. Ein-
heitsform *mi*

C Westgermanische Eigenheiten

a) Lautung:

Westgerm. Konsonantengemination durch folgendes
j (w, r, l)
as. *settian*, ahd. *sezzen*
dagegen got. *satjan*, an. *setia (setta)*, setzen

b) Flexion:

2. Sg.Ind. Praet. der starken Verben: alte Aoristform:
as./ahd. *du nâmi*, mhd. *du naeme*
dagegen got./an. *þu namt* (s. A 1b)

c) Wortbildung:

Abstraktsuffixe -heit, -schaft, -tum nur im Westgerm.

d) Wortschatz:

nur westgerm. sind: Baum, Ehe, Faust, Geist, Herd, Nachbar -
pflegen, sprechen, fordern - gesund, krank, leer, heiter -
beide u.a.

Von solchen s y n c h r o n e n Unterschieden sind diejenigen zu
trennen, die sich auf verschiedenen Zeitebenen ergeben, z.B. Ver-
lust des auslautenden Nom.-*s* im Ahd. gegenüber dem älteren Gotischen (ahd. *gast* - got. *gasts*), s. auch A 2a.

III Frühe schriftliche Zeugnisse

A Inschriften

1. **älteste germ. Inschrift** (um Christi Geburt)

Helm von Negau[1]: *harigasti teiwa*

mögl. Bedeutung: 'dem Heergast Ziu', wohl Weihe-Inschrift (?); norditalisches Alphabet.

2. **Runen-Inschriften**

Nordgermanisch: seit 2. Jh. v.Chr.

Westgermanisch: seit 5. Jh. v.Chr.

Lanzenspitze von Wurmlingen[2]: *Idorih*

Namensritzung, 7. Jh., ältestes Zeugnis für die 2. LV auf dt. Boden

B Literarische Überlieferungen (lat. Schrift)

1. Ostgermanisch:

Bibelübersetzung (westgot.) v. Bischof Wulfila (311-338), überliefert um 500 (aus der Zeit Theoderichs d. Großen) in ostgot. Hss.

älteste germ. literar. Überlieferung

2. Westgermanisch:

Altengl. Überlieferung

geistl. Dichtung: *Caedmons Schöpfungshymnus* (in nordhumbrischer Sprache), überliefert in zwei Hss. mit Bedas Historia ecclesiastica gentis Anglorum (Mitte 8. Jh.)

weltl. Dichtung: *Beowulf* (entstanden 8. Jh., überliefert um 1000)

Ahd. Überlieferung

Kloster-Lit.: *Abrogans* (entstanden um 760, überliefert um 800, s. § 9 A 3b)

weltl. Dichtung: *Hildebrandslied* (Entstehung der erhaltenen Fassung 8. Jh., überliefert Anfang 9. Jh.)

---

1 Steiermark
2 bei Tuttlingen

3. Nordgermanisch

<u>Altnord. (altisländ.) Überlieferung</u>

geistl. Texte: sog. *Stockholmer Homilienbuch*
            (älteste Hs. um 1100)

weltl. Dichtung:
    Skaldendichtung (Preislieder, entst. ab 9. Jh.)

    Edda-Lieder (Helden- und Götterlieder,
             entst. nach 1100)
    Sagas (Prosa, entst. seit 12. Jh.)

(alle überliefert erst seit dem 13. Jh.)

C Erste Zeugnisse für die Bez. G e r m a n e n :

Poseidonios (gr. Historiker und Naturforscher,
   135 - 50 v.Chr.) Historien

Caesar (100 - 44 v.Chr.), *De bello gallico*, I,31:
   Germani (N.Pl.)

Tacitus (röm. Historiker, 55 - 120 n.Chr.)
   Germania, cap. 2: *Germanos* (Akk.Pl.)

D Älteste germ. S p r a c h z e u g n i s s e
   in lat. Literatur:

Caesar, *De bello gallico*, VI,27: *alces* (Pl.) Elche,
   VI,33: *uri* (Pl.) Auerochsen (eigentl. Wisente)

Plinius d.Ä. (23 - 79 n.Chr.), *Historia naturalis*,
   X,12: *gantae* Gänse, XXVIII,51: *sapo* Schminke (entspricht nhd. Seife)

Tacitus, *Germania*, cap. 54: *glesum* Bernstein (entspricht nhd. Glas)

E Ältestes B u c h - Z e u g n i s für die 2.LV:

Gregor von Tours (ca. 540 - 594),
   Historia Francorum (Frankengeschichte) IV:
   <u>Z</u>aban (<*Taban*, Name des Langobardenherzogs).

§ 6 Grundbegriffe und Prinzipien des Sprachwandels

I Grundlegend sind:

A Primär physisch bedingte Faktoren:

1. K o a r t i k u l a t i o n[1]: gegenseitige Beeinflussung
   von Lauteinstellungen beim Sprechen. Kann zur Assimilation (auch Dissimilation, s. II B 1), d.h. zur Angleichung, Differenzierung und Variation von Vokalen und
   Konsonanten führen.

2. A k z e n t[2] (s. § 8)

   a) d y n a m i s c h e r Akzent: wirkt sich als An-
      gleichungsdruck aus (s. Assimilation) und beeinflußt
      die Artikulationsintensität bzw. -dauer (z.B. Vokal-
      länge, s. Ablaut).

   b) m u s i k a l i s c h e r Akzent: wirkt sich v.a.
      auf die Vokalqualität (Vokalfarbe) aus.

B Primär psychisch bedingte Faktoren

1. A n t i z i p a t i o n[3]: psychisch gesteuerte Vorweg-
   nahme einer späteren Artikulationseinstellung; bedeutsam beim Umlaut (s. dort), auch bei Versprechern; in
   der Regel wortimmanenter Vorgang.

2. A n a l o g i e[4]: assoziative Übertragung von Lautungen,
   Formen oder Bedeutungen auf vergleichbar strukturierte
   Wörter; zunächst fehlerhaft, wird erst im Verlaufe der
   Sprachentwicklung ins Normensystem aufgenommen und ver-
   drängt dabei in der Regel die alten Formen; wortüber-
   greifender, systemimmanenter Vorgang.

---

1 lat. *con-/com-(cum)* zusammen; *articulare* gliedern, in übertragenem
  Sinne: (deutlich) aussprechen
2 lat. *ad-cantus* Hinzuklang - ursprüngl. bezogen auf den musikal.
  Akzent (Lehnbildung zu griech. *prosodia* Zu-Gesang)
3 lat. *anticipere* vorwegnehmen
4 griech. *analogia* Ähnlichkeit, Übereinstimmung

a) Lautung:

ahd. *ebi-houwi* - nhd. Epheu

(durch Synkopierung von *i* entstand die Konsonantenfolge *ph*,
die irrtümlich f ausgesprochen wurde (analog dem griech. ph)
und schließlich auch in der Schreibung durch f ersetzt wurde:
Efeu.)

b) Flexionsformen (Substantiv)

- Genitivbildung:

  des nachts in Analogie zu *des tags*

  (vgl. Gen. Sg.: der Nacht, aber: des Tages)

- Pluralbildung:

  Übertragung des Pluralformans *-er* aus der Klasse der neutralen
  iz/az-Stämme (*lamb-lember*, nhd. Lamm, Lämmer) auf neutrale
  a-Stämme:

  mhd. *daz wort - diu wort*, nhd. die Wörter oder: die Worte
  (in Analogie zu den masc. *a*-Stämmen wie *der tac - die tage*),
  z.T. schon im 12. Jh.: *daz liet - diu liet/diu lieder* (Friedrich von Hausen)

  übertragen auch auf masc. Substantive:

  mhd. *der lîp - die lîbe*, nhd. die Leiber

  aber: mhd. *der leip - die leibe*, nhd. die (Brot-)Laibe

c) Flexionsformen (Verbum)

- Vereinfachung der Tempusstamm-Bildung: Systemausgleich

  (auch: Analogie oder Systemzwang):

  mhd. *binden - band, bunden - gebunden*
  nhd. binden - band, banden - gebunden

  mhd. *biegen - bouc, bugen - gebogen*
  nhd. biegen - bog, bogen - gebogen

  mhd. *friesen - frôs, frurn - gefrorn*
  nhd. frieren - fror, froren - gefroren
  (mit Beseitigung des grammatischen Wechsels)

- Praeteritalbildung

  Übertritt von der starken in die schwache Flexion:

  mhd. *bellen - bal,   bullen - gebollen*
  nhd. bellen - bellte,   - gebellt

d) Wortbildung

- ahd. *sprechho* - mhd. *sprechaere*, nhd. Sprecher

  Analogie zu mhd. *schrîbaere* Schreiber

  aber: ahd. *boto* - mhd. *bote*, nhd. Bote

- nhd. *Masseur - Masseuse/Masseurin* - Analogie zu Schneiderin
  u.a.

e) Bedeutungsanalogie

s. die Kap. Semasiologie, Volksetymologie

f) graphische Analogie

entgegen der historischen Entwicklung gewählte Schreibung, z.B. zur

- Kennzeichnung langer Vokale (durch h oder e)

mhd. *nemen* - nhd. nehmen
Analogie zu mhd. *stahel* - nhd. Stahl (nach Synkopierung des Endsilben-e)

mhd. *ligen* - nhd. liegen
Analogie zu mhd. *biegen* (Diphthong) - nhd. biegen

- Kennzeichnung kurzer Vokale

durch Doppelschreibung der folgenden Konsonanz:

mhd. *himel* - nhd. Himmel
Analogie zu mhd. *zimber* - nhd. Zimmer (Assimilation)

vgl. auch Efeu < Epheu < ahd. *ebi-houwi* (s. oben B 2 a)

II Lautwandel

(diachrone Veränderung der Sprache)

Davon zu unterscheiden ist der

Lautwechsel, ein synchroner Zustand, entstanden dadurch, daß sich ein Laut im gleichen Wort bei unterschiedlichen Akzentsetzungen verschieden entwickelte. Das Ergebnis ist bei Konsonanten z.B. grammatischer Wechsel (§ 17), bei Vokalen etwa der Ablaut (§ 14).

A Arten des Lautwandels

1. spontaner Lautwandel
   Ursache (noch) nicht bekannt,

   z.B. Übergang von idg. *o* > germ. *a*
   lat. *octo* - dt. acht

2. akzentbedingter Lautwandel
   abhängig entweder vom musikalischen oder vom dynamischen Akzent (s. Ablaut)

3. kombinatorischer Lautwandel
   bedingt durch umgebende Laute (s. Assimilation, Umlaut)

4. stellungsbedingter Lautwandel
   okkasionelle Veränderungen von an- und auslautenden Konsonanten, z.B.: Notkers Anlautgesetz,
   mhd. Auslautverhärtung (s. § 17 IV 1)

B Formen des Lautwandels

1. bei Vokalen u n d Konsonanten

(1) q u a n t i t a t i v

a) Dehnung eines Lautes (spontan oder akzentbedingt)

- Vokal: mhd. *geben* - nhd. geben

    mhd. *sales* - nhd. Saales

- Konsonant: realisiert als
    G e m i n a t i o n[1]. Sie kann entstehen:

    -- spontan
    vorahd. *+snittan* - ahd. *snitzan* (2.LV), nhd. schnitzen
    Intensivbildung zu vorahd./ahd. *snîdan* (germ. *+snîþan*),
    nhd. schneiden

    -- kombinatorisch durch *j* der Folgesilbe (westgerm. Kon-
    sonantengemination)
    wg. *+sitjan* > *+sittian* - ahd. *sitzen* (2.LV)

    -- durch Assimilation
    mhd. *umbe* > *umme* - nhd. um

    -- durch Kontraktion
    mhd. *redete* > *rette* - nhd. redete

b) Kürzung

- Vokal: mhd. *muoter* - nhd. Mutter

- Konsonant: mhd. *ritter* - nhd. Ritter (tt im Nhd. nur noch
    Zeichen für die Kürze des vorhergehenden Vokals), vgl.
    dagegen mhd. *rîter*, nhd. Reiter

Sonderform: H a p l o l o g i e[2]: Vereinfachung durch Ver-
    schmelzung zweier gleichlautender Silben zu einer Silbe:

    mhd. *senende* > *sende* - nhd. sehnend
    Zauberer-in > *Zauberin* (auch dissimilatorischer Schwund,
                                    s. Dissimilation)

---

1 lat. *geminare* verdoppeln
2 griech. *haplous* einfach

(2) q u a l i t a t i v

a) Assimilation[1] (Lautangleichung oder –abstimmung); wortinterner, sprachpsychologischer Vorgang

unterschieden wird:

- nach dem Grad der Assimilation:

  -- totale Assimilation

  ahd. *werdan* - *wirdit* (3. Sg. < +*werdit*)
  mhd. *zimber* - nhd. Zimmer

  -- partielle Assimilation
  ahd. *in-biz* - mhd. *imbiz* (Angleichung an den folgenden
  Labial-Laut)

- nach der Stellung der betroffenen Laute zueinander:

  -- Kontaktassimilation (bei unmittelbar aufeinanderfolgenden
  Lauten)

  idg. *ei* germ. *î* (s. § 15 I A 3)
  mhd. *hôchvart* - nhd. Hoffart

  -- Fernassimilation
  a-i > *e-i:* vorahd. +*gasti* - ahd. *gesti,* nhd. Gäste
  (ahd. Umlaut)
  p-n > *p-m:* vorahd. +*piligrîn* - ahd. *piligrim*

- nach der Assimilationsrichtung

  -- progressive Assimilation (der 2. Laut paßt sich dem vorhergehenden an):

  mhd. *krümben* > *krümmen*

  -- regressive Assimilation (der 1. Laut paßt sich dem folgenden an):

  mhd. *hôchvart* - nhd. Hoffart

  Diese Form der Assimilation verweist auf einen weiteren
  Faktor der Sprachentwicklung: die A n t i z i p a t i o n
  (I B 1.)

b) Dissimilation[2]:

bei einer Folge gleicher Laute kann ein Laut der Artikulations-
differenzierung wegen in eine andere, verwandte Artikulationspo-
sition ausweichen (seltener):

r-r > *l-r:* ahd. *mûr-beri* - mhd. *mûlbere* (Maulbeere, Volksetymo-
(lat. *môrum*)   logie)
l-l > *n-l:* mhd. *kliuwelin, kliuwel* - nhd. Knäuel (Diminutiv
zu mhd. *kliuwe* Kugel, vgl. engl. clew, Knäuel)

---

1 lat. *assimilare* ähnlich machen
2 lat. *dissimilare* unähnlich machen

<u>Sonderfall</u>: dissimilatorischer S c h w u n d bei nasalhal-
tigen Suffixen:

<u>ahd.</u> *kuning* > *kunig* - <u>mhd.</u> *künec* - <u>nhd.</u> König
<u>ahd.</u> *phenning* - <u>mhd.</u> *phenninc/phennic* - <u>nhd.</u> Pfennig

<u>Assimilation</u> (.) und <u>Dissimilation</u> (-) im selben Wort:

p-n > *p-m*; *r-r* > *l-r*; *e* > *i* vor *i* der Folgesilbe (↑)

<u>lat.</u> *peregrinus* - <u>vorahd.</u> *+piligrîn* - <u>mhd.</u> *pilgrim*

Nur ein (jeder Sprache eigentümlicher) Wechsel von gleichen oder
ähnlichen und ungleichen Lauten gewährleistet eine flüssige Artikulation. Er prägt die Artikulationsgewohnheiten einer Sprache
(bedeutsam auch beim Erlernen einer Fremdsprache).
Auf diesem Prinzip beruht auch die Schwierigkeit bei sog. Zungen-
brechern, einer Häufung von gleichen Lauten ("in Ulm und um Ulm
herum...").

2. bei Vokalen

   a) <u>Öffnung</u> eines <u>geschlossenen</u> Vokals oder Diphthongs (durch
      Senkung der Artikulationsebene = Öffnung des Mundraums und
      der Lippen):
      <u>mhd.</u> *ei* (gesprochen e-i) > <u>nhd.</u> *ei* (gespr. a-i)

   b) <u>Schließung</u> eines <u>offenen</u> Vokals
      (durch Hebung der Artikulationsebene):
      <u>wg.</u> *+nemu* - <u>ahd.</u> *nimu* (nehme)
      <u>mhd.</u> *geter* - <u>nhd.</u> Gitter

   c) <u>Monophthongierung</u>
      (Verschmelzung oder Vereinheitlichung von Diphthongen):
      <u>mhd.</u> *li-eb, gu-ot* - <u>nhd.</u> lieb, gut (nhd. Monophthongierung,
                                         s. § 15 V A 2)

   d) <u>Diphthongierung</u>
      (Spaltung langer Vokale):
      <u>mhd.</u> *mîn* - <u>nhd.</u> mein (nhd. Diphthongierung, s. § 15 V A 1)

3. bei Konsonanten

   a) <u>Verschiebung der Artikulationsstelle</u>
      z.B. aus bilabialer Position in eine labiodentale:
      p > *f* (s. 1. und 2.LV) oder
      n > *m* (s. Assimilation)

   b) <u>Veränderung der Artikulationsart</u>
      z.B. Verschlußlaut > Spirans: *p* > *f* (s. 1. und 2.LV)

   c) <u>Änderung der Stimmenergie</u> (weiche > harte Konson.)
      <u>lat.</u> *edere* - <u>wg.</u> *+etan*, essen (s. 1. und 2.LV)

III L a u t ä n d e r u n g e n im W o r t und W o r t v e r b a n d (sprunghafte Lautänderungen)

A Stellungsänderung von Konsonanten (Metathese[1])

z.B. *Brunnen* – *Born* (so v.a. niederdt.)
Roß – engl. *horse*
lat. *forma* – griech. *morphé* (Form)

B Ausfall von Vokalen und Konsonanten

1. im Wort

a) am Wortanfang (Aphärese[2])

ahd. *hloufan* – mhd. *loufen* (laufen)
mndt. *wrase* – mhd. *rase* (Rasen)

b) im Wortinnern (Synkope[3])

– bei Präfixen:
mhd. *ge-lücke* > *glücke* (Glück)
mhd. *ver-ezzen* > *vrezzen* (fressen)

– bei Suffixen und Endungssilben:
mhd. *maget* – nhd. Magd
Adalbert > *Albert* (2 Laute)

c) am Wortende (Apokope[4])

mhd. *schoene* – nhd. schön

(in der Versmetrik als Elision[5] bezeichnet)

d) Kontraktion[6] (auch Synärese[7])

Zusammenziehen zweier Vokale zu einem langen Vokal oder zu einem Diphthong (meist nach Ausfall eines dazwischenstehenden Konsonanten)

mhd. *gibit* > *gît* (gibt)
mhd. *legit* > *leit* (liegt)
mhd. *sehen* > *sên* (sehen)
Reginhard > *Reinhard*

---

1 griech. *meta-thesis* Umstellung
2 griech. *aphairesis* Wegnahme
3 griech. das Zusammenschlagen
4 griech. das Wegschlagen
5 lat. *elisio* Ausstoßung
6 lat. *contrahere* zusammenziehen
7 griech. *synairesis* das Zusammenziehen

2. im Wortverband

a) akzentbedingte Wortverbindungen

führen auch zu lautlichen Reduktionen:

- bei syntaktischem Nebenton Kontraktion zweier Wörter
  (Krasis[1]):
  mhd. *dáz ez*
  mhd. *dáz daz* → *deiz*
  mhd. *ez ist > êst; nû ist > nûst*

- Unterordnung eines Wortes unter den Akzent eines
  Folgewortes (Proklise[2]):
  mhd. *under diu ougen > under dougen*
  mhd. *des morgens > smorgens*

- Unterordnung unter den Akzent des vorhergehenden Wortes
  (Enklise[3]):
  mhd. *mohte er > mohter*
  nhd. gib es > gib's

b) strukturale Kombination zweier (dialektal verschiedener)
   Wörter (Kontamination[4], Interferenz[5])
   oberdt. *er*
   as. *hê* → ostfränk. *her* (nhd. er)

   neuzeitl. Neubildung: selbständig
   eigenartig → eigenständig

   häufig kolloquial: zumindest
   mindestens → zumindestens

C Lautzuwachs

1. Sproßvokale

a) germ. Sproßvokal u

entsteht aus den idg. sonantischen Nasalen und Liquiden
m̥, n̥ - l̥, r̥
idg. *+pl̥nós* - germ. *fullaz*, voll (s. § 15 I B)
vgl. auch lat. *+poclum > poculum*, Becher, Pokal

---

1 griech. Mischung
2 griech. *proklinein* vorneigen
3 griech. *enklisis* das Zurücklehnen
4 lat. *contaminare* vermischen
5 lat. *inter* zwischen; *ferre* tragen

b) ahd. Sproßvokal a (vor und nach Liquiden)

wg. *+akrs* - ahd. *ackar* (Acker)
wg. *+garwjan* - ahd. *garawen* (gar machen)

der ahd. Sproßvokal kann sich auch umgebenden Vokalen
angleichen:

ahd. *forhta* > *forahta/forohta* (Furcht)

2. Gleitkonsonanten

zur Überleitung zwischen zwei Silben:

mhd. *eigen-lĭch* - nhd. eigentlich
mhd. *enzwei* - nhd. entzwei

3. Stützkonsonanten

ein Nasal oder Spirant erhält durch einen Verschlußlaut gleichsam eine abschließende Stütze. Solche
Fälle weisen indirekt auch auf einen prinzipiellen,
nur so faßbaren Wandel in der Wort- und Ko-Artikulation
zwischen dem Mhd. und Nhd. hin.

mhd. *nieman* - nhd. niemand
mhd. *obez* - nhd. Obst

IV Theorien zur A u s b r e i t u n g des S p r a c h - w a n d e l s

Meist werden in diesen Theorien die einzelnen sprachlichen Sektoren, für deren Ausbildung ganz verschiedene Faktoren von Bedeutung sein können, zu wenig getrennt. So gelten offenbar für
die L a u t entwicklung andere Gesetze als für die Erweiterung
des W o r t s c h a t z e s .

1. Stammbaumtheorie

August SCHLEICHER, Compendium der vergleichenden
Grammatik der indogermanischen Sprachen. 1861

Ausgangspunkt ist eine Grundsprache, aus der 'Tochterspra-
chen' hervorgehen. Sprache wird als Naturphänomen gesehen,
das unabhängig vom menschlichen Willen nach bestimmten Gesetzmäßigkeiten wächst und auch wieder abstirbt (eine Art
linguistischer Darwinismus).

2. Wellentheorie

Johannes SCHMIDT, Die Verwandtschaftsverhältnisse
der indogermanischen Sprachen. 1872

Gegen die Stammbaumtheorie entwickelt, stellt sie die Sprachentwicklung als räumliches Kontinuum vor. Die Ausbreitung

- 42 -

vollziehe sich wellenartig in 'konzentrischen Kreisen', die
nach außen immer schwächer werden. Sie betont mehr die Übergänge zwischen einzelnen sprachlichen Ausprägungen.

3.a) Substrattheorie[1]

u.a. Hans KRAHE, Sprache und Vorzeit. 1954

Versucht nicht die Ausbreitung eines Sprachwandels zu erklären, sondern seine Entstehung und zwar als Folge der
Übernahme der Sprache von Eroberern (z.B. Indogermanen)
durch eine unterworfene Urbevölkerung. Mit dieser Theorie
lassen sich zumindest solche Lautwandlungen nicht erklären,
bei denen die entsprechenden historischen Voraussetzungen
fehlen (z.B. Lautwandel in ahd. und v.a. in mhd. Zeit).

b) Superstrattheorie[2]

Hier wird umgekehrt eine sprachliche Beeinflussung Zugewan-
derter durch eine anderssprachige Stammbevölkerung angenom-
men.

In diesen Theorien sind folgende grundlegende Aspekte des
Sprachwandels nicht immer voll berücksichtigt:

a) die sprachliche Entelechie, Eigengesetzlichkeit einer Sprache
(vgl. z.B. die jeweilige Rolle des Akzentes),

b) die artikulatorische Grundeinstellung (Artikulationsbasis),
die meist im Kindesalter fixiert wird und sich durch punktu-
elle Anstöße nicht generell ändern läßt,

c) die langen Zeiträume, die bei allen rekonstruierbaren Lautwandlungen anzusetzen sind,

d) die generelle Einheitlichkeit eines Sprachsystems, in welchem
sich nicht einzelne Laute isoliert verändern; es wird vielmehr die gesamte Artikulation jeweils mehr oder weniger umge-
schichtet, was allerdings manchmal nur bei bestimmten Lauten
in besonderem Maße deutlich wird,

e) die Möglichkeit einer Polygenese: Unter gleichen oder ähnlichen Bedingungen zeigen sich auch in anderen Sprachstruk-
turen gleiche oder ähnliche Entwicklungstendenzen, die ähnliche Ergebnisse zeitigen können, ohne daß ein genereller
Gleichlauf der Entwicklungen zu beobachten wäre. (Auf diesen
Punkt sollen die jeweils angeführten analogen Beispiele aus
anderen europ. Sprachen aufmerksam machen).

Ein so vielschichtiges Phänomen wie Sprache läßt sich nicht
unter Einzelaspekten und monokausal erfassen. Es ist jeweils
mit mehreren Faktoren zu rechnen, die je nach den mitwirkenden
inner- und außersprachlichen Triebkräften ein anderes Wirkungs-
geflecht ergeben können.

---

1 lat. *substratum* daruntergelegt, unterworfen, zu *sternere*
hinbreiten, niederwerfen
2 lat. *superstratum* darübergehäuft

§ 7 Einteilung der Laute

Berücksichtigt sind nur die wichtigsten Lautpositionen
und Aspekte, welche für die germ.-dt. Sprachgeschichte
von Bedeutung sind.

Die üblich gewordene Unterscheidung von L a u t
(physikalisch-artikulatorisch) und P h o n e m
(bedeutungsdifferenzierend) wird nicht übernommen, da
sie für die Lautgeschichte nicht nur nicht relevant,
sondern in einigen Fällen (s. Umlaut) geradezu erkennt-
nishemmend ist. Lautgeschichte verläuft weitgehend
unter artikulatorischen Bedingungen, ohne Rücksicht
auf semantische Strukturen.

'Phonem' ist ein sprachtheoretischer Begriff, der in
der realen Lautgeschichte keine konkrete Entsprechung
hat. Mit diesem synchron definierten Begriff wird bei
der Anwendung auf die Sprachgeschichte eine stufen-
weise Entwicklung von Phonemstufe zu Phonemstufe sug-
geriert. Die Sprachgeschichte würde so zerfallen in
Norm-Perioden und Übergangsphasen. Tatsächlich bietet
sich die Lautgeschichte als kontinuierlicher Prozess
dar, dem dieser Begriff auch nicht gerecht werden kann,
wenn er durch den Begriff des A l l o p h o n s
(Phonemvariante) erweitert wird, da auch dieser an das
synchron definierte Phonem gebunden ist (s. auch § 3 I A 2
und § 12).

Der offene Begriff des 'Lautes' umfaßt synchrone, koartikulatorisch bedingte Ausspracheschwankungen u n d
diachrone Wandlungen, so wie sie in der Fülle der
Schreibvarianten z.B. in mittelalterlichen Handschriften erscheinen, ehe durch fortschreitende Schreibnor-
mierung auch die Aussprache stärker normiert wurde
(> Schriftsprache, s. auch Sprache und Schrift § 9).

A s p e k t e   d e r   L a u t e i n t e i l u n g
Für die Definition eines Lautes sind von Bedeutung:

A Eignung zur Silbenbildung:

  1. Sonanten[1] (Silbenträger)

    a) Vokale[2] (Selbstlaute)

        Monophthonge[3] (Einlaute)

        Diphthonge[4] (Zwielaute)
            fallend: x́x - dt. *réin*, *Báu*
            steigend: xx́ - frz. *loi* (Gesetz)

---

1 lat. *sonare* klingen, ausdrücken
2 lat. *vocalis* klangvoll
3 griech. *monos* allein, *phthongos* Ton, Laut
4 griech. *dis* zweimal

b) sonantische Liquidae[1] und Nasale[2]

   $\underset{.}{l}$, $\underset{.}{r}$ $\underset{.}{m}$, $\underset{.}{n}$

2. Konsonanten[3] (Mitlaute)

   a) Geräuschlaute,
      z.B. *p*, *t*, *k*,...

   b) Halbvokale (setzen wie Vokal ein, enden wie
                                      Konsonant)
      $\underset{\wedge}{i}$ *(j)*, $\underset{\wedge}{u}$ *(w)*, vgl. *jetzt*, engl. *well*

Konsonanten bestehen in der Sprache nicht selbständig
als Silben - außer bei Interjektionen (Ausrufen) wie
'ps'!, 'sch', 'scht'! u.a.

B Quantität (Dauer, Länge)

1. kurze - lange Vokale

   M$\underset{.}{a}$sse - Ma$\underline{ß}$e

2. kurze - lange Konsonanten

   Diese Opposition begegnet in der germ.-dt. Sprachgeschichte nur bis zum Mhd. in der Form von einfachen und doppelten Konsonanten:

   kurz: mhd. *b$\underline{ft}$en* (warten)
   lang: mhd. *bi$\underline{tt}$er*
      vgl. westgerm. Konsonantengemination (§ 17 II B)
      und 2. LV: vorahd. +*piper* > ahd. *phe$\underline{ff}$ar* (§ 17 III)
   Vgl. dagegen im Ital. den Unterschied zwischen
   eco (Echo) - *ecco* (sieh da!)
   vale (es gilt) - *valle* (Tal)

C Artikulationsart

   Sie wird bestimmt durch den Grad und die Art der
   Öffnung der Artikulationsorgane

1. Öffnungslaute

   a) Vokale

   b) Hauchlaut *h/ch* (ich-, ach-Laut: x, X - mit Atem-
                                           geräusch)

2. Verschlußlaute

   Bei diesen sind zu unterscheiden

   a) Halbverschluß: Halbvokale $\underset{\wedge}{i}$ *(j)*, $\underset{\wedge}{u}$ *(w)*

---

1 lat. *liquidus* flüssig
2 lat. *nasus* Nase
3 lat. *consonare* zusammentönen

b) Lateral[1]-Verschluß: l $\left.\begin{array}{c}\ \\ \ \end{array}\right\}$ = L i q u i d a e

c) Vibrations[2]-Verschluß: r

    bei r wird unterschieden:
      Zäpfchen-r *(R)*, idg./germ. Herkunft
      Zungenspitzen-r, zunächst genetisch bedingt,
      entstanden durch westgerm. Rhotazismus
      aus stimmh. z (s. § 17 II A)

d) Nasal-Verschluß (Luftstrom über Nasenraum):

    m, n, η = N a s a l e

e) Total-Verschluß - je nach Aspekt bezeichnet als
    Verschlußlaute (entsprechend dem Ende der
                          Artikulation)
    Explosivlaute (entsprechend dem Anfang der
                          Artikulation)

    p, t, k $\quad$ - $\quad$ b, d, g

    ph, th, kh $\quad$ - $\quad$ bh, dh, gh (aspirierte Varianten)

    i.d. Regel wird der Begriff V e r s c h l u ß -
    l a u t im engeren Sinne allein auf diese
    Lautgruppe angewandt.

3. Engelaute

    a) Reibelaute (Frikative[3], S p i r a n t e n[4]):

      f $\qquad$ $\not{p}$, ch (x/X)

      đ $(v$, $w)$, $\bar{d}$, $ǥ$, $\qquad$ j

      davon werden gelegentlich abgesetzt als

    b) S i b i l a n t e n[5]:

      s/z, $\dot{s}$, $š$ (sch)

4. Verschlußlaut-Reibelaut-Kombination:

    A f f r i k a t a e[6]: Verbindung eines Verschluß-
    lautes mit einem am selben Sprechorgan gebildeten
    (homorganen) Reibelaut:

      t-s (tz), $\quad$ p-f, $\quad$ k-ch $(k$-$x)$

---

1 lat. *lateralis* seitlich
2 lat. *vibrare* zittern
3 lat. *fricare* reiben
4 lat. *spirare* hauchen
5 lat. *sibilare* zischen
6 Sg. Affrikata, zu lat. *affricare* anreiben

D Sonoritätsgrad[1] (Schallfülle)

1. sonore Laute

    a) Vokale
    b) Halbvokale
    c) Liquidae
    d) Nasale

2. Geräuschlaute

    a) Verschlußlaute, auch als M u t a e[2] bezeichnet
    b) Reibelaute
    c) Affrikatae
    d) Hauchlaut *h (ch, x/X)*

E Artikulationsstellen

  I V o k a l e

    Ihre Lautung (Qualität) wird bestimmt durch:

    1. Öffnungsgrad des Mundes

        a) offen: *a*
        b) halboffen: *e, o - ə*
        c) geschlossen: *i, u*

    2. Lippenstellung

        a) ungerundet: *a, e, i*
        b) gerundet: *o, u*

    3. Zungenstellung (Formung des Mundraumes durch Zungenstellung)

        a) Vorderzungenvokale (koronal[3] - prädorsal[4]): *i, e*
        b) Hinterzungenvokal (dorsal): *a*
        c) Hinterzungenvokale (postdorsal): *u, o*

    4. Gaumensegelstellung
        a) geschlossen: orale[5], nicht nasale Vokale
        b) offen (Luftstrom geht durch Mund- und Nasen-
           raum): nasalierte Vokale
           Nasalierung gekennzeichnet durch Tilde[6] ($\sim$)

           frz. *un* (gesprochen *õe* - ein)
                an (z.B. schwäb. *Mã* - Mann)

---

1 lat. *sonor* Ton, Klang
2 lat. *mutus* stumm
3 lat. *corona* Kranz, hier: Zahnkranz
4 lat. *dorsum* Rücken (Zungenrücken)
5 neuzeitliche Prägung zu lat. *os, oris* Mund
6 span. zu lat. *titulus* Überschrift; bezeichnet im Portu-
  giesischen die Nasalierung

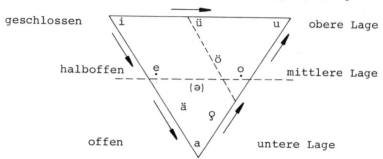

Vokaldreieck

Vorderzungenvokale
(ohne Lippenrundung)

Hinterzungenvokale
(mit Lippenrundung)

geschlossen — i ü u — obere Lage

halboffen — ẹ ö ọ — mittlere Lage

(ə)

ä ǫ

offen — a — untere Lage

<u>Zeichenerklärung</u>:

ẹ, ọ : geschlossene e-, o-Laute wie in dt. l<u>e</u>ben, r<u>o</u>t

ä, ö, ǫ: offene e-, ö-, o-Laute wie in dt. W<u>e</u>lt, h<u>ä</u>lt, W<u>ö</u>rter, W<u>o</u>rt

ə : 'Murmelvokal' von unbestimmter Klangfarbe, in der
hebr. Grammatik als schwa-Laut bezeichnet
(hebr. šᵘa' = nichts).

II Konsonanten

1. Nach den <u>drei zentralen Artikulationsstellen</u>
(Lippen, <u>Z</u>ähne, Gaumen) <u>werden unterschieden</u>:

a) L a b i a l e /Bilabiale[1] (Lippenlaute):

ṷ, m, b, p, ƀ (aspirierte Varianten bh, ph)

b) D e n t a l e /Interdentale, Postdentale[2]
(Zahnlaute: Zunge gegen obere Zahnreihe):

n, s - ts, đ, þ - ṡ z,

l, r, d, t (aspirierte Varianten dh, th)

c) G u t t u r a l e[3] (Gaumen- oder Kehllaute)

g, k, (aspirierte Varianten gh, kh), kx

- palatal[4] (harter Gaumen): i̧, j, š, x
- velar[5] (weicher Gaumen): R, η , ǫ, X

---

1 lat. *labium* Lippe, *bis* zweimal
2 lat. *dens, dentis* Zahn, *inter* zwischen, *post* hinten
3 lat. *guttur* Gurgel, Kehle
4 lat. *palātum* (harter) Gaumen
5 lat. *velum* (Gaumen-) Segel

d) Unterschieden werden zusätzlich folgende
Bildungsstellen:

- apikal[1] (Zungenspitze gegen obere Schneidezähne): *th, d̄*
- alveolar[2] (am oberen Zahndamm = postdental): *d, l, r,*...
- uvular[3] (am Zäpfchen gebildet): Zäpfchen-*R*
- laryngal[4] (Kehllaute, Stimmritzenlaut): *h (x, X)*

2. Neben den monorganen[5] Artikulationen (nur ein Artiku-
lations-Organ beteiligt) gibt es

<u>kombinierte Bildungsstellen</u>

a) labiodental (kombiniert Unterlippe und obere Zähne):
$$f, w, v, pf$$

b) labiovelar (Lippen und Gaumen): *ku̯ (qu) hv (hv̯)*

c) Affrikatae, s. C 4

F Weitere Kriterien für die K o n s o n a n t e n-
bestimmung:

1. <u>Stimmgebung</u> (Art der Spannung der Stimmbänder)

a) stimmhaft (Stimmbänder locker)
<u>lesen</u> (norddt. Aussprache)

stimmhafte Verschlußlaute (*b, d, g*) werden als
M e d i a e[6] (mit mittlerer Stimme) bezeichnet

b) stimmlos (Stimmbänder gestrafft)
<u>lesen</u> (süddt. Aussprache)

stimmlose Verschlußlaute (*p, t, k*) werden als
T e n u e s[7] (mit dünner Stimme) bezeichnet

2. <u>Stimmenergie</u> (Grad des Atemdrucks und der Spannung
der Gesichtsmuskulatur):

a) Lenis[8]-Laute: <u>baden</u>

b) Fortis[9]-Laute: <u>paddeln</u>

---

1 lat. *apex* Spitze, hier: Zungenspitze
2 lat. *alveolus* Mulde; Alveolen = Zahnhöhlen
3 lat. *uvula* Zäpfchen
4 griech. *larynx* Kehlkopf
5 griech. *monos* allein, *organon* Instrument, Organ
6 lat. *medium* mittel, eigentl. *vox media*
7 lat. *tenuis* dünn, Pl. *tenues*
8 lat. *lenis* weich
9 lat. *fortis* stark

3. Aspiration[1] (Behauchung): Stärke des Luftstroms, der nach der Verschlußöffnung dem Laut als Hauchlaut folgt:

frz. *page* – dt. *Page*, engl. *page*
frz. *haute* (hoch, fem.) – dt. *Hut* – engl. *hat*

K o n s o n a n t e n s y s t e m

C Artikulationsart		E Artikulationsstelle						
		Labiale		Dentale			Gutturale	
		bilab.	labio-dental	dent.	inter-dental	post-dental (alv.)	palatal	velar
Halbvokale		u̯					i̯	
Liquidae						l r		R
Nasale		m		n				ŋ
Verschluß-laute	Mediae (Lenes)	b				d	g	
	aspir.	bh				dh	gh	
	Tenues (Fortes)	p				t	k	
	aspir.	ph				th	kh	
Spiranten	stimmh.	ƀ	v w	z	đ		j	ɋ
	stimml.		f	s	þ	ṡ	š x	X
Affrikatae		pf		ts			kx	

Aussprache der Lautzeichen (z.T. nur ungefähre Orientierung):

u̯ = frz. oui, engl. well; i̯ = frz. pied
r = Zungenspitzen-r; R = Zäpfchen-r
ŋ = dt. singen
th = n i c h t wie in engl. th, sondern wie engl. t in take; kx = schwei-zerdeutsch kein (kchein)
ƀ = span. Cordoba; v = dt. Welt, Hannoveraner; đ = engl. stimmh. th: this;
ɋ = norddt. Frikativ g in: eines Tages
f = finden, Hannover; þ (sog. thorn-Laut[2]) = engl. stimmloses th: think;
z = stimmh. Frikativ: singen; ṡ = schmale (ungerundete) Spirans (Sibilant),
schwaches sch: mhd. slange, sitzen; š = breite (halbgerundete) Spirans:
nhd. schön; x = ich-Laut; X = ach-Laut

---

1 lat. *aspirare* an-, behauchen
2 þorn, ae. = Dorn, nach dem ae. Namen der Rune þ

§ 8 Der Akzent

Der Akzent ist eine der bewegenden Kräfte der Sprachentwicklung und Sprachgestaltung. Durch Intensität (Stärke)
und Extensität (Dauer) des Atemstromes oder durch Tonhöhe moduliert er Laute, Silben, Wörter und Wortfolgen.

A Akzenttypen:

   1. d y n a m i s c h e r (exspiratorischer) Akzent:

   reguliert Tonstärke und Tondauer durch entsprechenden Atemdruck

   2. m u s i k a l i s c h e r   Akzent:

   reguliert die Tonhöhe durch entsprechende Spannung
   der Stimmbänder
   (vgl. auch § 6 I A 2a)

Das Verhältnis der beiden Akzentarten kann nach Sprache und Sprachepochen wechseln:

im Altgriechischen wird vorwiegend musikalischer Ak-
                    zent vermutet;
im Lateinischen herrscht, zumindest zeitweise, der dy-
                    namische Akzent vor;
im Germanischen wird der dynamische Akzent bestimmend.

B Anwendungsbereiche:

   1. S i l b e n a k z e n t:

   a) kurze Silbe: éin Akzentgipfel (Stoßton):
                   bítte

   b) lange Silbe: éin Akzentgipfel (Stoßton)
                   híer (hír)

                   zwéi Akzentgipfel (Schleifton):
                   híer (hí-ír)

   c) Diphthong: Akzent auf erstem Teil:
                 mhd. gúot (= fallender Diphthong)

                 Akzent auf zweitem Teil:
                 frz. bién (= steigender Diphthong)

   2. W o r t a k z e n t: je nach Akzentstärke werden
                   unterschieden:

   a) Haupttonsilbe (bez. durch Acutus[1]: x́)

   b) Nebentonsilbe (bez. durch Gravis[2]: x̀)

   c) unbetonte Silben, manchmal auch als Schwachton-
                   silbe bezeichnet[3].

---

1 lat. *acutus* spitz, scharf
2 lat. *gravis* schwer, dumpf
3 vgl. auch § 6 III B 2a

3. S a t z a k z e n t:

   a) semantischer Akzent:
      ér ging spazíeren

   b) prononçierender Akzent:
      ér kommt, nicht síe
      er hat einen Báuch (d.h. ist sehr dick)

4. G r a m m a t i s c h e r Akzent (zur Unterscheidung gleichlautender Wörter oder Wortfolgen):

   gr. *nomós* (Weide, Wohnsitz) - *nómos* (Brauch, Ord-
   ⁣   nung, Gesetz)
   érblich (zu Erbe) - (er) *erblích* (altertüml.
   ⁣   Prät. zu erbleichen)
   módern   - *modérn*
   August (Pers. Name) - *Augúst* (Monatsname)
   Máler-Zèugnisse   - *Mál-Erzèugnisse*
   er sagte víel méhr als ein anderer (viel = Adv.
   ⁣   zu mehr)
   er sagte víelmehr etwas anderes (vielmehr = Adv.
   ⁣   zu sagen)
   (vgl. auch § 3 II B 2a)

C Der Akzent im Indogermanischen und Germanischen

. 1. Im <u>Indogermanischen</u> kann je nach Flexionsform der
     <u>Wortakzent auf</u> <u>verschiedenen</u> Silben ruhen, sog.
     f l e x i o n s b e d i n g t e r [1] Akzent

     vgl. gr. *méter* (Nom.Sg.): erste Silbe

     ⁣   *mētrós* (Gen.Sg.): letzte Silbe

     ⁣   *metéra* (Akk.Sg.): vorletzte Silbe

     ⁣   lat. *Róma, Romānus, Romanórum*

     ⁣   nhd. noch bei Fremdwörtern:
     ⁣   *Mótor, Motóren, Motorisíerung*

  2. Im <u>Germanischen</u> fällt nach der 1.LV der Hauptak-
     zent auf die <u>erste Silbe</u> (meist, aber nicht immer,
     Stammsilbe), sog.
     I n i t i a l [2] - Akzent

     vgl. *Úrlaub* (erste Silbe, nicht Stammsilbe)

     aber: *erláuben* (Vorsilbe erst nach der germ. Ak-
     ⁣   zentfestsetzung gebildet)

---

1 nicht 'freier' Akzent, wie es sonst unscharf heißt
2 lat. *initium* Anfang

D Wirkungen des Akzents

   Neben der semantischen Differenzierung hatte der Akzent auch Auswirkungen auf die Lautformen, z.B.:
   1. beim Ablaut
   2. bei der Assimilation (z.B. Umlaut)
   3. auf die Endsilbengestaltung

E Zur Geschichte des Akzents im Germanischen

   1. Im <u>Germanischen</u> wird nach der Durchführung der

      1.LV und des Vernerschen Gesetzes der Wort-Akzent

      auf die A n f a n g s s i l b e, meist (aber

      nicht immer) die Stamm- oder Wurzelsilbe, gelegt

      (Initialakzent)

      <u>Folge</u> bei der Auslautentwicklung: Endsilbenredu-
      zierung

   2. Im <u>Vor-Althochdeutschen</u> resultiert aus der Sprach-

      umschichtung im Rahmen der Endsilbenreduzierung

      a) eine Akzentakkumulation auf der Haupttonsilbe,
         daraus mutmaßlich

      b) die zweite Lautverschiebung,

      c) das Wechselspiel der ahd. Monophthongierung
         und Diphthongierung.

   3. Die Druckentladung in der 2.LV führte mutmaßlich

      zur <u>mhd. Konsonantenschwächung</u>.

   4. Auf dem Weg zum <u>Neuhochdeutschen</u> wird der Initial-

      akzent vereinzelt auf quantitativ gewichtigere

      Folgesilben verlagert:

      <u>mhd.</u> *lébendic* - <u>nhd.</u> *lebéndig,* so auch:

                              allmáchtig, Holúnder

      aber auch: *Hórnisse*   neben *Hornísse*

                 vóllkommen neben *vollkómmen*

      Solche Akzentverlagerungen treten auch bei
      <u>fremdsprachlichen</u> Endungen auf:

      Vogtéi, Zauberéi, hofíeren   und

      <u>regional</u> bei längeren Silbenfolgen:

      schwarz-rot-góld

      Hásenberg (Ortsname) - *Hasenbérgstraße*

5. Beachtenswert ist auch, daß sich seit dem Mittel-
hochdeutschen der einheimische Initialakzent bei
Wörtern aus fremden Sprachen immer seltener durch-
setzt. Dementsprechend unterbleiben die Anglei-
chungen an die lautlichen Strukturen der deutschen
Sprache:

        Struktúr, Initiále, Akzént, Allótria

vgl. dagegen ahd. Lehnwörter wie

    lat. *fenéstra*   > *Fénster*
         monastérium > *Múnster*

6. Zur sprachgeschichtlichen Bedeutung des Akzents
vgl. auch das Verhältnis zwischen der lat. Akzentuierung und den entsprechenden Wörtern im <u>Fran-
zösischen</u>:

    lat. *témplum*   > frz. *témple*
        bónitátem (Akk. Sg.) >   *bonté*
        ánima   >   *âme*
        favórem (Akk. Sg.)   >   *favéur*

d.h. erhalten bleiben jeweils diejenigen Silben,
welche im Lat. einen Haupt- oder Nebenakzent
tragen.

7. Musikalischer Akzent begegnet im Nhd. noch in der
<u>Intonation</u>[1], der Regulierung der Tonhöhenfolgen,
am auffälligsten in Fragesätzen, die nur durch
die Stimmgebung als solche ausgewiesen sind:
Sie kommen doch?
Vgl. auch 'singende' Mundarten.

---

1 vgl. frz. *intonation* Tonangeben, Betonung, zu
lat. *tonus* Ton

§ 9   Sprache und Schrift

Bis zur Zeitenwende existierten die germanischen Dialekte
n u r im Laut; es gab keine Schrift.

A Erste A n s ä t z e zur schriftlichen Fixierung einzelner

germ. Wörter (Namen)

1. Ältestes Zeugnis:

Helm von Negau (Steiermark)
(2. Jh. vor - 1. Jh. n.Chr., s. § 5 III a 1):

harigasti teiwa (in norditalischem Alphabet)

2. Runeninschriften auf festen Materialien (Stein, Metall,
Knochen)

a) älteste germ. Inschrift:

Speerblatt von Øvre Stabu (Norwegen, nordwestl. Oslo)
(2. Hälfte 2. Jh.):

raunijaʀ (Erprober)

b) älteste südgerm. Inschrift:

Scheibe von Liebenau (nahe Nienburg, westl. Celle)
(Anfang 5. Jh.)

lesbar nur noch die Runen *ra*

c) älteste ahd. Inschrift (mit durchgeführter 2. LV)

Lanzenspitze von Wurmlingen (bei Tuttlingen)
(7. Jh., s. § 11 B, Anm.)

Idorih

3. Ahd. Bucheintragungen im Rahmen der lat. Schriftkultur
(karoling. Minuskel)

a) deutsche Rechtswörter in lat. Gesetzestexten:

z.B. im Edictus Rothari (Langobardengesetz, 7. Jh.)
rairaub (Normahd. *rêroub*[1]) Leichenberaubung

b) vereinzelte deutsche Namen in lat. Urkunden:

z.B. Schenkungsurkunde des Adalbert und der
Irminswind vom Jahr 751:

Erlefridus, Adalberto, Irminsuuindae (Dat.)

---

1 ahd. *rê* Leiche

c) Gegenüberstellung von lat. und dt. Wörtern:

im <u>ältesten dt. Buch</u>, einem lat.-lat. Synonymen-

wörterbuch mit <u>deutschen Interlinearversionen</u>

(Mitte 8. Jh.), genannt

A b r o g a n s nach dem 1. Lemma:

> lat. *abrogans - humilis*
> ahd. *dheomodi - samftmoati*
> (nhd. demütig - sanftmütig)

Solche zweisprachigen Aufzeichnungen herrschen in der
Anfangsphase der ahd. Literatur vor.

B Die a h d. S c h r e i b u n g

Ein karolingischer Schreiber des 8. Jh.s sah sich folgenden
Konstellationen gegenüber, wenn er einen ahd. Text zu
Pergament bringen wollte:

1. Er kannte die <u>lat. Sprache</u>, eine nach grammatischen Regeln
   systematisierte einheitliche <u>Schriftsprache</u>, die mit einem
   festgelegten Alphabet wiedergegeben wurde. Ihre Aussprache
   dürfte durch die jeweilige volkssprachliche Mundart gefärbt
   gewesen sein (vgl. die unterschiedliche Tönung des Latein
   in den verschiedenen neuzeitlichen europ. Nationalsprachen).

2. Er sprach einen der <u>ahd. Stammesdialekte</u>, welche durch
   keine grammatischen oder phonetischen Regeln systematisiert
   waren.

   (Erinnert sei an die Klagen Otfrieds von Weißenburg in der
   lat. Zuschrift *Ad Liutbertum* zu seiner Evangelienharmonie
   - noch um 860).

3. Die Aufgabe war, die (gelegentlich auch diffusen) <u>Gehörs-
   eindrücke des Ahd.</u> mit den Schriftzeichen der <u>lat. Sprache</u>
   wiederzugeben.
   Bei lautlichen Grundpositionen wie den Verschlußlauten
   ($b,d,g - p,t,k$) bereitete dies keine Schwierigkeiten.
   <u>Laut und Buchstabe</u> waren aber nicht in allen Fällen eindeutig einander zuzuordnen, schon weil die ahd. Lautskala
   umfangreicher war als die lateinische: Es gab im Ahd. nicht
   nur phonetisch offenere Lautungen, sondern auch neue Laute,
   die im Lateinischen nicht vorhanden sind, z.B. die in der
   2. LV neu entstandenen Affrikaten.

4. Die Schreiber behalfen sich:

a) mit Buchstabenkombinationen, b) mit diakritischen
Zeichen, c) seltener mit Anleihen bei anderen Schrift-
systemen.

Aus der angelsächs. Buchschrift stammen z.B. die Schriftzeichen für f und $ð$ in der Hs. des Hildebrandsliedes, aus
der angelsächs. Runenreihe stammt eine Rune als Silben-
zeichen für das Präfix ga- in der Hs. des Wessobrunner
Schöpfungsgedichts.

Dieses Verfahren hatte schon Wulfila gewählt: Er übernahm
in seine got. Buchschrift, die sich im wesentlichen am
griech. Alphabet orientierte, aus der angelsächs. Runenreihe das Zeichen für den þorn-Laut (Ψ). Neu geschaffen hat
er das synthetische Zeichen (ƕ) für die Ligatur hv .

Die ahd. Schreiber schufen keine neuen Zeichen. Sie wählten

a) die analytische Wiedergabe durch Buchstabenkombinationen

Damit wurden gekennzeichnet:

- zusammengesetzte Laute, z.B. Affrikata pf wird in ihre
  Elemente zerlegt: einsetzender Verschlußlaut p + fol-
  gender homorganer (an derselben Stelle gebildeter)
  Reibelaut f; statt f im Ahd. allerdings häufiger seine
  genetische Vorstufe h (Entstehung der Affrikata durch
  Verstärkung der Aspiration und deren lautliche Verselb-
  ständigung, s. 2. LV); daneben auch Schreibungen wie
  pph, ppf.
  Dieses Prinzip der Wiedergabe eines zusammengesetzten
  Lautes durch seine Elemente wird auch bei Diphthongen
  angewandt (ai, ou).

- einfache lange Laute, z.B. (gelegentlich) langes
  $a = aa$: $ketaan$ (Norm-Ahd. $gitân$).

- phonetische Zwischenstellungen, z.B. ae für offenes e,
  einen Laut zwischen den Grundpositionen a und e:
  $aerda$ ($\hat{=}$ $erda$), $aerlos$ (Isidor; $\hat{=}$ $êrlôs$).

b) die Differenzierung durch diakritische Zeichen,
   über- oder untergesetzte Buchstaben, Striche oder Häkchen,
   z.B. $ę$ (e caudatum[1]): bezeichnet ebenfalls offenes e
   (im Unterschied zum geschlossenen Umlaut-e),
   z.B. $ęrnust$ (Isidor), Ernst.

---

1 lat. $cauda$ Schwanz

5. In wechselnden Schreibungen spiegelt sich auch Lautwandel
   wider:
   im Anlaut *filu - vilu*, viel (frühahd. Spirantenschwächung),
   intervokalisch *hwerfan, wervan - werban; avur - aber*
                       (Übergang von Spirans zu Verschlußlaut).

6. Der <u>Differenzierungsgrad</u> in der Wiedergabe ahd. Lautungen ist
   in den überlieferten Texten unterschiedlich: In manchen Hss.
   sind nur Lautbereiche angegeben, welche den vokalischen und
   konsonantischen Grundpositionen entsprechen.
   Anders bei den beiden ahd. 'Phonetikern':
   Der <u>Isidor-Schreiber</u> (um 800) verwendet 5 verschiedene
   (z.T. wohl auch syntaktisch bedingte) *e*-Schreibungen:
   e, ee, ę, ae und *œ*
   <u>Notker Teutonicus</u> (um 1000) notiert (allein durch die Syntax
   bedingte) Aussprachevarianten in der Wortfuge: Anlaut eines
   Wortes stimmlos oder stimmhaft je nach Stimmhaftigkeit oder
   Stimmlosigkeit des Auslautes des vorhergehenden Wortes
   (<u>Notkers Anlautgesetz</u>), vgl. z.B.
   tes koldes - demo golde (des Goldes - dem Golde)

7. Für die <u>Offenheit des ahd. Lautstandes</u> und die Schwankungen
   bei der schriftlichen Wiedergabe vgl. die Schreibformen für
   nhd. 'aber' *afar, avar, auuar - afur, avur, avor, avir, aver -*
   abur - ava, abo.
   Bei dem offenbar um phonetische Genauigkeit bemühten Isidor-
   schreiber finden sich für das nhd. Wort 'edel' in verschiedenen Flexionsformen nebeneinander: *ędhili* (Akk.Sg.), *edhiles*
   (Gen.), *edhile* und *aedhile* (Dat.), ebenso *elliu* neben *alliu*.

8. Als mehr oder weniger erkennbare <u>Grundtendenz</u> in ahd. Hss.
   zeigt sich: Geschrieben wurde, was man zu hören glaubte, und
   was mit dem lat. Alphabet (gegebenenfalls mit Hilfe gewisser
   Differenzierungen) zu leisten war.

Für die Einschätzung der relativen dokumentarischen Verläßlich-
keit der ahd. Hss. ergibt sich:

Die Vielzahl von Versuchen, Laute möglichst genau wiederzugeben, macht es unwahrscheinlich, daß dann doch eine ganze
Lautgruppe, die U m l a u t e - abgesehen von *a > e*
nirgends registriert worden sein sollten. Immerhin hätten
zumindest für den postulierten ahd. Umlaut von *â* (etwa in
wânen, vorahd. *+wanjan*, mhd. *wenen*, Norm-Mhd. *waenen*) mehrere
Zeichen zur Verfügung gestanden, u.a. das auch in mhd. Hss.
meist verwendete *e*. Daß in einem Wort wie *wânen* im gesamten
ahd. Zeitraum immer nur *a* auftaucht, läßt den zwingenden
Schluß zu, daß hier noch kein Laut vorhanden war, der wesentlich von der überkommenen Lautung abwich. Dies gilt analog für
andere von der Forschung postulierte, im Ahd. (und später auch
im Mhd.) von den Schreibern nicht bezeichnete (angeblich ver-
nachlässigte) Umlautvokale.

C Die m h d. S c h r e i b u n g

1. Die mhd. Schreiber sahen sich fast denselben Problemen gegenüber wie die ahd. Schreiber. Auch sie mußten

   a) ihre gesprochene Sprache in das lat. Alphabet umsetzen;

   b) auch sie mußten mehr Laute mit diesem Alphabet wieder-
      geben als dieses Zeichen hatte;

   c) auch sie behalfen sich damit, entweder nur Grundpositio-
      nen zu notieren, oder - bei höherem Genauigkeitsanspruch
      - die Zeichen des lat. Alphabets durch Kombination und
      Diakrise der mhd. Lautung anzunähern.

   Auch in mhd. Zeit gibt es Schreiber mit stärkeren
   Differenzierungstendenzen und solche, welche auch einen
   breiteren Artikulationsbereich nur mit e i n e m
   Zeichen abdecken. So unterscheidet z.B. die Weingartner
   Lieder-Hs. (um 1300) zwei *e*-Laute: kurzes *e* in Wörtern
   wie *reht* (Norm-Mhd. *rëht*) und offenes langes *e*, z.B.
   wǫre (ahd. *wârî*, Norm-Mhd. *waere*). In der gleichzei-
   tigen Großen Heidelberger Lieder-Hs. ist dieser Unterschied dagegen nicht registriert.

2. Mit der Zunahme von mhd. Texten traten
   <u>zwei neue Aspekte auf:</u>
   a) es entwickelten sich <u>Schreibtraditionen</u>, die allerdings
      z.T. auf Grund des fortschreitenden Lautwandels nicht
      allzu lange Bestand hatten und sich bei Abschriften von
      älteren Texten dann als <u>historische</u>, d.h. lautlich ver-
      altete <u>Schreibungen</u> verraten (s. 7.).

b) im Spät-Mittelalter ist eine <u>Tendenz zur Verselbständigung der Schreibung</u> zu beobachten (Letternhäufung, s. 8.)

3. Die <u>Bezeichnungsvielfalt</u> in mhd. Hss. ähnelt der in ahd. Hss.: Die einer bestimmten Lautposition zuzuordnenden Vokale und Konsonanten werden (wie in ahd. Hss. in der Regel auch) eindeutig und konstant bezeichnet.

So gibt es z.B. kaum Varianten bei der Schreibung von Wörtern wie *der*, *daz* (abgesehen von Schreibkürzeln *d^ß*, *dc*), *lang*, *machen* oder *sagen* (abgesehen von *n*-Ersatz durch Nasalstrich: *sagē*). Der Lautwert der in mhd. Hss. häufigen Kürzel steht meist fest.

Zwischen langem und kurzem Vokal wird nicht immer unterschieden: so stehen z.B. *e* und *ú* für beide Quantitäten. Allerdings gibt es auch Bezeichnungen der Länge, z.B. *mâʃʃe* (Gr. Heidelberger LH) oder *diu* im Unterschied zu *kúnic* (Kl. Heidelberger LH).

4. Schwierig und vielfältig wird erneut die Wiedergabe von synchronen und diachronen <u>Übergangslauten</u>
   a) auf <u>synchroner Ebene</u> von Lauten, die zwischen Grundpositionen stehen,

   b) in <u>diachroner Folge</u> von Lauten, die sich von einer Lautform in die andere wandeln.

5. Die <u>Offenheit der Lautungen</u> und die Vielfalt ihrer Umsetzung in Schriftzeichen wird bes. deutlich in der Wiedergabe von U m l a u t v o k a l e n .

Abgesehen von der pauschalen Wiedergabe des Umlautes von *â* durch *e* oder *ê* (z.B. in der Heidelberger Bilder-Hs. des Welschen Gastes: *Zerklêre*) finden sich unterschiedliche Arten von <u>Buchstabenkombinationen</u>:
Wie schon im Ahd. wird wiederum das Prinzip angewandt, daß der Zwischenlaut durch die Buchstaben der benachbarten lautlichen Grundpositionen angezeigt wird, also durch Kombination der Grundvokale *â*, *ô*, *û* mit den Umlautagentien *i* oder *e*[1].

---

1 Die mhd. Schreiber durchschauten offenkundig das Phänomen des durch *e* bewirkten Umlautes eher als neuzeitliche Sprachhistoriker, die meist zu einseitig von nhd. Formen ausgehen.

Die Kombinationszeichen können auch übereinander geschrieben sein. Der Lautverwandtschaft gemäß erscheint bei *u* eher *i* (obere Vokalebene), bei *o* eher *e* (mittlere Vokalebene) als Umlautsignal:

ahd. â - mhd. ae: *almaehtig*, *aelliu* (Vorauer Hs. der Kaiserchronik, 2. Hä. 12. Jh., selten, meist nur *e*-Schreibungen).

ahd. ô - mhd. oi, oe: erstmals (?) bei Otloh (11. Jh.): *troistet* (tröstet), *froiwe* (Kl. Heidelberger LH) - *troest* (Kl. Heidelberger LH), *hᵒher* (Weingartner LH), *brᵒsme* (Leone-Hausbuch, 14. Jh.: Umlaut nach Nebensilbenreduktion bei mhd. *brôseme*).

ahd. û - mhd. iu, u̇: erstmals bei Notker (um 1000): *hût*, *hiute* (Haut, Häute), *beidiv* (Kl. Heidelberger LH), *wu̇rde* (Leone-Hausbuch).

Der Exponent[1] kann auch zum diakritischen Zeichen reduziert sein:
fûr (Gr. Heidelberger LH) - *fór*, *bu̇tet* (Weingartner LH)

Unterschiedliche Schreibungen finden sich auch bei Diphthongen: vgl. z.B.
beide (Gr. Heidelberger LH) - *baide* (Weingartner LH), bei *ou*, *uo* auch Formen mit Exponenten:
ᵛᵒch = *ouch*, *zᵛ* = *zuo*

6. Zur Vielfalt der mhd. Schreibung vgl. die Schreibweisen für nhd. 'Freude':
ahd. *frewida*, *freuwidha*
mhd. *vröude*, *vröide*, *vreude*, *vröuwede*, *fröwede*, *fröwde*, *vrouwede*, *vrowede*, *vroude*, *vrôde*, *froide*, *frœde*.

7. Neben synchronen Schreibvarianten, die aus der prinzipiellen Offenheit der Lautung resultieren konnten, oder sich aus der Umsetzung einer Vorlage in einen anderen Dialekt ergaben, finden sich in mhd. Hss. zunehmend auch diachrone Varianten, welche bei Abschriften von älteren

---

1 lat. *exponere* ausstellen

Hss. teilweise einen früheren Lautstand festhalten, vgl. z.B. in der Hundeshagenschen Nibelungen-Hs. (Mitte 15. Jh.): *Prunhilt* (Lautform um 1200) neben *Praunhilld* (bair. Lautstand 15. Jh.), ebenso *ysenstein - eysenstein*, *wîp - weib* (jeweils nhd. Diphthongierung, s. § 15, V A 1).

8. In spätmhd. Zeit mehren sich die Anzeichen für eine Verselbständigung der Schreibung (partielle Emanzipation der Schreibung von der gesprochenen Sprache), deren auffallendster Ausdruck die sog. Letternhäufung ist (15. - 17. Jh.), vgl. Schreibungen wie *funffczig, tzwey*.

Die in der Forschung postulierte mhd. Dichtersprache etablierte sich vornehmlich durch eine Selektion des Wortschatzes und durch stilistische Normen. Sie bezog (nach den handschriftlichen Befunden) den Lautstand nur insoweit ein, als Extreme vermieden wurden, soweit diese der Tendenz zur überregionalen Verbreitung der Texte (z.B. bei fahrenden Sängern) hinderlich gewesen wären. Auch 'gute' Handschriften unterscheiden sich gerade in der Schreibung und damit wohl auch der Lautung mehr oder weniger stark voneinander.

Das aus den Ausgaben bekannte Norm-Mhd. (auch Normal-Mhd.) ist ein Kunstprodukt, eine mittlere graphische Lesart der germanistischen Editionstechnik (geschaffen durch Karl LACHMANN), die sich an sehr wenigen mhd. Hss. (z.B. an der Iwein-Hs. B) orientierte.

Der Blick auf die tatsächlichen mhd. Lautverhältnisse wird einerseits durch diese normalisierten Ausgaben verstellt, andererseits dadurch, daß vom nhd. Schreibstand auf mhd. Lautung rückgeschlossen wird.

Manche Hypothesen zur ahd. und mhd. Lautung gehen offensichtlich auch von neuzeitlichen Verhältnissen zwischen Lautung und Schreibung im Englischen und Französischen aus, lassen die historisch erfaßbaren Notierungsgegebenheiten außer Acht.

D Die n h d . S c h r e i b u n g

Ansätze zur Ausbildung einer überregionalen Schreibsprache und damit verbunden zu einer Systematisierung der Schreibung mehren sich (langsam) nach der Erfindung des Buchdrucks (erster Druck einer deutsch-sprachigen Dichtung 1461: Ulrich Boner, Der Edelstein). Diesen Tendenzen wirkte allerdings eine artifizielle Verselbständigung der Schreibung entgegen (Letternhäufung, bes. im Barock).

Die Forderungen nach Vereinheitlichung der Schreibung nehmen seit dem 17. Jh. zu; sie werden v.a. von den Sprachgesellschaften vertreten.

Im Gefolge der fortschreitenden historischen Erschließung
der dt. Sprache kamen zu den bisher gebräuchlichen
S c h r e i b f o r m e n :

1. der grundlegenden quasi-phonetischen Schreibung,

2. der durch die Sprachentwicklung bedingten
historischen Schreibung

als neue Schreibungen hinzu:

3. die etymologische Schreibung, d.h. entsprechende Schreibung
von Wörtern gleichen Stammes

(seit 17. Jh., konsequenter durchgeführt von Jacob
GRIMM), vgl.

Gast   - Gäste,   mhd. *geste*
alt   - älter,   mhd. *elter* (vgl. noch Eltern)
Hand   - Hände,   mhd. *hende* (noch in behende)
fahren - Fährte, mhd. *ferte* (noch in fertig)
Trank   - Tränke (17. Jh., *trencke* noch bei Hans Sachs,
16. Jh.)

Umlaute werden jetzt durch diakritische Doppelpunkte
bezeichnet.

4. die semantisch-differenzierende Schreibung, d.h.
unterschiedliche Schreibung gleichlautender Wörter verschiedener Bedeutung (s. § 15 V A 3), vgl.:

Stadt - Statt (beide mhd. *stat*)
lehren (mhd. *lêren*) - leeren (mitteloberdt. *laeren*
mittelniederdt. *lêren*)
Lerche (mhd. *lêrche*) - Lärche (mhd. *larche, lerche*)

5. die funktionale Schreibung zur Kennzeichnung einer grammatischen Funktion:

Großschreibung von Substantiven

(tritt seit dem 16. Jh. auf, generell seit GOTTSCHED,
18. Jh.)

Seit dem 17. Jh. wird v.a. im norddt. Raum das Sprechen
'nach der Schrift'[1] üblich. Sprache wird damit auch
phonetisch zur Schriftsprache -
eine totale Umkehrung des vorherigen Verhältnisses von
Schrift und gesprochener Sprache.

---

1 Barthold Hinrich BROCKES (1680 - 1747): "Sprechen wie
man schreibt."

Einheitliche Regelung der sog. Hochlautung allerdings erst durch
Theodor SIEBS, Deutsche Bühnenaussprache, 1898.

Auch eine bestimmte Schreibnorm, ein verbindliches Schriftbild
(Orthographie), wurde erst gegen Ende des 19. Jh.s erreicht, vgl.
Konrad DUDEN, Orthographisches Wörterbuch der deutschen Sprache,
1880 (amtlich seit 1901).

Die neuzeitliche Schreibentwicklung läuft zwar auf die Tendenz
einer weitgehenden Gleichsetzung von Lauten und Buchstaben zu,
d.h. u.a. Abkehr von Letternhäufungen zugunsten phonetisch orien-
tierter Schreibung, aber auch auf dieser Entwicklungsstufe wurden
z.T. nur partielle Systematisierungen erreicht.

So gibt es für die Kennzeichnung langer Vokale mehrere Möglichkeiten (z.T. auf der Basis historischer Schreibungen, z.B. auch
zur semantischen Differenzierung):

a) ohne Bezeichnung: Mal (mhd. *mâl*, Zeitpunkt),
   Leben (mhd. *leben*), Lob (mhd. *lop*), Ruf (mhd. *ruof*);
   nicht nach i (Ausnahme: Stil)

b) durch h (nicht nach i): Stahl (aus mhd. *stahel*, vgl. § 15 V B 3,
   Vokalsynkopierung),
   analoge Schreibung in Mahl (mhd. *mâl*, s. oben, speziell 'Zeitpunkt des Essens'), stehlen (mhd. *steln*), Sohn (mhd. *sun*),
   Kuh (mhd. *kuo*)

c) durch e (bei i): lieb (mhd. *liep*),
   analoge Schreibung in sieben (mhd. *siben*), Stiel (mhd. *stil*),
   dagegen Stil (aus lat. stilus), vgl. aber auch Soest (langes o)

d) durch Doppelkennzeichnung e + h: (er) stiehlt zu stehlen
   (mhd. *stilt* – *steln*)

e) durch Doppelschreibung (nicht bei i, u): Saal (mhd. *sal*),
   leer (mhd. *laere*), Moos (mhd. *mos*)
   Vgl. dagegen einheitliche Schreibung bei (regional) verschiedenen
   Vokalquantitäten:
   norddt. Rad – süddt. Rad

Auch Konsonanten werden nicht immer einheitlich bezeichnet:
a) der palatale Sibilant erscheint als sch und s:
   schön (mhd. *schoene*), Schlange (mhd. *slange*),

aber Stein (mhd. *stein*)[1].

sch wird je nach Schreibsystem auch in anderen europ. Sprachen verschieden bezeichnet, vgl. dt. Schiff, engl. ship, frz. chicane (dt. Schikane), it. scena (dagegen dt. Szene).

b) ein Rest von Letternhäufung erhielt sich bis ins 19. Jh. bei t-Schreibungen, z.B. Thal (mhd. *tal*), theilen (mhd. *teilen*), Muth (mhd. *muot*), aber Tag, Tod, Tyrann (mhd. *tiranne*); im 20. Jh. noch in Wörtern griech. Herkunft: Thron, Theater (vgl. auch engl. theatre, aber it. teatro).

c) auch Lautkombinationen werden unterschiedlich bezeichnet: vgl. die dentale Affrikata im Anlaut: Zahn; im In- und Auslaut: sitzen, Satz, den guttural-dentalen Kombinationslaut ks: Hexe (mhd. *hecse*), aber Häksel

d) Doppelschreibungen von Konsonanten dienen nur noch zur Kennzeichnung der Kürze des vorhergehenden Vokals: Mutter (aber Vater) vgl. dagegen den Unterschied zwischen langem und kurzem k in it. ecco (das ist) und eco (Echo)

Bei Fremdwörtern findet sich auch unterschiedliche konsonantische Aussprache, vgl. z.B. Chemie, China: im Anlaut gesprochen als k, ch oder sch

Zu Unterschieden zwischen Schreibung und Lautung vgl. etwa auch:

Frz.:   aile (ɛl),Flügel - ailleurs (a'joe:r), anderswo
         loi (lwa),Gesetz - loin(lwɛ̃), weit (+ Nasalierung),
         écheveau (eʃ'vo), Docke (8 Buchstaben für 4 Laute)

         gleiche Lautung (e'tɛ), verschiedene Schreibung:
         étai, Stütze, étais, ich war, étaient, sie waren
                                     (7 Buchstaben, 3 Laute)

Engl.:   nob (nɔb), Knopf - nobody (noubədi), niemand
         nothing (nʌθing) nichts (unterschiedliche Lautung bei
         gleicher Wortbildung: Kompositionen mit no-)

---

1 Die Schreibungen von ch und sch basieren auf den Lautanalysen der ahd. Schreiber: ch < k(c) + Aspiration, zum Laut verselbständigt, ebenso bei sch: sk > s + ch

§ 10 Sprachtypologie

Sprachen werden klassifiziert nach genealogischen[1] und typologischen Prinzipien (generalisierende Komparatistik). Die Typologie erfaßt Gemeinsamkeiten und Unterschiede 1. der Syntax, 2. der Morphologie.

I Klassifizierung nach syntaktischen Strukturen

Nach der Form der Wörter und der Kennzeichnung ihrer jeweiligen Beziehungen im Satz werden prinzipielle Sprachtypen unterschieden, die jedoch in der Realität selten rein ausgeprägt erscheinen; meist sind sie unterschiedlichen Modifikationen unterworfen, Mischformen.

Für einen ersten Einblick in die typologische Sprachvergleichung eignet sich immer noch der älteste Klassifizierungsversuch von

Wilhelm von HUMBOLDT, Über die Verschiedenheit des menschlichen Sprachbaues und ihren Einfluß auf die geistige Entwicklung des Menschengeschlechts. Sprachphilosophische Einleitung zu: Über die Kawi-Sprache auf der Insel Java. 3 Bde. 1836 - 1839 (auf der Basis von Überlegungen Friedrich und August Wilhelm SCHLEGELs[2]).

Unterschieden werden:

1. Isolierender Sprachtypus

Die Lautgestalt der Wörter bleibt konstant (Wurzelstatus), wird nicht der Syntax oder Semantik wegen verändert. Bezüge innerhalb von Wortfolgen (Sätzen) werden nur durch die jeweilige Stellung der Wörter und durch Pausen markiert:
Tibeto-chinesische Sprachfamilie, afrikanische Sprachen.

2. Agglutinierender[3] Sprachtypus

Grammatische Funktionen werden durch Affixe (z.T. Kurzformen ursprünglich selbständiger Wörter) ausgedrückt,

---

1 gr. *genea* Herkunft, *genealogia* Stammbaum; zur genetischen Sprachvergleichung und zur genealogischen Klassifizierung s. § 4 und 5
2 weitere Klassifizierungsversuche s. Lexikon der germanistischen Linguistik, 2. Aufl. 1980, S. 636ff.
3 lat. *agglutinare* ankleben

welche an die Wortwurzel angehängt werden.[1] Solche Morpheme werden gereiht, nicht verschmolzen:

Finnisch-ugrische (magyarische) und altaische Sprachen (Türkisch, Mongolisch).

3. Inkorporierender[2] (polysynthetischer[3]) Sprachtypus

Ein Satzteil, meist das Verb, nimmt die übrigen Satzglieder (Nominal-Objekte, pronominale Elemente) in sich auf, d.h. ein Wort kann den Inhalt eines ganzen Satzes ausdrücken:

Indianersprachen, Eskimosprachen

Vgl. portug.: cantâ-lo-hei 'singen-es-ich-werde';

inkorporierende Struktur zeigt auch eine Wendung wie 'ich werde es singen' (Objekt in die Verbalphrase eingeschoben);
polysynthetisch und agglutinierend ist auch die (beliebig erweiterbare) Wortbildung im Dt.: Donaudampfschiffahrts-Anlegestelle...

4. Flektierender Sprachtypus

Grammatische Kategorien (Person, Numerus, Modus, Tempus, Kasus, Genus) und syntaktische Beziehungen werden beim Verbum und Nomen durch Veränderung des Wurzelvokals (Ablaut) und durch Anfügen nichtbedeutungstragender Elemente (Flexionsendungen, Formantien) markiert; nach denselben Prinzipien werden auch neue Wörter gebildet.

Unterschieden werden:

a) wurzelflektierender Typus:

Hamito-semitische Sprachen, z.B. arab. *kitab* Buch, *kutub* Bücher

b) stammflektierender Typus:

Indo-europäische Sprachen: In diesen wird mit Hilfe von klassenbildenden Stammsuffixen[4] ein Flexionsstamm

---

1 Möglicherweise läßt sich so auch die Entstehung der Präteritalbildung bei schwachen Verben im Germanischen erklären, s. § 20
2 lat. Kunstwort: einverleiben
3 gr. *polys* viel, *synthetos* zusammengesetzt
4 zu Verb- und Nominalklassen s. § 20, 21

geschaffen, der dann die Basis für die Verbal- und
Nominalflexion bildet (daneben finden sich allerdings
auch einige Fälle von Wurzelflexion):

ahd. *gebôm* (Dat.Pl., den Gaben)
Wurzel *geb-* (s. auch Verbum *geb-an* geben)
    ô : stammbildendes Element
    m : Flexionsendung

(Wurzelnomen: *man* Mann)

II Klassifizierung nach Strukturen der Flexion und Wortbildung

Mit den Begriffen 'synthetisch'[1] und 'analytisch'[2] werden Unterschiede zwischen der Wiedergabe einer komplexen Aussage durch
e i n Wort oder durch m e h r e r e Wörter bezeichnet. Diese
beiden Prinzipien können in einer Sprache in verschiedenen Sektoren (oder auch nur Worttypen) nebeneinander auftreten, so daß
es gegebenenfalls schwierig sein kann, eine Sprache als Ganze
dem einen oder anderen Typus zuzuordnen.

A Flexion

1. Synthetischer Sprachbau

Die grammatischen Kategorien werden kompakt (in e i n e m
Wort) durch Sprachelemente (Morpheme) ausgedrückt: morphe-
matische Bildungsweise, z.B. in lat. Sprache

2. Analytischer Sprachbau

Die grammatischen Kategorien werden durch (m e h r e r e)
selbständige Wörter (Lexeme) ausgedrückt: lexematische
Bildungsweise, z.B. in dt. Sprache

synthetisch	analytisch
a) V e r b f l e x i o n	
lat.: *laudabo*	dt.: *ich werde loben*
b) K o m p a r a t i v b i l d u n g	
lat.: *longus, longior*	frz.: *long, plus long*
dt. : *lang, länger*	engl.: *beautiful, more*
engl.: *long, longer*	*beautiful*

---

1 gr. *synthetos* zusammengesetzt
2 gr. *analysis* Auflösung. - Die Unterscheidung geht zurück
  auf Adam SMITH, engl. Philosoph und Volkswirtschaftler
  (1723-1790); in die Sprachwissenschaft eingeführt von
  A. SCHLEICHER.

Die germ. Sprachen hatten ursprünglich ebenfalls primär synthetische Flexionsstrukturen (wie das Lat.).[1] Der Übergang vom synthetischen zum analytischen Sprachbau läßt sich in Resten noch im Ahd. beobachten:

lat.: *In principio erat verbum*
ahd.: *In anaginne was wort*
nhd.: *Am (= an dem) Anfang war das Wort*

lat.: *Fuit in diebus Herodis regis Iudeae*
ahd.: *Was in tagun Herodes thes cuninges Iudeno*[2]
nhd.: *Es war in den Tagen des Herodes, des Königs der Juden*

B Wortbildung

synthetisch	analytisch
dt.: *Sprachregel*	lat.: *dicendi (loquendi) lex*
	frz.: *règle de grammaire*
	engl.: *rule of grammar*[3]

---

1 Auf ältere, ursprünglich isolierende Sprachstufen im Indogerm. könnte noch die Bildung des Imperativs, des Vokativs, auch bestimmter Komposita (jeweils reine Wortwurzeln) hinweisen.
2 ahd. Tatianübersetzung
3 Genitivkonstruktionen

Historischer Teil

L a u t g e s c h i c h t e

§ 11 Epochen der Sprachgeschichte

Sprache bildet ein geschichtliches Kontinuum. Epochenein-
teilungen setzen letztlich künstliche Einschnitte in einem
fortlaufenden Prozess, bei welchem aber doch jeweils grundlegend verschiedene Phasen zu beobachten sind: Am Unterschied
zwischen zwei Phasen (etwa dem Ahd. und dem Mhd.) kann kein
Zweifel bestehen. Offen ist aber die jeweilige Festsetzung
einer bestimmten Trennlinie zwischen zwei Phasen. Sie wird
deshalb von verschiedenen Forschern jeweils auch verschieden
gezogen.

Dabei sind ausschlaggebend:

Merkmale, welche als typisch angesehen werden

und die Verbreitungsdichte der Merkmale (die für das Neu-
hochdeutsche charakteristische Diphthongierung beginnt z.B.
im Ost-Oberdeutschen schon vor 1200).

Manche sprachgeschichtlichen Epochengliederungen orientieren
sich auch an literarhistorischen Daten, da ja n u r die Literatur historische Sprache vermittelt.

A   Vorschläge zur E p o c h e n g l i e d e r u n g

Fritz TSCHIRCH, Geschichte der dt. Sprache (1966)

Beginn menschl. Sprache[1]	: etwa 10 000 v. Chr.
Indogermanisch	: bis etwa 3000 v. Chr.
Germanisch	: seit 2. Jt. v. Chr.
Westgermanisch	: etwa seit Christi Geburt
Althochdeutsch	: etwa seit 7. Jh.
Frühmittelhochdeutsch	: etwa 1050 - 1150
Mittelhochdeutsch	: 1150 - 1250
Spätmittelhochdeutsch	: 1250 - 1400
Frühneuhochdeutsch	: 1400 - 1600
Neuhochdeutsch	: ab 1600

---

1   Die Anfänge menschlicher Sprachentwicklung sind nicht
    geklärt. Aber ein Zusammenhang zwischen deutender Gestik
    und zunächst unterstützenden Lauten (s. noch heutige
    Sprech-Gestikulation oder selbstbefeuernde Äußerungen
    bei bestimmten Körperaktionen, Arbeitsrufe usw.) ist
    zumindest bedenkenswert. Der wohl erst sekundär zum Zei-
    gegestus tretende Lautgestus hätte sich dann im Laufe
    der Jahrtausende mehr und mehr verselbständigt und wäre
    zu einem eigenen Verständigungsmittel ausgebaut worden.

Die folgenden Einteilungen betreffen nur noch die
d e u t s c h e Sprachgeschichte:

1. Adolf BACH, Geschichte der dt. Sprache ([6]1956)

   Vorliterar. Zeit   : 5.Jh. - Mitte 8.Jh.
   Ahd./Altniederdt.   : Mitte 8.Jh. - Ausgang 11.Jh.
   Mhd.   : Ausg. 11.Jh. - Mitte 14.Jh.
   Spät-Mhd./Frühnhd.: Mitte 14.Jh. - Anf. 17.Jh.
   Neuhochdeutsch   : Anf. 17.Jh. - 2.Viertel 19.Jh.;
                         2. Viertel 19.Jh. - Gegenwart

2. Hugo MOSER, Dt. Sprachgeschichte (1969)

   Vordeutsch   5.Jh. - etwa 750
   frühmittelalterl. Deutsch : 750 - 1170
   hochmittelalterl. Deutsch : 1170 - 1250
   spätmittelalterl. Deutsch : 1250 - 1500
   Entstehung einer einheitl.
      Schriftsprache   : 16.Jh. - 2.Hä. 18.Jh.
   Entwicklung zur vollen
      Einheitssprache   : seit Ende 18.Jh.

3. Wilhelm SCHMIDT u.a., Geschichte der dt. Sprache
                                              (1976)
   Deutsch des Früh-MAs : 5./6.Jh. - 1050
   Deutsch des Hoch-MAs : 1050 - 1250
   Deutsch des Spät-MAs : 1250 - 1500
   Deutsch der Neuzeit : 1500 - Gegenwart

B P h a s e n   d e r   L a u t g e s c h i c h t e

   Jede Phase setzt sich von der vorausgehenden durch
   eine Reihe kennzeichnender, ihre spezifische Artikulationsstruktur konstituierenden Lautveränderungen ab:

   Indogermanisch

      Ablaut

   Germanisch

   Westgermanisch - Nordgermanisch (Urnordisch) -
   Ostgermanisch (Gotisch)

      idg.-germ. Vokalwandel
      erste Lautverschiebung
      Verners Gesetz
      Initialakzent
      germ. Vokalassimilation

Westgermanisch

Vorahd. - Voraltsächs. - Voraltfries. - Voraltengl.

    westgerm. Konsonantengemination
    westgerm. Rhotazismus
    westgerm. Vokalassimilation (westgerm. Umlaut)
    westgerm. Spirans-Media-Wandel

Althochdeutsch

    zweite oder ahd. Lautverschiebung[1]
    ahd. Monophthongierung
    ahd. Diphthongierung
    ahd. Vokalassimilation (ahd. Umlaut)

Mittelhochdeutsch

    spätahd. Endsilbenreduktion
    mhd. Vokalassimilationen (Sekundärumlaut, mhd. Umlaut)
    Synkopierungen, Apokopierungen

Spätmittelhochdeutsch / Frühneuhochdeutsch

    nhd. Monophthongierung
    nhd. Diphthongierung
    (früh)nhd. Vokalassimilationen (Umlaute)
    (früh)nhd. Vokaldehnung

Neuhochdeutsch

    Schriftnormierungen
    Systemausgleich
    etymologische Schreibungen

---

1 ältestes Zeugnis: Lanzenspitze von Wurmlingen (bei
Tuttlingen), 7.Jh.: Inschrift *Idorih* ($h < k$, vgl.
dagegen got. *reiks*)

Sprachdifferenzierungen ergeben sich neben den Erweiterungen des Wortschatzes (Neubildungen, Ableitungen, Entlehnungen) vor allem durch L a u t w a n d e l (s. § 6 II).

Lautwandel erscheint in den Sprachgeschichten gemeinhin (zu eng) als eine mehr oder weniger isolierte Veränderung von Einzellauten. Lautwandel ist aber vielmehr das Ergebnis einer über den Einzellaut hinausgreifenden Veränderung der Artikulationsbedingungen (physisch-artikulatorisch und psychisch-mental) als Folge von Veränderungen der Akzentverhältnisse, d.h. der koartikulatorischen Bedingtheiten einer Sprache auf Grund neuer Korrelationen zwischen den Wörtern (Veränderung der Wortquantitäten etwa im Gefolge des Endsilbenabbaus).

Diese Veränderungen sind also nur scheinbar auf Einzellaute beschränkt. Es findet jeweils eine weitergehende Umschichtung der Artikulationsstruktur innerhalb der Akzentverhältnisse statt, welche etwa auch die Sprachmelodie, eventuell auch die Sprechgeschwindigkeit erfaßt.

Bei Sprachen mit gleicher oder ähnlicher Artikulationsstruktur kann dies früher oder später (auf Grund dieser physiologischen Gesetzmäßigkeiten) zu gleichen oder ähnlichen Veränderungen führen (s. etwa § 5 II B). So haben etwa Silbenreduktionen (z.B. durch Endsilbenabbau) in der Entwicklung einer Sprache stets Rückwirkungen auf die Akzentverhältnisse der verbleibenden Silben: vgl. z.B. die Veränderungen von

idg. *némonon* germ. *némanã* ahd. *néman* mhd. *nemen/nemm̥*

Eine Sprache aus silbenreicheren Wörtern wie das Indogermanische ist anders strukturiert als eine solche mit Wörtern aus weniger Silben. Eine Entwicklung vom einen Typus zum anderen hat notgedrungen Rückwirkungen auch wieder auf die Akzentverhältnisse. Gerade in der Sprachentwicklung vom Indogermanischen zum Neuhochdeutschen - vollends im Zuge des Übergangs vom synthetischen zum analytischen Sprachbau - zeitigen die Wort-(und damit Akzent-)Veränderungen eine korrelierende Folge von Lautveränderungen.

Das Bild eines von e i n e m Punkte ausgehenden Lautwandels, der sich gleichsam auf dem Wege der Nachahmung immer mehr ausbreitet, erfaßt nur bedingt die tatsächlichen Kausalitäten: Es handelt sich bei der Lautentwicklung (im gelegentlichen Unterschied zur verbalen und semantischen Entwicklung) vielmehr um unterschiedlich stark ausgeprägte und deshalb

zeitlich gestaffelte entelechiale[1] Schübe (Ente-
lechial-Theorie).

Den solchen Entwicklungen innewohnenden Tendenzen
zur Sprechvereinfachung wirkt andererseits in gewissem
Grade die Tendenz zur Sprachdifferenzierung mit dem
Ziel der Erhaltung der Verständlichkeit entgegen. So
stehen Assimilationen immerfort in einem fruchtbaren
Spannungsverhältnis zu Dissimilationen, korrespondie-
ren Monophthongierungen (eine Form der Assimilation)
mit Diphthongierungen (einer Form der Dissimilation
und Akzentspaltung), so in ahd. und mhd. Zeit.

Dieser stete Wandel und Ausgleich kann in gewissen
Entwicklungssträngen einer Sprache wie eine Pendel-
bewegung erscheinen: vgl. etwa

westgerm. +snaiw- (got. snaiws) > ahd. snēo > mhd. snê >

nhd. Schnee - aber schwäb. wieder Diphthong: Schnai;

westgerm. +hauh- (got. hauhs) > ahd. hōh > mhd. hô(ch) >

nhd. hoch, schwäb. hau; ähnlich:

ahd. filu > mhd. vil > nhd. viel - der gedehnte Vokal

kann nun auch diphthongiert werden; schwäb. feil

Durch die zunehmende Verschriftlichung und Normierung
wird im Deutschen die natürliche Lautentwicklung ab-
geblockt. Die schriftliche Norm wirkt schließlich auf
die gesprochene Sprache zurück: Schriftsprache
(pronouncing spelling, s. § 9). Lautentwicklungen
finden sich so weitgehend nur noch in schriftunab-
hängigen Dialekten.

Für die Lautentwicklung ist ferner zu beachten:

Für die sinngebende Strukturierung einer Sprache ist
deren Konsonantismus wichtiger als der Vokalismus:
Ein Satz wie "dir Menn gong spezorin" (der Mann ging
spazieren) ist trotz aller vokalischer Verfremdung
noch verständlich[2].

Werden statt den Vokalen die Konsonanten vertauscht,
kann die Verständlichkeit rasch ausgelöscht werden
("fes Napp hinh stabiesen"). Dies hängt natürlicher-
weise auch damit zusammen, daß es wesentlich mehr
Konsonanten als Vokale gibt. Allerdings bleibt eine
kontextgebundene spielerisch verfremdete Aussage verständlich:
'verbuchselte Wechstaben'.

---

1 gr. entelechia das Entwicklungsziel in sich tragend
2 auf dieser Tatsache beruht z.B. der parodistische
  Kunst-Dialekt 'Starckdeutsch' von Matthias KOEPPEL (1979)

Die Vokale gruppieren sich um 5 Grund-Artikulationspositionen (in der Reihenfolge ihrer Plazierung im Mundraum, s. § 7, E I): *i - e - a - o - u*; *i* und *u* bilden eine obere Vokallage (vordere und hintere Position), *e* und *o* eine mittlere (ebenfalls vordere und hintere Position), *a* die tiefe Vokallage (s. Vokaldreieck, § 7).

Zwischen diesen Grundpositionen gibt es Zwischenpositionen, etwa Umlaute (*ü, ö, ä*) oder Verdumpfungsvarianten: *å* (gesprochen wie schwäb. Schaf).

Außerdem gibt es feste Vokalkombinationen, die sog. Diphthonge (Zwielaute). Im Germ. werden diese durch Kombinationen von Vokalen der tiefen und mittleren Lage mit solchen der oberen gebildet:

a+i - e+i - o+i -- a+u - e+u - o+u

Durch artikulatorische und psychisch-mentale Bedingtheiten können sich besonders die Vokale (aber auch andere Lautgruppen) einander angleichen (Antizipation - Assimilation, s. § 6). Dieses Phänomen erscheint besonders ausgeprägt in der germ.-ahd. Assimilationskette (§ 16).

§ 13 Indogermanischer Lautstand

Vokale:

Monophthonge: a e o i u ə - $\bar{a}$ $\bar{e}$ $\bar{o}$ $\bar{i}$ $\bar{u}$

Diphthonge : ai ei oi - au eu ou

sonantische Nasale: m̥ n̥

sonantische Liquidae: l̥ r̥

Konsonanten:

Tenues	: p	t	k	k^{u}	
Tenues aspiratae:	ph	th	kh	k^{u}h	Verschlußlaute
Mediae	: b	d	g	g^{u}	(vgl. § 7 C 2c)
Mediae aspiratae:	bh	dh	gh	g^{u}h	

Spirans/Reibelaut: (nur) s

Liquidae : r l

Nasale   : m n ŋ

Halbvokale: i̯ u̯

§ 14 <u>Der indogermanische Ablaut</u>[1]

I   D e f i n i t i o n

regelmäßiger akzentbedingter Wechsel bestimmter Vokalqualitäten und -quantitäten

   a) in verschiedenen <u>Flexionsformen</u>
      (Tempusbildung: präteritale Formen)

   b) <u>in etymologisch verwandten Wörtern</u>
      (Wortbildung)

Unterschieden werden:

    <u>Stammsilbenablaut</u> (Ablaut in den Haupttonsilben)

    <u>Suffixablaut</u> (vgl. Bindevokalwechsel e-o)

B e i s p i e l e

(z.T. mit lautgeschichtlich bedingten Abwandlungen) für

<u>Stammsilbenablaut:</u>

zu a)	nhd.	singen	sang	gesungen	
		bergen	barg	geborgen	
		stehlen	stahl	gestohlen	
	engl.	to sing	sang	sung	(singen)
		to steal	stole	stolen	(stehlen)
	lat.	*necāre*	*nocēo*	(1. Sg.Ind.Perf.; töten)	
		legere	*legi*	(" " " " ; lesen)	
zu b)	nhd.	Binde	Band	Bund	
		Berg	(auf)Borg	Burg	
	ahd.	*unta/anti*	(*enti*, *inti* - nhd. und[2])		
	engl.	binder (Binde)	bundle (Bündel)		
		singer (Sänger)	song		
	lat.	*régere* (lenken)	*rogāre* (fragen)	*rēx* (König)	
	gr.	*lego*[3] (ich lese)	*logos*[4] (Wort)		

---

1 Bez. nach Jakob GRIMM
2 vgl. engl. *and*
3 vgl. Legasthenie
4 vgl. Philologie

Suffixablaut

(nur noch in alten Sprachen und Sprachstufen erkennbar; später
durch Endsilbenreduzierung verwischt)

gr.   *páter* (Vok.Sg.)   *patrós* (Gen.Sg.)   *patēr* (Nom.Sg.)

lat. *certē*   *certō* (Adv. - sicher)

ahd. *tages* (Gen.Sg.[1])   *taga* (Nom.Pl.[2])

ahd. *chuning* (König) - *manunga* (Mahnung)

an.   *konungr* (König)

II E n t s t e h u n g

Dieser idg. Vokalwechsel läßt sich so erklären:

von der Grundform abweichende Flexionsformen oder Wortbil-

dungen wurden durch einen

unterschiedlichen Akzent markiert, etwa durch

   a) gesenkten musikalischen Akzent

      (betrifft die Tonhöhe, s. Abtönung) oder durch

   b) verstärkten oder verminderten

      dynamischen Akzent

      (betrifft die Tonstärke, s. Abstufung)

Der idg. Ablaut liefert die ältesten Zeugnisse für die
grundlegenden Auswirkungen des Akzents auf die Lautung,
hier im bes. auf die Vokal-Lautung.

---

1 *tages*: *-es* < idg. Stammsuffix *e* + Gen. Suffix *-so*: *-eso*
2 *taga*: *a* idg. Stammsuffix *o* + Nom. Suffix *-es*: *ōs* > germ. *ās*

III A r t e n des Ablauts

Zu unterscheiden sind:

1. q u a l i t a t i v e r Ablaut (Abtönung):

Veränderung der Vokalfarbe, bedingt durch
den m u s i k a l i s c h e n Akzent auf der
betroffenen Silbe (Tonhöhe). Unterschieden
werden dabei: Hochton (z.B. *e*) und Tiefton
(z.B. *o*).
Neben der Grundstufe nur eine Ablautstufe:

lat. *tegere* (bedecken) - *toga* (Mantel)

nhd. *schmelzen*   - *Schmalz*

2. q u a n t i t a t i v e r Ablaut (Abstufung)

Veränderung der Vokallänge, bedingt durch den
d y n a m i s c h e n (exspiratorischen)
Akzent auf der betroffenen Silbe (Tonstärke).
Unterschieden werden dabei: Normalton (z.B. *e*),
Starkton (z.B. *ē*), Schwachton (z.B. *ə*).

a) bei kurzem Grundvokal: 2 Ablautstufen mögl.

- Dehnstufe (kurzer Vokal gelängt):

    lat. *tegere* - *tēgula* (Dachziegel)

- Schwundstufe (der Grundvokal schwindet,
  meist wenn ein Halbvokal, eine sonantische Liquida oder ein sonantischer
  Nasal an seine Stelle treten können)

    lat. *genui* (Perf.) *gi-gno* (Präs.,
    est - .*sunt*   erzeugen)

b) bei langem Grundvokal: nur 1 Ablautstufe:

- Reduktionsstufe (der lange Grundvokal
  wird reduziert zum schwa-Laut ə):

Die Ausgestaltung des Ablautes deutet darauf
hin, daß der musikalische und dynamische Akzent
im Idg. n e b e n e i n a n d e r vorhanden
gewesen sein müssen und zur Bedeutungsdifferenzierung bei der Flexion eines Wortes oder innerhalb eines Wortverbandes eingesetzt wurden,
so daß in einer Wortreihe sowohl Abtönungsstufe
als auch quantitative Ablautstufen auftreten
können.

IV A b l a u t s y s t e m e

Die verschiedenen, durch wechselnde Akzentuierun-
gen bedingten Vokalverhältnisse ordnen sich im
Idg. zu bestimmten Ablautsystemen.

Zu unterscheiden sind nach der Quantität des Aus-
gangsvokals (kurz-lang) im Idg.

kurzvokalische und langvokalische Ablautsysteme

A Ablautsysteme mit k u r z e m Grundvokal

1. e-o-System - 3 mögl. Ablautstufen (Abtönung,
                              Dehn-, Schwundstufe)

2. a-ā-System ⎤
              ⎬ 1 Ablautstufe (Dehnstufe)
3. o-ō-System ⎦

Beispiele:

	Grundstufe	Abtönungsst.	Dehnstufe	Schwundstufe
1.	idg. e	o	ē	-
	lat. tegere	toga	tēgula,[1] cēlare	clam[2]
	est			sunt
2.	idg. a		ā	
	lat. scabo[3]		scābi[4]	
	idg. o		ō	
	lat. fodio[5]		fōdi[6]	

B Ablautsysteme mit l a n g e m Grundvokal

1. Grundvokal idg. ā ⎤
                     ⎬ 1 Ablautstufe (Reduktions-
2. Grundvokal idg. ō ⎦   stufe)

3. Grundvokal idg. ē -2 Ablautstufen (Abtönungs-,
   (ē-ō-System)   Reduktionsstufe)

1 verhüllen - 2 heimlich - 3 ich kratze - 4 ich habe ge-
kratzt - 5 ich grabe - 6 ich habe gegraben

Beispiele[1]:

	Grundstufe	Abtönungsstufe	Reduktionsstufe
1.	idg. ā lat. stāre[2]		ə status[3]
2.	idg. ō lat. dōnum[4]		ə datum[5]
3.	idg. ē got. lêtan	ō lailôt[6]	ə lats[7]

*

Weitere Differenzierungen der idg. Ablautsysteme
ergeben sich vor allem aus der Kombination der
Grundsysteme mit Halbvokalen, Liquiden oder Nasalen
zu bestimmten Ablautreihen.

Sprachgeschichtlich bedeutsam werden v.a. Differenzierungen des e-o-Abtönungssystems (e-o wird im
Germ. zu e-a, im Ahd. zu e/i-a). Grundlegend werden
diese Möglichkeiten für die Klassifizierung der
germanischen starken Verben: Die ersten fünf Klassen
z.B. ordnen sich den Ablautreihen unter, die auf
dem idg. e-o-Ablautsystem aufbauen.

---

1 Bei diesen und v.a. den folgenden Beispielen (Kap. V)
  ist zu berücksichtigen, daß die idg. Laute in den
  h i s t o r i s c h e n Sprachstufen jeweils nach
  verschiedenen Lautgesetzen weiterentwickelt wurden.
2 stehen
3 Stand; aus idg.ə in unbetonter Silbe wird bei Akzentuierung lat. *a*
4 Gabe
5 gegeben, zum lat. *a* s. Anm. 3
6 lassen, ließ; *lai (ai* = kurzes *ę)* ist Reduplikations-
  silbe (lat. *duplicare* verdoppeln), bezogen auf den
  Anfangskonsonanten (s. § 20 III 2),*lôt* ist abgetönte
  Hauptsilbe
7 Adj., lässig

V Ablautreihen

A Reihen mit idg. kurzem Grundvokal e

a) Kombinationen mit H a l b v o k a l e n

1. Ablautreihe

Abtönungssystem e-o + i[1]

2 Ablautstufen:

Grundstufe	Abtönungsstufe	Schwundstufe
idg. e + i (germ.)	o + i (a + i)	i[2]

nhd. Beispiele[3]

schneiden,	schnitt	– Schneider, Schnitt
scheiden,	schied	– Abschied
greifen,	griff	– Begriff, Griff

2. Ablautreihe

Abtönungssystem e-o + u

2 Ablautstufen:

Grundstufe	Abtönungsstufe	Schwundstufe
idg. e + u (germ.)	o + u (a + u)	u

nhd. Beispiele

bieten,	bot	– Angebot
fliegen,	flog	– Flug
lügen,	log	– leugnen, Lüge, Lug
(be)trügen,	(be)trog	– (Be)trug
frieren,	fror	– Frost
genießen,	genoß	– Nutzen, Genuß
siechen		– Sucht
Liebe, Lob,	Glauben,	Gelübde (Libido)
saufen,	soff	– Suff
saugen,	sog	– Sog

---

1 i ist das sog. Klassenkennzeichen
2 das zum Ablautsystem tretende Element (Klassenkennzeichen)
  bleibt erhalten
3 vgl. für diese und die folgenden Beispielreihen Anm. 1,
  S. 80, Verbklassen § 20 V
4 hierher zählen auch drei Wörter mit û als Präsensvokal:
  ahd. *sûfan* saufen, *sûgan* saugen, *lûchan* schließen. Die
  Entstehung dieser Präsensstufe ist nicht geklärt.

b) Kombination mit N a s a l e n (N) oder

L i q u i d e n (L)

3. Ablautreihe

Abtönungssystem e–o + N + Konsonant (K)
oder   e–o + L + Konsonant (K)

2 Ablautstufen:

Grundstufe	Abtönungsstufe	Schwundstufe
idg. e+N+K (germ.)	o+N+K (a+N+K)	N̩+K
idg. e+L+K (germ.)	o+L+K (a+L+K)	L̩+K

nhd. Beispiele

binden, band, gebunden – Binde, Band, Bund, Bündel
finden, fand, gefunden – Fund
trinken, trank, getrunken – Trink(stube), Trank, Tränke,
rinnen, rann, geronnen – Rinne, Rinnsal   Trunk
glimmen, glomm, geglommen
werden, ward, wurden, geworden
helfen, half, geholfen – Hilfe
schmelzen, schmolz, geschmolzen – Schmalz, Schmelz
bergen, barg, geborgen – Berg, Gebirge, Burg, Bürge,
                                             borgen

4. Ablautreihe

Abtönungssystem e–o + einfacher Nasal (N)
oder   e–o + einfache Liquida (L)

3 Ablautstufen:

Grundstufe	Abtönungsst.	Dehnstufe	Schwundstufe
idg. e+N (germ.)	o+N (a+N)	ē+N	N̩
idg. e+L (germ.)	o+L (a+L)	ē+L	L̩

Die Liquida kann dem Haupttonvokal auch vorausgehen,
z.B. ahd. *brechan*

nhd. Beispiele

nehmen, nahm, genommen – (Nach)nahme, (Ver)nunft
kommen, kam, gekommen – (Her)kommen, Ankunft
ziemen – Zunft

```
stehlen,  stahl,  gestohlen  - (Dieb)stahl
brechen,  brach,  gebrochen  - Brech(eisen), Bruch
dreschen, drosch, gedroschen - Dresch(flegel), Drusch
stechen,  stach,  gestochen  - Stich, Stachel
gebären,  gebar,  geboren    - Geburt
```

c) Kombination mit V e r s c h l u ß l a u t e n
   oder (seltener) mit S p i r a n t e n

5. Ablautreihe

> Abtönungssystem e-o + Verschlußlaut (K)
>   oder   e-o + Spirans (K)

2 Ablautstufen

Grundstufe	Abtönungsstufe	Dehnstufe
idg. e+K (germ.)	o+K (a+K)	$\bar{e}$+K

nhd. Beispiele

geben, gab, gegeben - Gabe, Gift, ergeben, ergiebig
sehen, sah, gesehen - Sicht

B Reihen mit idg. kurzen Grundvokalen a und o

Im Idg. waren noch zwei weitere Ablautreihen mit je einer
Ablautstufe (Dehnstufen) vorhanden, die auf den Grundvokalen
a und o aufbauen. Sie fallen im Germ. auf Grund des idg. –germ.
Vokalwandels (idg. o > germ. a, idg. $\bar{a}$ > germ. $\bar{o}$) zusammen,
wodurch sich ein scheinbares Abtönungsverhältnis
(germ. a-$\bar{o}$) ergibt:

6. Ablautreihe

nur 1 Ablautstufe:

Grundstufe	Dehnstufe	Grundstufe	Dehnstufe
idg. a	idg. $\bar{a}$	idg. o	idg. $\bar{o}$
germ. a	germ. $\bar{o}$ =	germ. a	germ. $\bar{o}$

nhd. Beispiele

fahren, fuhr, gefahren - Fahrt, Fährte, Fuhre, Furt
graben, grub, gegraben - Grab, Grube, Gruft
Hahn - Huhn

C Reihen mit idg. langen Grundvokalen

Eine siebte Ablautreihe ergab sich im germ. Verbsystem
s e k u n d ä r aus dem Zusammenfall von langvokalischen
abtönenden Ablautreihen mit Reduplikationsformen (germ.
Grundvokale ā, ē, ō, ai und a+Liquida):

7. Ablautreihe
    nur 1 Ablautstufe:

Grundstufe	Abtönungsstufe
got. lêtan	laîlôt
ahd. lâzan	liaz
got. ƕôpan	ƕaîƕôp[1]
ahd. wuofan	wiof
got. haitan	haîhait[2]
ahd. heizan	hiaz

nhd. Beispiele:

fallen, fiel,   gefallen – Fall
fangen, fing,   gefangen – Fang
raten, riet,   geraten – Rat
stoßen, stieß   gestoßen – Stoß
laufen, lief   gelaufen – Lauf
rufen, rief   gerufen – Ruf

In dieser Klasse gibt es n u r von der Grundstufe abge-
leitete Substantive, keine mit Ablautvokal. Dies könnte
ein Hinweis auf die sekundäre Bildung dieser Ablautreihe
sein.

1 (sich) rühmen, rühmte
2 heißen, hieß

§ 15 Entwicklung des Vokalismus in den Haupttonsilben vom Indogermanischen zum Neuhochdeutschen

In jeder Phase der Vokalentwicklung vom Idg. zum Nhd. ergaben sich mit zunehmender Veränderung der Silbenzahl und Vokalfülle der Wörter und (damit zusammenhängend) einer Umgewichtung der Akzentverhältnisse im Wort und im Satz eine Reihe von Vokalveränderungen, die jeweils auch im Zusammenhang mit den konsonantischen Veränderungen und den dadurch bedingten Laut-Umschichtungen gesehen werden müssen. Diese Vorgänge sollten dabei nicht so aufgefaßt werden, als ob jeweils ein Laut gleichsam im Alleingang aus der Artikulationsreihe ausgebrochen wäre. Vielmehr haben sich die Artikulationseinstellungen und -bedingungen unter den veränderten Akzentverhältnissen insgesamt mehr oder weniger gegeneinander verschoben. Dabei änderten a l l e Laute, die von einer solchen generellen Änderung der Artikulationsbedingungen betroffen waren, in entsprechender zeitlicher Staffelung, ihre Artikulations-Stelle oder auch -Art mehr oder weniger stark.

I Vokaländerungen vom I d g . zum G e r m .

In der Phase der 1. LV kam es auch zu einer Vereinfachung des Vokalsystems: Die Zahl der kurzen und langen Vokale wurde gegenüber dem idg. Vokalstand um zwei Positionen bzw. um eine Position reduziert, die der Diphthonge sogar um drei Positionen. Diese Umwandlungstendenz muß längere Zeit wirksam gewesen sein, wie z.B. die Veränderung des kelt. Stammesnamens *Volcae* (so die lat. Form bei Caesar) im ahd. Adj. *walahisc* (mhd. *walhisch*, welsch, vgl. auch Wal-Nuß) verrät.

(Zum Bestand des idg. Vokalismus vgl. § 13)

A Qualitative Veränderungen - Spontaner Lautwandel

1. K u r z e Vokale

idg.	a	o	ə	e	i	u
germ.		a		e	i	u

idg.	(lat.)	germ.	nhd.
+*oktōu*	(*octō*)	+*ahtau*	acht
+*pətēr*	(*pater*)	+*fadar*	Vater
+*agros*	(*ager*)	+*akraz*	Acker
+*edonom*	(*edō*)	+*etan*	essen
+*piskos*	(*piscis*)	+*fiskaz*	Fisch
+*i̯ugom*	(*iugum*)	+*iukan*	Joch

2. L a n g e Vokale

idg.	ā	ō	ē	ī	ū
germ.	ô		ê	î	û

idg. ā ＼ ／ ō germ. ô

idg.	(lat.)		germ.	
+bhrātor-	- (frāter)	-	+brôþar	Bruder
+ bhāg-	- (fāgus[1])	-	+bôka	Buche
+bhlō-man	- (flō-s)	-	+blôman	Blume
+sēman	- (sēmen)	-	+sêman	Samen
+su̯īnom	- (suīnus)	-	+suîna	Schwein
+mūs	- (mūs)	-	+mûs	Maus

3. D i p h t h o n g e

idg.	ei	ai	oi	au	ou	eu
germ.	î[2]	ai		au		eu

Bei *ai, oi, au, ou* verhalten sich die Glieder der Diphthonge wie die entsprechenden Kurzvokale.

idg.	(lat.)		germ.	
+deikonom	- (dīcere)	-	+tîhan	(ver)zeihen
+u̯oida	- (vīdī)	-	+wait	weiß
(+ghaidis	- (haedus)	-	+gaitiz	Geiß
+roudhos	- (rūfus)	-	+raudaz	rot
(+augonom	- (augere)	-	+aukan	(vermehren)[3]
+deukonom	- (dūcere)	-	+teuhan	ziehen

B Quantitative Veränderungen

Im Gefolge des germ. Initialakzentes werden idg. unbetonte Anfangssilben akzentuell aufgewertet und damit voll vokalisiert. Es entsteht hier der g e r m . S p r o ß v o k a l *u*

Betroffen sind:

S o n a n t . L i q u i d e und N a s a l e

idg.	l̥	r̥	m̥	n̥	- germ.	ul	ur	um	un

---

1 vgl. it. faggio
2 germ. Umlaut, s. Assimilationskette § 16
3 vgl. nhd. 'auch', engl. to augment

idg.   (lat.)   germ.

+p̥l̥nós -(plēnus) - +fu̯llaz voll
+bhr̥tís -(for-tis[1])- +bu̯rðiz Bürde
+km̥tóm -(centum) - +hunð hundert
+mn̥tís -(men-tis[2])- +mu̯nðiz ahd. gimunt (Erinnerung)

II Vokaländerungen vom G e r m. zum W e s t g e r m.

Kombinatorischer Lautwandel in Haupttonsilben.
Totale und partielle Assimilationen

1. Westgerm. i - U m l a u t

Übergang von $\boxed{e > i}$ durch Hebung der Artikulationsebene: Vokalhebung

$\boxed{\text{vor i oder j in der Folgesilbe}}$

idg.   wgerm.   (got.)   ahd.

+estí - +ist(i) - (is)   - ist   ist
+nemesí - ⌠+nemiz(i)
        (⌡+nimīs - (nimis) - nimis   (du) nimmst

$\boxed{\text{vor u in der Folgesilbe}}$ (z.T. erst ahd.)

idg.   wgerm.   (got.)   ahd.

+sedhus - +siduz - (sidus) - situ   Sitte
+nemō - +nimu - (nima) - nimu   (ich) nehme

entsprechend war schon früher i n n e r h a l b einer
Silbe e > i vor u angehoben worden:

$\boxed{\text{eu > iu}}$ s. auch Assimilationskette § 16

germ.   wgerm.   ahd.

+ðeuðô - +biudu - biutu   (ich) biete

$\boxed{\text{vor unmittelbar folgendem Nasal + Konsonant}}$

idg.   germ.   wgerm.   (got.)

+bhendhonom +ðenðan   +bindan (bindan) binden

Daß es sich bei diesen Assimilationen nicht nur um vokalischen
Ausgleich handelt, sondern um einen weitergehenden Artikulationsausgleich im Wort, zeigt sich gerade darin, daß unter bestimmten Bedingungen Konsonanten-Konstellationen dieselbe
antizipatorisch-artikulatorische Wirkung wie ein Vokal der
oberen Artikulationsebene (i, u) zeitigen können.

---

1 lat. fors, fortis Zufall
2 lat. mens, mentis Verstand, Mentalität

Die Reihenfolge a) - c) ist als zeitliche Folge zu verstehen.

2. Westgerm. a - U m l a u t

Senkung der Artikulationsebene: <u>Vokalsenkung</u>

vor a e o in der Folgesilbe

a) | u > o |

<u>idg.</u>   <u>wgerm.</u>   (<u>got.</u>)   <u>ahd.</u>

$+\underset{\wedge}{i}\underline{u}gom$ $+\underset{\wedge}{i}\underline{o}k(an)$ (juk) joh Joch

n i c h t   v o r: Nasal + Konsonant und j:

<u>germ.</u>   (<u>got.</u>)   <u>ahd.</u>

$+tung\hat{o}n$ $(tugg\hat{o})$ $zunga$ Zunge

$+furhtjan$ $(faurhtjan)$ $furhten$ fürchten

b) | i > e |

<u>idg.</u>   <u>germ.</u>   <u>wgerm.</u>   (<u>got.</u>)   <u>ahd.</u>

$+\underset{\wedge}{u}\underline{i}ros$ $+w\underline{i}raz$ $+w\underline{e}raz$ $(wa\hat{i}r)$ $w\underline{e}r^{1}$

A u s n a h m e n:

ahd. *giritan* zu *r\hat{\imath}tan*   reiten
(evtl. Systemausgleich zu Pl. Prät. *ritum*)

ahd. *fisk* < germ. *+fiskaz*
(evtl. Ausfall des *a* vor Beginn des wgerm. Umlautes), vgl. aber auch ahd. *wisa* Wiese

3. E r s a t z d e h n u n g   nach Nasalschwund[2]

assimilatorische Verdrängung

idg.	ank	ink	unk
germ.	anh	inh	unh
	âh	îh	ûh

<u>germ.</u>   <u>ahd.</u>   <u>nhd.</u>

$+branht\hat{o}$ $br\hat{a}hta$ brachte

$+\not{p}inh\hat{o}$ $d\hat{\imath}hu$ (ge)dieh

$+\not{p}unht\hat{o}$ $d\hat{u}hta$ deuchte, dünkte (Systemausgleich)

---

1 Mann, vgl. nhd. noch in Werwolf
2 vgl. auch as., ae. *f\hat{\imath}f*, nengl. five, aber nhd. fünf,
  as., ae. *\hat{u}s*, nengl. us, nhd. uns

III Vokaländerungen vom W e s t g e r m. zum A h d.

1. Ahd. ê > â - W a n d e l
   betrifft e₁(ae) im Unterschied zu e₂, s. 5b.

   Spontaner Lautwandel

   alem. 4./5.Jh., fränk. 6.-8.Jh.

   | ê > â |

   germ.   (got.)   ahd.

   +dêdis - (ga-dêþs) - tât   Tat
   +jêra - (jêr)   - jâr   Jahr
   vorahd. +Suêbi   - Suâbi Schwaben
       lat. Suēbi (Caesar)

2. Ahd. i - U m l a u t (s. § 16)

   | a > e vor i | der folgenden Silbe: Primärumlaut

   Kombinatorischer Lautwandel:
   partielle Assimilation - Palatalisierung

   Nord-Südbewegung: Ahd. seit dem 8.Jh. belegt.

   wgerm.   (got.)   ahd.

   +satjan - (satjan) - setzen - setzen
   +batizo - (batiza) - bezziro - besser

   n i c h t   v o r: hs, ht, rw (Umlauthemmung):

   wgerm.   ahd.   mhd.

   +wahsit   - wahsit - wähsit - (er) wächst
                           wehsit
   +mahti   - mahti   - mähte   - Mächte
   +garwjan - garwen - gärwen₁ - gerben
                           gerwen

3. Ahd. M o n o p h t h o n g i e r u n g e n
   Spontaner Lautwandel mit kombinator. Varianten

   Beginn im Fränkischen

   a) | ai> ê vor r, w und germ. h |
      ab 7.Jh. (s. auch 4a)

      1. Stufe: ai > ae: Senkung des 2. Diphthongteils,
                          partielle Assimilation

            Belege: St. Galler Urkunden: ae wohl
                    noch Diphthong bis 8.Jh.

────────────
1 vgl. IV 1.a

2. Stufe: ae > ê: Hebung des 1. Diphthongteils,
totale Assimilation

germ.   wgerm.   (got.)   ahd.

+*laiza* - +*laira*[1]- *(laiseins)* - *laera/lêra* - Lehre

b) | au > ô vor allen Dentalen und germ. h |
   |————— (d,t,s,z,l,r,n) —————|

   ab 8.Jh. (s. auch 4b)

   1. Stufe: au > ao: partielle Assimilation

   2. Stufe: ao > ô: totale Assimilation

germ.   ahd.

+*hauhaz* - *haoh* (bair.) - hoch

              hôh (fränk.)

Vokalausgleich jeweils auf einer mittleren Artikulationsebene in Affinität zu den nachfolgenden
Konsonanten.

Beachte den Unterschied zwischen germ. h (aus idg. k)
und ahd. ch (aus germ. k - 2. LV):

zu a)

        germ. h:

        germ. +*tîhan* - +*taih* - +*tigum*
        ahd.   *zîhan* -   *zêh*   - *zigum*
        mhd.   *zîhen* -   *zêh*   - *zigen*

        aber germ. k:

        germ. +*slîkan* - +*slaik* - +*slikum*
        ahd.   *slîchan* - *sleich* - *slichum*
        mhd.   *slîchen* - *sleich*[2] - *slichen*

zu b)

        germ. h:

        germ. +*teuhan* - +*tauh* - +*tugum*
        ahd.   *ziohan* - *zôh* - *zugum*
        mhd.   *ziehen* - *zôh* - *zugen*

        aber germ. k:

        germ. +*kreukan* - +*krauk* - +*krukum*
        ahd.   *kriochan* - *krouch* - *kruchum*
        mhd.   *kriechen* - *krouch*[3] - *kruchen*

---

1 Rhotazismus
2 ahd. Diphthongwandel, s. 4.a
3 ahd. Diphthongwandel, s. 4.b

4. Ahd. D i p h t h o n g - W a n d e l

partielle Assimilation

a) ⎡ai > ei⎤   Ende 8.Jh.

   germ. *slaik - ahd. sleich, schlich

b) ⎡au > ou⎤   9.Jh.

   germ. *krauk - ahd. krouch, kroch

c)

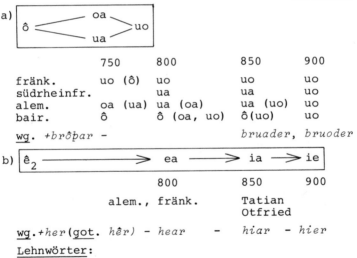

oberdt. erscheint io nur, wenn Dentale und
germ. h folgen: regionale Varianten

germ.	(got.)	ahd.	
*beudu	- (biuda)	- biutu	- (ich) biete
*beudan	- (biudan)	- biotan	- bieten
*leugan	- (liugan)	- liogan	- lügen
		līugan	(oberdt.: vor La-bial oder Guttural)

5. Ahd. D i p h t h o n g i e r u n g e n

spontaner Lautwandel mit regionalen und temporalen
Varianten

a)

	750	800	850	900
fränk.	uo (ô)	uo	uo	uo
südrheinfr.		ua	ua	uo
alem.	oa (ua)	ua (oa)	ua (uo)	uo
bair.	ô	ô (oa, uo)	ô(uo)	uo

wg. *brôþar -   bruader, bruoder

b)

	800	850	900
	alem., fränk.	Tatian Otfried	

wg.+her(got. hêr) - hear   -   hiar - hier

Lehnwörter:

lat. tēgula, vorahd.+tegla   -   ziagal- ziegel

_____
1 vgl. II 2.a

- 91 -

6. Ahd. e - V e r d u m p f u n g

$\boxed{\text{e > o \quad nach w}}$

wgerm. *+werold* **ahd.** *weralt/worolt*,   Welt

                         wecha/wocha,   Woche

                         wela/wola,   wohl

7. Ahd. S u f f i x - U m l a u t

in der Endsilbe der schwachen Verben der 1. Kl.
kommt es durch Kontaktassimilation zum Umlaut

$\boxed{\text{ia(ja) > e}}$

wgerm. *+dennjan* - **ahd.** *dennen*

       +hôrjan   -   *hôren* (vgl. auch IV)

verbunden mit Tonsilben-Umlaut

wgerm. *+taljan* - **ahd.** *zellen*[1]

IV Vokaländerungen vom   A h d.   zum   M h d.

In dieser Phase bildet sich der mhd. Vokalstand aus
- mit den für die verschiedenen Dialektbereiche spezifischen Unterschieden:

<u>qualitativ</u>:
      in   T o n   silben: fortschreitende Ausbreitung
                   des i-Umlautes und des neu auftretenden
                   e-Umlautes,

      in   E n d   silben: weitgehende Vokalabschwächung
<u>quantitativ</u>:
      Ausfall (Apokopierung und Synkopierung) unbe-
tonter Vokale (Silbenschwund)

Zum Umlaut: Im Zuge der Endsilben-Abschwächung wurde das vor-
mals umlautbewirkende *i* zu *e*. Dieses *e* erlangte auf Grund der
inzwischen veränderten Akzent- und Artikulations-Verhältnisse
nun ebenfalls assimilatorische Kraft (s. auch § 16). Diese
hatte allerdings nicht mehr die Intensität wie z.B. *i* bei früheren Assimilationsvorgängen.

Deshalb schwankt die Registrierung der Formen dieser Umlaut-
phase stärker als bei früheren Sprachstufen.

Die verschiedenen Öffnungsgrade eines kurzen Umlaut-*e* werden
in der mhd. Schreibung nicht durchweg unterschieden, so wenig
wie die eines langen Umlaut-*ê(ae)*.

---

1 z: 2. LV, *ll*: westgerm. Konsonantengemination

Eine Stabilisierung erfahren sie oft erst durch die Systematisierungen in der Schriftsprache (seit dem 16. Jh.) oder in den
normalisierten Mhd.-Schreibungen der Philologie des 19.Jh.s mit
ihren (so in der Überlieferung nicht gegebenen) Unterscheidungen
zwischen Primärumlaut (*gast - gesti*) und Sekundärumlaut (*maht -
mähte*, in den Hss. meist *mehte*). Die nhd. Schreibungen 'Nächte'
(zu 'Nacht', mhd. *nehte*) sind etymologische Rekonstruktionen,
z.T. mit Rückwirkung auf die nhd. Aussprache.

Die verschiedenen Umlautungen von kurzen und langen Vokalen
(außer a) treten im Mhd. erst mit unterschiedlichen koartikulatorisch bedingten Verzögerungen ein.

A Änderungen der Vokal q u a l i t ä t in Tonsilben

   1. Mhd. i/e - U m l a u t

      Kombinatorischer Lautwandel

     a) | ahd. a > mhd. e(ä) | sog. <u>Sekundärumlaut</u>

       betrifft solche a-Laute, die nicht beim ahd.
       Primärumlaut (a > e, 8./9.Jh.) erfaßt waren:
       - vor Konsonantenverbindungen hs, ht, rw

<u>ahd.</u>	<u>mhd.</u>	
wahsit -	*wehsit* (*wähsit*)	- (er) wächst
mahti -	*mehte* (*mähte*)	- Mächte
garwen -	*gerwen* (*gärwen*)	- gerben

      aber:
      vorahd. +*farti* - ahd. *ferti* - mhd. *ferte*,
                            nhd. Fährte

   - Wenn i ursprünglich erst in der übernächsten
     Silbe folgte (fortschreitende Umlautung über
     die Nebensilbe zur Hauptsilbe)

<u>ahd.</u>	<u>mhd.</u>	
magadi - *magedi* -	*megede* *mägede*	- Mägde

   - Auch vor Ableitungssilben mit î/i

<u>ahd.</u>	<u>mhd.</u>
faterlîh -	*veterlich* *väterlich* (auch *vaterlich*)

Die folgenden Umlautungen sind nur zum Teil konsequent durchgeführt. Außer bei û > û̈(iu), â > ae und iu > û̈(iu) bestehen zahlreiche Umlauthemmungen, die zum Teil erst im Rahmen
der Systematisierung in der nhd. Schriftsprache überwunden
sind.

b) Umlaut von kurzen hinteren Vokalen (u, o)

1) | ahd. u > mhd. ü |

    ahd.   mhd.

    kunni - *künne* - Geschlecht

    turi - *türe* - Tür

Umlauthemmungen durch:

lt, ld: mhd. *dulten, gedultec* - *guldîn*
                                            güldîn

gg, ck, pf, tz - oberdt.:

    ahd.   mhd.

    brucka _ *brucke* (oberdt.): Innsbruck
    (jô-Stamm)   *brücke* (mdt.)   : Osnabrück

durch Nasal + Konsonant:

    ahd.   mhd.

    umbi - *umbe* (oberdt.)
              ümbe (mdt.)   - um
    wunnî - *wunne* (oberdt.)
             wünne (mdt.)   - Wonne

2) | ahd. o > mhd. ö |

vor Endsilben-i meist nur in spätmhd. Analogieformen, da Westgerm. vor i eigentlich u zu er-
warten, s. II A. 2.

    ahd.   mhd.

    got, gutin - *got, gotinne, gütinne, götinne*

                     hof, hövesch

                 (aber: *hübesch*)

c) Umlaut von langen Vokalen (û, â, ô)

1) | ahd. û > mhd. û̈ |

geschrieben iu - älteste Umlautbezeichnung nach
der von a > e;
schon bei Notker (um 1000): *hût* - *hiute* (Lautwert: langes ü)

    mhd. *mûs, miuse*, Maus, Mäuse

    Umlauthemmung - oberdt. durch

    labiale Konsonanten:

    mhd.   nhd.

    rûmen - räumen (schwäb. rōmə)

    sûmen - säumen (schwäb. versomt, versäumt)

2) | ahd. â > mhd. ae |

    ahd.   mhd.

    nâmi   *naeme* - (du) nahmst

    mâri   *maere* - Märe (Bericht)

3) | ahd. ô > mhd. oe |

    ahd. *hôhi* - mhd. *hoehe (hôhe)* - Höhe

d) Diphthong-Umlaute

1) | ahd. iu > mhd. û |

    Kontaktassimilation + Monophthongierung

    Zusammenfall mit Umlaut von û, s. c 1)

    ahd.   mhd.

    diutisc (i-u) - *tiutsch* (gespr. *ü*) - deutsch

    liuhten (i-u) - *liuhten* ("   *ü*) - leuchten

2) | ahd. uo > mhd. üe |

    ahd. *gruoni* - mhd. *grüene*

3) | ahd. ou > mhd. öu |

    Umlauthemmungen durch:

    w: vorahd. +*frawjan* (zu *frâo*, froh), freuen;

    schon im Ahd. unterschiedliche Lautstände:

    frewen, frauuen, frauwen, frouwen,

    entsprechend im Mhd.:

    fröuwen, frouwen, froiwen, freuwen, fröun,

    freun

    b, m, gg - oberdt.

    ahd.   mhd.

    houbit - *houbet* (oberdt.)
               höubet (mdt.)

    troumen - *troumen* (oberdt.)
                tröumen (mdt.)

2. Mhd. D i p h t h o n g w a n d e l

Abschwächung der ahd. Diphthonge ia und io[1]

ahd. ea - ia		
	$\searrow$	ie
ahd. eo - io	$\nearrow$	

Datierung: ia > ie: 2. Hälfte 9. Jh.

io > ie: Ende 10. Jh.

ahd.	mhd.
hiar	- *hier*
biotan	- *bieten*

(nhd. Monophthong î)

Die Akzentkonzentration auf der Hauptsilbe hatte nicht nur
die verschiedenen Umlautungen zur Folge, sondern hatte auch
Auswirkungen auf den Nebensilben- und Endsilben-Vokalismus.
Dies führt zu einem gewissen Endpunkt der Entwicklungen,
die im Germ. ihren Ausgangspunkt haben (s. § 12).

B A b s c h w ä c h u n g der vollen Endsilben- und

Mittelsilben-Vokale, die keinen Nebenton tragen

(betrifft bei Notker um 1000 schon alle kurzen Vokale in geschlossenen Endsilben u. kurzes i im
reinen Auslaut)

ahd.	mhd.	ahd.	mhd.
geban	- *geben*	*lobôta*	- *lobete*
lobôn	- *loben*	*enti*	- *ende*
wârun	- *wâren*	*(dia) taga*	- *(die) tage*

Ausnahmen:

Ableitungssilben mit Nebenton und die Flexions-

silben *-iu* und (gelegentl. im Reim)*-ôt*

(in 3. Sg. Ind. Prät. und Part. Prät. bei Verben der
2. schw. Kl.):   *verwandelôt : nôt*

ahd.	mhd.	
viskâri	- *vischaere*	Fischer
samanunga	- *samenunge*	Sammlung
ein scôniu vrouwa	- *ein schoeniu vrouwe*	
(Diphthong *i-u*)	(Monophthong *ü*)	

---
1 vgl. III 5.b und 4.c

C Q u a n t i t a t i v e Vokalentwicklungen
in u n b e t o n t e n Silben

1. A p o k o p e oder S y n k o p e
von unbetontem *e*

a) <u>nach l und r</u> bei vorangehendem kurzem Tonsilbenvokal

<u>ahd.</u>		<u>mhd.</u>				
ih faru	-	*ich vare*	-	*ich var*	-	ich fahre
nabulo	-	*nabele*	-	*nabel*	-	Nabel
spilôn	-	*spilen*	-	*spiln*	-	spielen
kiles	-	*kiles*	-	*kils*	-	Kieles
(Gen. Sg.)						

b) <u>nach den Ableitungssilben -el und -er</u>

<u>ahd.</u>		<u>mhd.</u>				
ahsalôn	-	*ahselen*	-	*ahseln*	-	Achseln
(Dat. Pl.)						
lûtarêm	-	*lûteren*	-	*lûtern*	-	lautern
(Adj., Dat. Pl.)						

c) <u>bei Unbetontheit im Satz</u>
neben vollen Formen:

<u>mhd.</u>: *ime - im; unde - und; eines - eins;*

waere - waer; wirdest - wirst;

worden - worn

2. S y n k o p e von unbetontem *e* in Endsilben

I <u>in der Ultima</u>[1]:

a) <u>zwischen h + t und h + s</u>
<u>mhd.</u>: *sihet - siht -* (er) sieht

sihest - sihst - (du) siehst

b) <u>zwischen n oder m + t oder nt</u> (bes. oberdt.)
<u>mhd.</u>: *manet - mant -* (er) mahnt

nimet - nimt - (er) nimmt

sament - samet - samt (so auch nhd.)

c) <u>zwischen d oder t + t</u>
<u>mhd.</u>: *wirdet - wirt* (wird); *giltet - gilt*

---

[1] lat. *ultima* letzte (Silbe)

II in der <u>Paenultima</u>[1] - bedeutsam für das Mhd.!

   a) <u>zwischen gleichen Konsonanten</u>

     <u>mhd.</u> *boeseste* - *boeste; weinende* - *weinde*

            senende - *sende; redete* - *rette*

     <u>ahd.</u> *tiuriro* - <u>mhd.</u> *tiurre* teurer

   b) bei gleicher oder verwandter Artikulations-
     stelle <u>zwischen Haupttonsilbe und Endsilbe</u>:

     <u>mhd.</u> *ambet* - Gen. *amptes* Amtes

           dienest - *dienstes; wonete* - *wonte* wohnte

3. S y n k o p e von unbetonten Vokalen in Präfixen

   a) <u>v.a. bei g e -</u> vor Vokal, auch vor r, l, n, w

     <u>ahd.</u>: *gi-unnan* - <u>mhd.</u> *günnen* - gönnen

          gi-ezzan -   *gessen* - gegessen

     <u>mhd.</u>: *gerade* - *grade; gelîch* - *glîch* gleich

         genâde - *gnâde; gewîs* - *gwîs* gewiß

   b) <u>bei v e r- und b e-</u>

     <u>mhd.</u>: *ver-ezzen* - *vrezzen*

         verliesen - *vliesen* (z.T. schon ahd.)
                      (verlieren)
     <u>ahd.</u>: *bi-ango* - <u>mhd.</u>: *bange*

V Vokaländerungen vom M h d. zum N h d.

Die Entwicklungsphase vom <u>Ahd.</u> zum <u>Mhd.</u> erscheint im sprachgeschichtlichen Zusammenhang mehr wie ein Ausläufer der im
Vorahd. beginnenden Vokal- und Konsonantenveränderungen.

Im <u>Mhd.</u> setzen dieselben Entwicklungen, die vom Westgerm.
zum Ahd. geführt hatten, nochmals von neuem ein, wenn auch
nicht mit derselben Wirkungsintensität.

In dieser Entwicklungsphase sind zu unterscheiden:

1. Vokalwandlungen, welche einen breiteren Dialektbereich er-
faßten und von dort als <u>generelle</u> Veränderung in die
Hochsprache gelangten, z.B. nhd. Diphthongierung und
Monophthongierung usw.

---

1 lat. *paenultima* vorletzte (Silbe)

2. Vokalveränderungen mit einem geringeren Verbreitungsgrad,
   welche dann auch nur vereinzelt neben Fortschreibungen des
   mhd. Lautstandes in der Hochsprache erscheinen, vgl. die
   Parallelbeispiele (z.T. mit semantischer Differenzierung):
   wâge – Waage, *wâc*, *wâge* – Woge.

Mit den Ansätzen zu einer überregionalen Schriftsprache im
Gefolge des Buchdrucks und v.a. der Reformation (Bibel als
Grundbuch) endet im wesentlichen die germanisch-deutsche Lautgeschichte. Sprachbewegungen und -veränderungen beschränken
sich von nun an in der mehr und mehr auf Überregionalität
hindrängenden Hochsprache (Schriftsprache) auf die Bereiche des
Wortschatzes, der Bedeutungen und der Syntax.

Die Lautgeschichte setzt sich aber fort in den
M u n d a r t e n :

         so erscheint durch die schwäb. Diphthongierung
         etwa der vorahd. Vokalstand wieder:

         vorahd. +*snaiws*, got. *snaiws*, mhd. *snê* –
         schwäb. Schn<u>ai</u> / nhd. Schnee

         ein Ortsname wie "Ebershardt" wird in schwäb.
         Aussprache zu "Aiberschâd"

Zwischen nördlichen und südlichen Dialektgebieten des dt.
Sprachraumes ergeben sich unabhängig voneinander – auf Grund
bestimmter Sprachprinzipien – gewisse Korrespondenzen im
Vokalstand:

ndt.: ût mîne Stromtîd – alem.: ûz mîner Stromzît

A Änderungen der Vokal q u a l i t ä t

    1. Nhd. D i p h t h o n g i e r u n g

    | mhd. î > nhd. ei(ai) | *mîn*   – mein

    | mhd. iu(ü) > nhd. eu(äu) | *niuwes* – neues

    | mhd. û > nhd. au | *hûs*   – Haus[1]

    Belegt seit dem 12.Jh. in Kärnten, seit dem 13.Jh. in
    Bayern, erreicht im 14.Jh. Ostfranken, Böhmen, im 16.Jh.
    Mitteldeutschland.

    Entsprechend dem Ausbreitungsmodus ist auch die phonetische
    Ausprägung jeweils unterschiedlich: Im österr. Raum geht
    die Entwicklung am weitesten, d.h. die Diphthonge werden
    in der Gegenwart am offensten ausgesprochen.

_____
1 Die nhd. Diphthonge ai und au haben keine absolut
  festgelegte Lautung. Diese ändert sich je nach den
  koartikulatorischen Bedingungen. Deutlich wird dies,
  wenn nicht originär die Hochsprache Sprechende den
  Diphthong nur mechanisch in ihre Aussprache einsetzen.

Nicht einbezogen werden das Niederdeutsche und
der Süd-Westen. Im Schwäb. nur z.T. durchgeführt:

mhd. *sîte* - nhd.   Saite (a-i)
               schwäb. Seite (e-i)
aber vor Nasal: mhd. *mîn* - schwäb. mein (a-i)

2. Nhd. M o n o p h t h o n g i e r u n g

mhd. ie > nhd. î	*liebe* (i-e) - liebe (î)
mhd. uo > nhd. û	*guote* - gute
mhd. üe > nhd. û	*grüeze* - Grüße

Beginnt im Mitteldt. im 11./12.Jh., breitet sich
dann ins Rheinfränk., Süd- und Ostfränk. aus.
Nicht betroffen ist das Oberdt.: vgl. schwäb. noch
diphthongisch:

liebe (iə), guete (uə), Grieß(e) (iə)

Im Mittelndt. keine entsprechenden Diphthonge.

3. Nhd. D i p h t h o n g w a n d e l (seit 13.Jh.)

Öffnung der mhd. Diphthonge ei, ou, öu

mhd. ei > nhd. ai	*bein* (e-i) - Bein (a-i)
mhd. ou > nhd. au	*boum* - Baum
mhd. öu > nhd. äu	*böume* - Bäume

nb.: Beibehaltung der mhd. Schreibung bei ei:

    mhd. *bein* - nhd. Bein

    Ausnahme:
    mhd. *keiser*, spätmhd. *keyser*, nhd. Kaiser[1]

ai-Schreibungen außerdem bei semantischen
Unterscheidungen:

    mhd. *lîp*   - nhd. Leib

aber: mhd. *leip* - nhd. (Brot)laib

    mhd. *sîte*   - nhd. Seite

aber: mhd. *seite* - nhd. Saite

Schreibunterschiede auch bereits um 1300

Gr. Heidelberger Liederhs.: *leit - scheiden*
(Zürich)
Weingartner Liederhs.   : *lait - schaiden*
(Konstanz)

vgl. aber die Ausspracheunterschiede im Schwäb.
    Leib (e-i), aber Laib (a-i)

---

1 seit 16. Jh. häufiger

Die nhd. Schreibung ei für geöffneten Diphthong ai
stammt vom Schreibgebrauch der kursächs. Kanzlei
(ebenso die für nhd. î = ie, siehe 2); die Schreibung au statt mhd. ou geht dagegen wohl auf die
Habsburger Kanzlei zurück.

4. Ö f f n u n g gerundeter Vokale (Senkung)

| mhd. u > nhd. o |

sunne - Sonne, *sun* - Sohn, *sumer* - Sommer

| mhd. ü > nhd. ö | vor Nasal

künec - König

auch: *mügen* - mögen (hinter Nasal?)

5. S c h l i e ß u n g ungerundeter Vokale (Hebung)
                                    (vereinzelt)
| mhd. e > nhd. i |

geter - Gitter

pfersich - Pfirsich (Assimilation)

6. R u n d u n g ungerundeter Vokale (nicht generell)

a) | mhd. e > nhd. ö | in Nachbarschaft von l, r, sch,
                        Labialen, Affrikaten

helle - Hölle,   aber: *welle* - Welle

scheffe - Schöffe,   aber: *scheffel* - Scheffel

ergetzen - ergötzen, aber: *geben* - geben

swern - schwören,   aber: *swemme* - Schwemme

zwelf - zwölf

aber: *wellen* - wollen entspricht der ahd. e > o -
Verdumpfung nach w:
ahd. *wela* - *wola*, mhd. *wol*, nhd. wohl
(engl. well), s. Kap. III 6.

b) | mhd. i > nhd. ü |

wirde - Würde, aber: *wischen/wüschen* - wischen

finf - fünf, *riffel* - Rüffel

c) | mhd. â > nhd. ô | bes. vor Nasal und nach w

âne - ohne, *mâne* - Mond (Stützkonsonant d),

wâ- wo, *wâge* - Woge, aber: *wâge* - Waage

brâdem - Brodem, *slât* - Schlôt, *tâht* - Docht

7. E n t r u n d u n g (ostoberdt., 12.Jh.
später auch schwäb.)

| mhd. ü > nhd. i |

gümpel - Gimpel, <u>aber</u>: *sünde* - Sünde

bülez - Pilz, <u>aber</u>: *bühel* - Bühl

nb. Nr. 6 und 7 nicht generell durchgeführt,
6a und 6b entfallen z.B. im Schwäb.

8. A n a l o g i e b i l d u n g e n

hagestalt zu ahd. *staldan* besitzen
Hagestolz zu stolz

sintvluot zu ahd./mhd. *sin* immer (lat. *sem-per*)
Sündflut zu Sünde

geste - Gäste zu Gast (Systemausgleich)

liegen - lügen zu Lüge (mhd. *lüge*)

<u>dagegen</u>: *ligen* - liegen

B   Änderungen der Vokal q u a n t i t ä t

1. D e h n u n g kurzer mhd. Vokale

I in o f f e n e r Tonsilbe

beginnt westniederfränk. schon im 9.Jh., tritt
im 12.Jh. im Mitteldt., im 13.Jh. im Oberdt. auf.

Bestimmt im wesentlichen den anderen Lautcharakter
des Nhd. mit. Die im Mhd. häufig vorkommende
Konstellation 'kurzer Vokal in offener Tonsilbe'
ist auch für die mhd. Prosodie bedeutsam, bes. in
ihrer Auswirkung auf die Kadenzgestaltung:

leben = man (úυ = x́)

lęben - lēben; *tạges* - Tāges; Analogie: *tạc* - Tāg[1]

nęmen - nehmen (graphische Analogie)

<u>Die Dehnung unterbleibt</u>:

graphisch angezeigt durch analoge Schreibung zu
Formen mit alten Doppelkonsonanten wie
bitter, bitten, mitte, hütte.

- <u>vor t</u> (fast immer)

    gạte - Gạtte, *wir rịten* - rịtten, *veter* - Vetter

    <u>aber</u>: *jęten* - jäten, *vạter* - Vāter[2]

---
1 nicht norddt.
2 aber schwäb. Vạttr

- 102 -

- vor m, häufig, bes. wenn -er, -el folgt

  hamer - Hammer, *himel* - Himmel, *komen* - kommen

  aber: *schemel* - Schemel, *name* - Name

- vor -er

  wider - Widder, *doner* - Donner

- vor sch und ch (germ. k)

  vlasche - Flasche, *brechen* - brechen

II) in g e s c h l o s s e n e r Tonsilbe
                                  (nicht generell)

   a) vor r + Dental

      vart - Fahrt, *begirde* - Begierde, *harz*- Harz

      aber: *hart* - hart, *garte* - Garten

   b) in einsilbigen Wörtern vor r

      dar - dar, *er* - er, *dir* - dir

2. K ü r z u n g langer Vokale u. Diphthonge (nach
                  vorhergegangener Monophthongierung)

meist vor Konsonantenverbindungen

vorwiegend ostmdt. und ostfränk., 13. Jh.

   a) vor ht und (gelegentlich) ft

      brâhte - brachte, *gedâht* - gedacht

      klâfter - Klafter

   b) vor Liquid (r, l) + Konsonant

      lêrche - Lerche, *hêrre* (schon mhd. auch *herre*)

      - Herr[1], *dierne* - Dirne[2], *eilf* - elf·

   c) vor einzelnen Konsonanten wie ch, z

      râche - Rache, *nâchgebûre* - Nachbar

      lâzen - lassen, *slôz* - Schloß

   d) vor m, t, f,

      (bes. vor auslautendem -er, -el, -en (s. B I 1)

      jâmer - Jammer[3], *wâfen* - Waffe

      muoter - Mutter[4]

---

1 oberschwäb. Hairle 'Herrle', schwäb. Diphthongierung von ê
2 bair. Deandl
3 schwäb. Jômer
4 schwäb. Muoter

e) <u>vor n + Konsonant</u>
pfrüende - Pfründe

3. Vokal s c h w u n d in Vor-, Neben- u. Endsilben

a) <u>durch Apokope</u>
schoene (ahd. *scôni*) - schön
manunge (ahd. *manunga*) - Mahnung
<u>aber</u> auch Doppelformen: *hirte* - Hirt/Hirte

b) <u>durch Synkope</u>
abbet - Abt, *maget* - Magd, *angest* - Angst
ackes - Axt (Stützkonsonant t)

c) <u>durch Synkope + Apokope</u>
gelücke - Glück, *hemede* - Hemd (schwäb. Hemed)

d) <u>durch Synkope phonetisch</u> - nicht graphisch
reden - reden (phonetisch: redn)

4. S p r o ß v o k a l

a) <u>-r, -re > er nach î, û, iu in der Hauptsilbe</u>
gîr - Geier, *lîre* - Leier, *sûr* - sauer,
mûre - Mauer, *viur* - Feuer
<u>aber</u>: *viuric* - feurig

b) <u>nach ê</u>
ê - ehe, *êr* - eher

c) <u>Analogiebildungen</u>
sals (Gen.) - Saales, *koln* - Kohlen
nern - nähren

5. Q u a n t‚i t ä t s änderung bewirkt auch
Q u a l i t ä t s änderung

a) Die <u>Aussprache der e-Laute</u> richtet sich
im <u>Mhd.</u> nach ihrer Herkunft:
germ. e : offen
Umlaut-e : geschlossen
Sekundär-Umlaut-e : ganz offen (ä)

im <u>Nhd.</u> nach der Quantität:
kurzes e : offen
langes e : geschlossen

b) Abschwächung von Nebentonsilben

schrîbaere - Schreiber, *gruonmât* - Grummet,

wintbrâ - Wimper, *vastnacht* - Fastnacht -

schwäb. Fasnet, *vierteil* - Viertel (<u>aber:</u> Vorteil)

§ 16   Die Assimilationskette

Das auffallendste Zeugnis für die artikulatorischen und
psychischen Bedingtheiten des Vokalwandels vom Idg. zum
Mhd. bildet die

germ.-mhd. A s s i m i l a t i o n s k e t t e.

Sie ist das Ergebnis langwährender Angleichungstendenzen
innerhalb der Vokalbeziehungen, die vom Germ. zum Mhd. rei-
chen. Diese Tendenzen manifestieren sich in genau bestimm-
baren und parallelen Entwicklungsphasen, die sich unmittelbar
nach den Vokalpositionen im Mundraum richten
(vgl. Vokaldreieck § 7 E I).

Betroffen sind die Vokale der Hauptsilben. Die Wirkkräfte
gehen vor allem von den Endsilbenvokalen aus. Der Prozess
beginnt bei *e* und *a*, welche durch obere Folgevokale (*i* und *u*)
verändert werden. Ähnliche Wirkungen können auch von Konsonantengruppen ausgehen, so wie überhaupt in diese Vorgänge der
gesamte Lautverband eines Wortes mehr oder weniger bemerkbar
einbezogen ist. Psychische Sprachbedingungen (<u>Antizipation</u>)
und physische Artikulationsmöglichkeiten (<u>Assimilation</u>)
wirken dabei zusammen.

In einer Assimilationsphase folgt jeweils auf eine
K o n t a k t a s s i m i l a t i o n in einer Silbe
(z.B. ei > î) eine F e r n a s s i m i l a t i o n zwischen
Haupt- und Endsilbe, an der dieselben Vokale beteiligt sind
(*+nemiz* > *+nimis*).

Die einzelnen Phasen sind in ihrem Beginn zeitlich gestaffelt,
in ihrer Wirkungszeit können sie sich dann aber überlagern.

Das erste Glied dieser Assimilationskette bildet der erste
germ. Diphthongwandel:

1. Phase

a) | idg. ei > germ. î |

germ. i-Umlaut   (s. § 15 I A 3)

Kontaktassimilation (in der Hauptsilbe) durch Antizipation der zweiten Vokalposition bei der Artikulation der ersten mit Verschmelzung beider Diphthongteile: totale Assimilation, Monophthongierung

idg. *deikonom* - germ. *+tîhan* - ahd. *zîhan*[1] zeihen

Dieser Kontaktassimilation folgt im Westgerm. eine gleichgerichtete Fernassimilation, eine Vokalangleichung zwischen Haupt- und Folgesilbe:

b) | germ. e > wg. i vor i, j in der Folgesilbe |

westgerm. i-Umlaut   (s. § 15 II 1)

totale Assimilation:

idg. *+nemesi* - germ. *+nemiz* - wg. *nimis* - ahd. *nimis*
                                               nimmst

Nb. Es ist eines der Grundprinzipien der Sprachentwicklung, daß einer Bewegung in der Regel eine G e g e n - b e w e g u n g entspricht (vgl. ahd. oder mhd. Monophthongierung und Diphthongierung):

Gegenbewegung:

| germ. i > wg. e vor a e o in der Folgesilbe |

westgerm. a-Umlaut   (s. § 15 II 2b)

idg. *ui̯ros* - germ. *+wiraz* - wg. *+weraz* - ahd. *wer*,
                                            Wer(wolf)

2. Phase

a) | germ. eu > wg. iu |

westgerm. u-Umlaut   (s. § 15 II 1)[2]

Kontaktassimilation: *e* wird angehoben auf die Artikulationsebene des Folgevokals: partielle Assimilation:

idg. *+geusonom* - germ. *+keuson* - wg. *kiusan* -

ahd. *kiosan* kiesen

Auch dieser Kontaktassimilation entspricht eine Fernassimilation, an welcher wiederum dieselben Vokale be-

---

[1] Konsonantenwandel durch 1. und 2. LV
[2] in der Regel wird dieser Lautwandel im Begriff 'westgerm. i-Umlaut' mitverstanden

teilgt sind, verteilt auf Haupt- und Folgesilbe:

b) | germ. e > wg. i vor u in der Folgesilbe |

westgerm. u-Umlaut   (s. § 15 II 1)

idg. *nemo* - germ. *nemu* - wg. *nimu* - ahd. *nimu*
$\qquad\qquad\qquad\qquad\qquad\qquad\qquad\qquad$ (ich) nehme

Nb. Bei diesen Lautveränderungen handelt es sich im
Prinzip weniger um eine sog. 'Vokalharmonie', als
vielmehr um einen weiterreichenden wortinternen Artikulationsausgleich. Dies zeigt sich darin, daß auch
eine K o n s o n a n t e n g r u p p e (in Kontakt-
stellung) dieselben Ergebnisse zeitigen kann. Sie
macht sogar ein folgendes *a*, das sonst ein *e* in der
Hauptsilbe hervorruft oder stützt, wirkungslos:

| germ. e > wg. i vor Nasal und Konsonant |

germ. *+bendan* - wg. *+bindan*[1]

3. Phase

a) | wg. ai > ahd. ei |

ahd. Diphthongwandel   (s. § 15 III 4a)

Kontaktassimilation: *a* wird auf die nächsthöhere
Artikulationsebene in Richtung *i* angehoben, der
Artikulation des *i* angenähert: partielle Assimila-
tion:

wgerm. *+stains* - ahd. *stein* Stein

Unter bestimmten koartikulatorischen Bedingungen
(vor folgendem r, w, h) kommt es sogar zu einer
totalen Assimilation, wobei sich die Diphthong-
elemente *a* und *i* auf einer mittleren Ebene treffen.

| wg. ai > ahd. ê |

ahd. Monophthongierung   (s. § 15 III 3a)

got. *air* - ahd. *êr* (nb. graphisch auch *aer*) eher

b) | wg. a > ahd. e vor i in der Folgesilbe |

ahd. i-Umlaut[2]   (s. § 15 III 2)

Fernassimilation, partielle Assimilation

wg. *+gastiz* - ahd. *gesti* Gäste

---

1 vgl. dazu auch lat. e > i vor ng, nc, gn:
decet (es ziemt) - *dignus* (würdig), vgl. Dekor, Dignität,
oder auch e > o vor l, m, n + folgendem dunklem Vokal:
bene (Adv.) - *bonus* (Adj.) gut
2 wird gewöhnlich einseitig als alleiniger ahd. Umlaut
angesprochen

4. Phase

a) $\boxed{\text{wg. au > ahd. ou}}$

ahd. Diphthongwandel (s. § 15 III 4b)

Kontaktassimilation, partielle Assimilation

wg. *flaug - ahd. *floug* flog

Wiederum kommt es unter bestimmten koartikulatorischen Bedingungen auch zu einer totalen Assimilation auf der mittleren Artikulationsebene:

$\boxed{\text{wg. au > ô vor Dentalen und germ. h}}$

ahd. Monophthongierung (s. § 15 III 3b)

wg. *laus - ahd. *lôs* los

b) Fernassimilation: Die Bedingungen für diese Assimilation sind durch die Endsilbenreduktion
(s. § 15 IV) beseitigt worden: In der entsprechenden Entwicklungsphase fehlt die Vokalkonstellation
'Hauptsilbe *a* - Endsilbe *u*' (inzwischen abgeschwächt zu *e*)
vgl. ahd. *hanun* (Nom./Akk.Pl., schw. Dekl.) -
    mhd. *hanen* Hähne
    ahd. *farum* (1. Pl.Ind.Prät.)
    mhd. *faren* fahren

Die prinzipielle Gültigkeit dieser Entwicklungstendenz zeigt sich aber in einer
altnord. Parallele:

germ. a > an. ǫ vor u in der Folgesilbe:

urnord. *barnu - an. *bǫrn* (Nom.Akk.Pl.) Kinder

5. Phase

a) $\boxed{\text{ahd. iu und ui > mhd. }\hat{\ddot{u}}}$

mhd. Diphthongumlaut (s. § 15 IV A 1d 1)

Kontaktassimilation, totale Assimilation, Monophthongierung:

ahd. *liut (i-u)* - mhd. *liut* (Monophthong $\hat{\ddot{u}}$) Leut
    fuir   -   *viur* ($\hat{\ddot{u}}$) Feuer

b) $\boxed{\text{ahd. u > mhd. ü vor i/e in der Folgesilbe}}$

mhd. i/e-Umlaut (s. § 15 IV A 1b 1)

Fernassimilation

ahd. *kuning* - mhd. *künic/künec* König

6. Phase

a) ┌─────────────────────────┐
   │ ahd. uo > mhd. üe   │
   └─────────────────────────┘
   <u>mhd. Diphthongumlaut</u>   (s. § 15 IV A 1d 2)

   Hier ist ein gestufter Vorgang zu registrieren:
   Vor *i* oder *e* der Endsilben wurde

   ahd. uo > mhd. ue : <u>Fernassimilation</u>
   \   (z.T. schon bei Otfried)

   durch <u>Kontaktassimilation</u> entstand dann *üe*:

   ahd. *gruoni* - mhd. *grüene*

   \   *gruozen* -   *grüezen*

b) ┌──┐
   │ ahd. u/o > mhd. ü/ö vor e in der Folgesilbe   │
   └──┘
   <u>mhd. e-Umlaut</u>   (s. § 15 IV A 1b 1 u.2)

   <u>Fernassimilation</u>

   ahd. *gunnen* - mhd. *günnen*   gönnen[1]

   \   *hovisc* -   *hövesch* höfisch

   In diese Phase fallen auch die Umlautungen der
   noch nicht erfaßten <u>langen Vokale</u> (â, ô), welche
   nach denselben Prinzipien ablaufen:

   ahd. *mâri* - mhd. *maere*   Märe

   \   *wânen* -   *waenen* wähnen

   \   *hôren* -   *hoeren* hören
   \   (Nbf. *hôren*)

---

[1] mhd. ü > nhd. ö: s. § 15 V A 4

Prinzipien der Assimilation

Die Assimilation dient der Sprecherleichterung, ist eine Folge der Artikulationsökonomie, deren Grenzen durch Tradition und die Erfordernisse der Verständlichkeit gezogen werden.

Für eine Assimilation sind bedeutsam:

1. die Akzentverhältnisse zwischen den betroffenen Lauten und Silben;

2. die Artikulationspositionen: Laute in artikulatorischen Randpositionen im Mundraum (oben - unten, vorne - hinten) sind aggressiver und anfälliger als mittlere (e).

   Der Diphthong *uo* z.B. erweist sich deshalb als 'haltbarer' als etwa der Diphthong *ei*. Die geringere 'Anfälligkeit' führt dann auch am Ende einer Entwicklung zu eher offenen Ergebnissen; das Ziel der Entwicklung ist nicht mehr ganz stringent. Es kommt deshalb zu Doppelformen, vgl.:
   mhd. *pfruonde* neben *pfrüende*, *nutzen* neben *nützen*

3. die Positionsunterschiede zwischen den Lauten: Je größer die Differenz zwischen zwei Lauten, desto größer die Tendenz zum Ausgleich. Ein geringeres Artikulationsgefälle wirkt sich im Verhältnis zu anderen Artikulationsunterschieden auch zeitlich aus: Ein Ausgleich findet dann, wenn überhaupt, erst später statt (vgl. Assimilationskette);

4. die Positionen der Laute im Wort. Kontaktassimilationen erfolgen früher als Fernassimilationen.

5. Assimilationsziel sind, dem psychisch gesteuerten Prinzip der Antizipierung entsprechend, (in der Regel) nachfolgende Laute: Vokale oder Konsonanten der Endsilbe(n).

6. Assimilationen können nur aus einem synchronen Verhältnis resultieren, d.h. die sie bedingenden Faktoren müssen gleichzeitig vorhanden sein.

   Auch Umlaut ist das Ergebnis eines synchronen Kausalitätsverhältnisses. Zeitlich zurückliegende, d.h. nicht mehr vorhandene Laute können nur dann von Bedeutung sein, wenn sie in späteren synchronen Konstellationen relevante Spuren hinterlassen haben.
   Für die Umlautung von *â* oder *ô* in mhd. *waenen* (ahd. *wânen*) oder mhd. *hoeren* (ahd. *hôren*) können also die Ursachen nur in den vorhandenen Lautfolgen liegen, nicht in einem schon Jahrhunderte vorher verstummten *j* in vorahd. *+wânjen* oder *+hôrjan*.

7. Eine Assimilation spielt sich nicht allein zwischen einzelnen Vokalen ab. Die umgebenden Konsonanten wirken dabei ebenfalls

mehr oder weniger deutlich faßbar mit, sei es befördernd
(s. ahd. Monophthongierung, § 15 III 3) oder - v.a. bei Fernassimilationen - verzögernd oder hemmend (s. ahd. Umlauthemmungen, § 15 III 2). Sie können sogar wie Vokale wirken: So hat
Nasal + Konsonant im Westgerm. dieselbe Wirkung wie *i* oder *u*
(s. § 15 II 1).

Wie sehr es auf die koartikulatorischen und akzentuellen Ver-
hältnisse ankommt, mögen folgende Beispiele zeigen:

1. Umlaut
   a) Plural von Hahn: im Unterschied zu Hahnen war in Hähne
      der kürzeren Endsilbe wegen das Akzent- und Artikulati-
      onsgefälle größer , so daß ein stärkerer Umlautdruck ent-
      stand.
   b) mhd. *offenlîch, ôsterlîch* sind der Akzentverteilung wegen
      (Nebenton auf *-lîch*) noch ohne Umlaut; er tritt erst nach
      Kürzung der Nebensilbe ein: nhd. österlich (Enklise),
      öffentlich, ebenso mhd. *offenen*, nhd. öffnen;
   c) bei dem ursprünglichen Berufsnamen 'Schröder' (Schnei-
      der), mhd. *schrôtaere* bestand zwischen *ô* und *ae* keine
      auf Ausgleich dringende Artikulationsdifferenz. Diese er-
      gab sich erst nach der Abschwächung der Endsilbe *-aere* zu
      -er: dann wurde umgelautet.
   d) eindeutig nach-mhd. Umlautungen sind etwa 'Landfährerin'
      (MÖRIKE), 'Butterbröten' (RAABE);
   e) Doppelformen im Plural: Wagen - Wägen, Kragen - Krägen,
      Generale - Generäle (15. Jh.), vgl. auch hochdt. farbig -
      österr. färbig.

Schwankungen in der Lautung werden im Zuge der schriftsprach-
lichen Entwicklung durch Normierung oft nach der einen oder
anderen Seite hin beseitigt.

2. sonstige Assimilationsvorgänge
   a) ahd. *ganc* (2. Imperativ zu *gangan*) > *genc* (Kontaktassi-
      milation vor Nasal + Konsonant, Hebung, vgl. analog
      § 15 II 1), weiterentwickelt zu *ginc* (e > i vor Nasal +
      Konsonant)
   b) mhd. *Meginze* (12. Jh., Veldeke) > *Meinze* (Ausfall in-
      tervokalischer Medien, s. § 17)
      wird zu *Mainze* (Diphthongwandel, s. § 15 V A 3),
      nhd. Mainz,
      aber: dialektal Meenz (Monophthongierung, schon 15. Jh.)

Übersicht über die

Germ.-mhd. Assimilationskette bei Haupttonvokalen

1. Phase
a) Kontaktassimilation :   ei > î

```
┌──────────┐
│   idg.   │
│    ↓     │
│  germ.   │
└──────────┘
```

b) Fernassimilation   :   e > i   vor i oder Nasal + K
   westgerm. i-Umlaut

   Gegenbewegung   :   i > e   vor e, a, o
   westgerm. a-Umlaut

```
┌──────────┐
│  germ.   │
│    ↓     │
│  wgerm.  │
└──────────┘
```

2. Phase
a) Kontaktassimilation :   eu > iu

b) Fernassimilation   :   e > i   vor u
   westgerm. u-Umlaut

---

3. Phase
a) Kontaktassimilation :   ai > ei > ê (vor h, w, r)

b) Fernassimilation   :   a > e   vor i
   ahd. i-Umlaut

```
┌──────────┐
│  wgerm.  │
│    ↓     │
│   ahd.   │
└──────────┘
```

4. Phase
a) Kontaktassimilation :   au > ou > ô (vor Dental u, h)

b) (Fernassimilation   :   a > ǫ   vor u, nur altnord.)

---

5. Phase
a) Kontaktassimilation :   ui
                           iu ⟩ ü

b) Fernassimilation   :   u > ü   vor i
   mhd. i-Umlaut

```
┌──────────┐
│   ahd.   │
│    ↓     │
│   mhd.   │
└──────────┘
```

6. Phase
a) Kontaktassimilation :   uo > ue (vor i, e) > üe

b) Fernassimilation   :   u > ü
   mhd. e-Umlaut   o > ö   vor e

Auch bei anderen, erst im Mhd. in Erscheinung tretenden
Umlautvorgängen kommt neben i als Umlautagens auch e in
Betracht:

â > ae, o > ö, ô > oe, û > ü vor i und e der Folgesilbe.

§ 17 Entwicklung_des_Konsonantismus
   vom_Indogermanischen_zum_Neuhochdeutschen

   I Vom I d g. zum G e r m.

      Das Germanische setzt sich mutmaßlich zwischen dem
      2. und 1. Jt. v. Chr. vom Indogermanischen durch
      eine Reihe kennzeichnender, seine spezifische Ar-
      tikulationsstruktur konstituierende Lautverände-
      rung ab.
      Die umfassendste, den Konsonantismus betreffende
      ist

   A Die erste oder germ. Lautverschiebung (LV)

      Die Anfänge der 1. oder germ. LV können bis ins
      2. Jt. v. Chr. zurückreichen. Sie ist um 500 v. Chr.
      im wesentlichen vollzogen, d.h. v o r der Zeit
      der Berührung der Germanen mit den Römern, denn
      kein lat. Lehnwort im Germ. ist von der 1. LV be-
      troffen.

      Entdeckung der Gesetzmäßigkeiten der 1. LV durch
      Jacob GRIMM (1785 - 1863), Dt. Grammatik, 1822.

      Betroffen sind von der 1. LV:

      alle i d g. V e r s c h l u ß l a u t e
                    (Tenues und Mediae[1])
      gegliedert in drei Verschiebungsgruppen nach
      - Artikulationsart - Stimmgebung - Aspiration:

      1. T e n u i s - S p i r a n s - W a n d e l

         Idg. Tenues werden aspiriert und zusammen mit
         den vorhandenen idg. Tenues aspiratae (behauchten
         stimmlosen Verschlußlauten) zu germ. stimmlosen
         Spiranten.

$$\text{idg. } p^{[2]} - t - k^{[3]} > ph - th - kh \searrow \atop ph - th - kh \nearrow \text{ germ. } f - \flat^{[4]} - x^{[4]}$$

---
1 vgl. dazu § 7, Einteilung der Laute
2 Reihenfolge der Konsonanten nach der Artikulations-
  stelle: Labial - dental - guttural
3 wie k verhalten sich die Kombinationslaute k^{u}, kh^{u}
4 zur Aussprache dieser Laute vgl. § 7

2. M e d i a - S p i r a n s - W a n d e l

Idg. <u>Mediae aspiratae</u> (behauchte stimmhafte Verschlußlaute) werden zu <u>germ.</u> stimmhaften <u>Spiranten</u>

> idg. bh - dh - gh > germ. b - đ - g

3. M e d i a - T e n u i s - W a n d e l

Idg. <u>Mediae</u> (stimmhafte Verschlußlaute) werden
zu <u>germ.</u> Tenues

> idg. b - d - g > germ. p - t - k

<u>Nb</u>. Bei <u>Gruppe 1 und 2 bleibt</u> der Artikulations<u>ort</u>.
Es <u>ändert</u> sich die Artikulations<u>art</u>:
<u>Verschlußlaute</u> werden zu (im Germ. bisher unbe-
kannten) <u>Spiranten</u>. Einzige germ. Spirans bis
dahin: s. Die aspirierten Varianten verschwinden.

Bei <u>Gruppe 3</u> bleiben <u>Artikulationsart</u> und -<u>ort</u>.
Es <u>ändert sich</u> lediglich die <u>Stimmenergie</u>.

B e i s p i e l e [1]

<u>Zu 1</u>: T e n u i s - S p i r a n s - W a n d e l
    (Ausnahmen und Sonderentwicklungen s. B)

<u>idg.</u>	<u>germ.</u>	<u>ahd.</u>	
p/ph > f			
+piskos (lat. piscis[2])	+fiskaz	fisk	Fisch (engl. fish)
+nepōt- (lat. nepos[3])	+nefôđ	nevo (afrz. nevo)	Neffe (engl. nephew)
t/th > þ(th)			
+trejes (lat. tres[4])	+þrîjaz (engl. three)	drî	drei
+bhrāter (lat. frater[5])	+brôþar (engl. brother)	bruoder	Bruder

---

1 Zu den Lautveränderungen gegenüber der jeweiligen Vorstufe vgl. die betreffenden Kapitel der Lautgeschichte
2 vgl. Piscator
3 vgl. Nepotismus
4 vgl. Trias, frz. trois
5 vgl. fraternisieren, frz. frère

idg.	germ.	ahd.	

k/kh > X(ch)

| +kerd- (lat. *cordis*[1]) | +hert- | herz[2] | Herz |
| +leuk- (lat. *lux*[3]) | +liuht- | lioht | Licht (engl. light) |

Zu 2: M e d i a - S p i r a n s - W a n d e l

bh > ƀ

| +bheronom (lat. *fero*[4]) | +ƀeran | beran | gebären |
| +nebh-[5] (lat. *nebula*) | +neƀul- | nebul | Nebel |

dh > đ

| +medhios (lat. *medius*[6]) | +miđjaz | mitta[7] | Mitte |

gh > ǥ

| +ghostis (lat. *hostis*) | +ǥastiz | gast | Gast |

Zu 3: M e d i a - T e n u i s - W a n d e l

b > p

| +skabionom (lat. *scabo*[8]) | +skapjan | scaffan[2] | schaffen |

d > t

| +duk- (lat. *ductus*) | +tug- | zug[2] | Zug |
| +edonom (lat. *edo*) | +etan | ezzen[2] | essen |

g > k

| +agros (lat. *ager*[9]) | +akraz | ackar[7] | Acker |

---

1 vgl. kordial; gr. kardia, vgl. Kardiogramm
2 s. auch 2. LV
3 vgl. luzid, Luzifer (Lichtträger)
4 ich trage
5 Feuchtigkeit, vgl. auch nebulos
6 vgl. mediterran
7 s. auch westgerm. Konsonantengemination
8 ich kratze, vgl. skabiös
9 vgl. Agronom

B Sonderentwicklungen beim Tenuis-Spirans-Wandel im
Vorfeld und Umkreis der 1. LV

1. T e n u i s v e r b i n d u n g e n

a) Tenues bleiben unmittelbar nach dem Spiranten
s erhalten

	idg.	germ.	
sp:	+*speiųonom*	+*spîwan*	speien
st:	+*sternōn* (lat. *stella*)	+*sternô*	Stern
sk:	+*skabhonom*	+*skaƀan*	schaben

b) bei den Tenuesverbindungen pt, kt wird nur
der erste Teil verschoben
(pt und kt können durch Assimilation aus bt
und gt entstanden sein)

pt(bt) > ft

+*skaptis*   +*skaftiz*   Schaft
(aus +*skabtis*)

kt > ht

+*oktōu*   +*ahtau*   acht
(lat. *octo*[1])

Diese 'Ausnahmen' verraten etwas von der Artiku-
lationsmechanik, welche der 1. LV zugrunde liegt,
nämlich die Beseitigung einer Artikulations-
barriere. Eine solche stellte auf dieser Entwicklungsstufe offenbar ein phonetischer Verschluß
dar. Er war aber demnach weniger hemmend, wenn
ihm eine Spirans voranging, die damit so etwas
wie eine 'Artikulationsbrücke' bildete.

c) Dentalkombination t(d)+t kann schon im
Vorgerm. zu ss werden.

t(d)+t > (st) > ss

idg. +*ųid-dhom-*   >

germ. +*wit-đôm* (1. LV) - +*wit-tôm* (Assim.) -

+*wista(n)* - +*wissa*   >

ahd. *wissa, wessa, wista* - wußte (vgl. Praeterito-
praesentien)

---

1 vgl. Oktave, oktav

Solche Lautverschlüsse waren nicht nur im Germ.
Anlaß für einen Lautwandel: vgl.

lat. *vidēre*: Part. Perf. < +*vid-tum* - +*vittum* -
+*vis(s)um* - *visum*, gesehen

sedēre: Part. Perf. < +*sed-tum* - +*settum* -
sessum, gesessen

altgr.: *thalatta* Meer (attische Lautform)
thalassa (jonische Lautform)

2. Akzent- und stellungsbedingte Weiterentwicklung der

aus den idg. Tenues entstandenen stimmlosen Spiranten

und von s im In- und Auslaut:

V e r n e r s   G e s e t z[1]

Die nach der 1. LV im Germanischen vorhandenen stimmlosen Spiranten f, þ, X und (altes) s wurden   v o r
der Festlegung des Initialakzentes

im In- und Auslaut stimmhaft (ƀ, đ, ǥ, z)

in   s t i m m h a f t e r   Umgebung (d.h. zwischen
Vokalen oder nach stimmhaften Konsonanten: Nasalen,
Liquiden),

wenn im Idg. die   v o r a u f g e h e n d e   Silbe
u n b e t o n t   war (akzentbedingter Lautwandel):

-t⁻ > þ > đ

idg. +*pǝtér*   germ. +*fađar*   Vater

+*mātér*   +*mōđar*   Mutter

(dagegen: +*bhráter*   +*brôþar*   Bruder)

Da im Idg. der Hauptakzent je nach Flexionsform auf
verschiedenen Silben liegen konnte (flexionsabhän-
giger Akzent, s. § 8 C 1), haben sich die Tenues im
In- und Auslaut verschieden entwickelt:

- entweder zu den stimmlosen Spiranten f, þ, X
  (bei vorhergehender betonter Silbe) oder

- zu den stimmhaften Spiranten ƀ, đ, ǥ
  (bei vorhergehender unbetonter Silbe: Verners Gesetz).

Der dadurch im selben Wortverband und bei etymologisch verwandten Wörtern entstehende Wechsel zwischen
stimmlosen und stimmhaften Konsonanten wird nach
Jacob GRIMM bezeichnet als

---

1 1877 erstmals publiziert von dem dän. Sprachforscher
  Karl VERNER (1846 - 1896)

G r a m m a t i s c h e r[1] W e c h s e l :

nhd. Beispiele

	idg.	germ.	vorahd.	ahd.
dürfen /Hefe	´-p-[2]	´-f-	´-f-	´-f-
darben /heben	-p´-	-b´-/´-b-[3]	´-b-[4]	´-b-
schneiden /scheiden	´-t-	´-þ-	´-đ-[5]	´-d-[6]
schnitten /Scheitel	-t´-	-đ´-/´-đ-	´-d-	´-t-[7]
hoch /ziehen /zehn[8]	´-k-	´-x-	´-ch-	´-ch(h)-
Hügel /zogen /zwanzig	-k´-	-g´-/´-g-	´-g-	´-g-
Salz-ach	´-kᵘ-	´-xᵘ-	´-ch-	´-ch-[9]
Reichen-au	-kᵘ´-	-gw´-/´-gw-	´-ww-[10]	´-w-

(Sievers'sche Regel: labiovelare Spirans verliert den ve-
laren spirant. Bestandteil (qᵘ > ṷ):

idg. +əkṷía - germ. +áᵍwja - vorahd. +áwwia - ahd. auwia/
ouwa).

Ein Wechsel n - ng ergab sich durch den germ. Nasalausfall
vor h (s. unten D 2a), z.B.:

ahd. *fâhan / fiang* - mhd. *vâhan / viene* ; im Nhd. durch Systemausgleich wieder beseitigt: fangen / fing.

Von diesen Entwicklungen wird auch die Spirans s erfaßt:

wesen /(ge)nesen Verlust /meist	´-s-	´-s-	´-s-	´-s-
waren /(er)nähren verlieren /mehr	-s´-	-z´-/´-z-	´-r-[11]	´-r-

Vgl. auch: nhd. Hannóver (f) - Hannoveráner (w).
engl. exhibit (ig'zibit) - exhibition (êksi'biʃn),
luxurious (lʌg'zjuəriəs) - luxury (lʌkʃəri)

---

1 gr. *gramma* Buchstabe, also: Buchstabenwechsel
2 ´-p- : Akzent auf der vorhergehenden Silbe,
   -p´- : Akzent auf der nachfolgenden Silbe
3 germ. Initialakzent
4 westgerm. Spirans - Mediawandel
5 frühahd. Spirantenschwächung
6 ahd. Spirans - Mediawandel
7 2. LV
8 aus ahd. *zehan*; zwanzig aus ahd. *zwein-zug* (got. *twai tigjus*)
  = zwei Zehner
9 ahd. *aha* Fluß (≙ lat. *aqua*);
  vgl. auch nhd. sehen (< idg. +sekṷ-, lat. *sequi*) und das
  Fremdwort 'Sequenz'
10 westgerm. Konosonantengemination (vor j)
11 westgerm. Rhotazismus

C Zusammenfassung

'L a u t v e r s c h i e b u n g ' meint ursprünglich eine
synchrone (gleichzeitige) Umschichtung innerhalb des vorgerm.
Konsonantensystems.

Ursache dürfte ein verstärkter Akzentdruck gewesen sein, der
zunächst aspirierte und nicht-aspirierte Tenues zusammenfallen
ließ (p > ph) und dann die Aspiration so weit steigerte, daß
sie zu einem selbständigen, jeweils am selben Artikulationsort
gebildeten Laut wurde (p + f).
Dieser Vorgang spielte sich analog auch bei den aspirierten
Mediae ab.

Durch Assimilation des ursprünglichen Verschlußlauts an die neu
gebildete Spirans (z.B. f oder b) entstanden dann als neue
selbständige Konsonantengruppe die germ. stimmlosen und stimmhaften Spiranten (Gruppe 1 und 2).

Die alten Mediae werden bei dieser Umstellung der Artikulationspositionen tenuisiert, d.h. stimmlos (Gruppe 3).

Heute wird der Begriff 'Lautverschiebung' meist in diachroner
Bedeutung verwendet, d.h. im Sinne von 'Lautwandel'.

Ergebnisse der 1. LV

1. entstanden sind im Germ. neue Laute: zwei Spirantenreihen -
   stimmlos (f, þ, X) und stimmhaft (b, đ, g) - gebildet jeweils an den Hauptartikulationsstellen als Labiale, Dentale,
   Gutturale. Vorher gab es im Germ. nur eine dentale Spirans:
   s.

2. Bei allen Konsonantengruppen bleibt die Artikulationsstelle
   erhalten, verändert wird in den Gruppen 1 und 2 jeweils die
   Artikulationsart: z.B. sind p und ph Labiallaute u n d
   Verschlußlaute, f und b sind ebenfalls Labiallaute, aber
   Spiranten.
   In Gruppe 3 wird nur die Stimmenergie verändert, Artikula-
   tionsort und -art werden beibehalten.

3. Der Unterschied zwischen aspirierten und nicht aspirierten
   Verschlußlauten ist verschwunden, ebenso zeitweise die
   Gruppe der Mediae. Sie entstand wieder aus den stimmhaften
   Spiranten (s. Verners Gesetz) im Verlaufe der späteren
   konsonantischen Entwicklung (s. westgerm. Konsonantismus).

4. An die Stelle der stimmlosen Verschlußlaute (Tenues)
   rückten im germ. Lautsystem die stimmlos gewordenen Mediae.

5. Diese mit einer Umstrukturierung der Akzentverhältnisse verbundenen Entwicklungen fanden v o r der schließlichen <u>Fest-
legung des germ. Akzentes auf die Anfangssilbe</u> (Initialakzent)
statt.

6. Der germ. Konsonantenstand nach der 1. LV:

Verschlußlaute: p t k (aus b d g)

Spiranten: alt - stimmlos: s

         neu - stimmhaft: ƀ, đ, g̑, z

                (aus: bh, dh, gh und p, t, k
                s. Verners Gesetz)

<u>Nasale</u>, <u>Liquide</u> und <u>Halbvokale</u> wie im Idg. (s. § 13)

Vergleichbare Verschlußlautveränderungen in anderen europ.
Sprachen:

<u>idg. - lat.</u>: +*bhrater* - *frater* Bruder

        +*bhero* - *ferō* (ich) trage

        +*u̯egh* - *vehō* (ich) bewege mich

        +*rudh* - *ruber* rot
                rufus rot(haarig)
                (über osk.-umbrisch?)

<u>lat. - frz.</u>: *campus* - *champ* (ʃ) Feld

        centum - *cent* (s) hundert

        gaudere - *jouir* (ʒ) sich erfreuen

        caput - *chef* Haupt

        habere - *avoir* (v) haben

D Sonstige gemeingerm. Konsonantenentwicklungen

Neben der akzentbedingten 1. LV treten gemeingerm.
v.a. noch einige kombinatorische Formen des Lautwandels auf: Artikulationsausgleich (Assimilation) zur
Sprecherleichterung.

1. Q u a l i t a t i v e Veränderungen

  a) totale Assimilation an l, n, m und p, t, k

     idg.   germ.

     $+pl̥nós$ $+fulnas$ - $+fullaz$ voll

     $+stədhlós$ $+stađlas$ - $+stallaz$ (ahd. $stal$)Stall
aber: $+státlos$ $+staþlaz$ (ahd. $stadal$) Stadel

     $+tnui̯os$ $+þunwi̯az$ - $+þunniaz$ dünn
     (lat. $tenuis$)

     $+esmí$ $+ezmi$ - $+imm(i)$ got. im ≙ bin

     $+gn̥bnós$ $+knupnas$ - $+knuppaz$ Knopf

     $+skodnos$ $+skatnaz$ - $+skattaz$ Schatz

     $+bhəgn-$ $+đaknan$ - $+bakkan$ backen

  b) partielle Assimilation an t und d

     $+kmtóm$ $+humdam$ - $+hunda(n)$ hundert

     $+ni-zdós$ $+niztas$ - $+nest(as)$ Nest
     ($zdós$ = Schwundstufe zur Wurzel $+sed$ sitzen)

2. Q u a n t i t a t i v e Veränderungen -
                kombinatorischer Lautwandel

  a) Konsonantenschwund

    - gutturaler Nasal ŋ schwindet vor germ. h
      unter Nasalierung und Ersatzdehnung des vor-
      hergehenden Vokals (Nasalausfall):

     germ.   ahd.
     $+braŋhta$ - $+brãhta$ $brâhta$ brachte

    - Dental schwindet zw. n+n und vor s+Konsonant
     $+sinþnan$ - $+sinnan$ $sinnan$ gehen
                   (vgl. ahd. $sint$ Weg, Gesinde)

     $+wat-skôn(an)$ - $+waskôn$ waschen
               (vgl. ahd. $wazzar$, engl. water)

  b) Konsonantenzuwachs
    Einschub von t zwischen s und r

    idg. $+sroumonos$ germ. $+sraumaz$ - $straumaz$ Strom

3. Q u a n t i t a t i v e Veränderungen -
spontaner Lautwandel

Verschärfung der Halbvokale i̯ und u̯ > i̯i̯ - u̯u̯:

kann auftreten bei zwischenvokalischem i̯ und u̯,
wenn der vorhergehende Vokal kurz ist.

<u>germ.</u>   (<u>got.</u>)   <u>ahd.</u>

+ble̯u̯anan - +ble̯u̯u̯an   (bliggwan)   bliuwan   bläuen

+tu̯ai̯ôn - +tu̯ai̯i̯ô(n)   (twaddjê)   zweio   zwei
(Gen.)   (an. tveggia)

II Vom G e r m. zum W e s t g e r m.

Konsonantenentwicklungen, welche für die althochdeutschen (auch as. und ae.) Sprachgruppen kennzeichnend
werden und die auch im Nhd. zu registrieren sind.

A <u>Der westgerm. Rhotazismus</u>[1]

Die stimmhafte <u>dentale Spirans z</u> (entstanden durch
Verners Gesetz <u>aus s</u>) wird <u>zur Liquida r</u> (ihrer Entstehung nach ein Zungenspitzenlaut im Unterschied zu
germ. r, wohl mit Zäpfchen-Vibration)

> z > r

im Inlaut:

<u>germ.</u>   (<u>got.</u>)   <u>wgerm.</u>

+was/wêzum   (was/wêsum)   +was/wârum   war/waren

<u>im Auslaut</u> n u r bei schwachbetonten, ursprünglich
einsilbigen Wörtern (sonst ist auslautendes z geschwunden)

      +iz   (is)   +er   er
aber +dagaz   (dags)   +dag   Tag

<u>nhd. Beispiele</u> (s. auch grammatischer Wechsel)

(ge)we<u>s</u>en / wa<u>r</u>en - (ge)ne<u>s</u>en / ernäh<u>r</u>en

mei<u>s</u>t / meh<u>r</u>   - Li<u>s</u>t / Leh<u>r</u>e

Fro<u>s</u>t / gefro<u>r</u>en (frie<u>r</u>en: Systemausgleich)

Vgl. auch im <u>Lateinischen</u>:

e<u>s</u>t / e<u>r</u>at (er) ist / war
genu<u>s</u> / gene<u>r</u>is Geschlecht (Nom. / Gen. Sg.)

_____

1 nach der gr. Bez. *rho* für den Buchstaben r

B Die westgerm. Konsonantengemination

Durch j, r, l, w(u̯)[1] werden die unmittelbar vorhergehenden Konsonanten verdoppelt.

Die neu entstandenen Doppelkonsonanten wurden als
solche gesprochen (wie z.B. im heutigen Italienischen: vgl. fum-mo, wir waren und fumo, ich rauche,
Rauch), waren also n i c h t nur graphische Zeichen
für die Kürze der vorhergehenden Silbe wie im Nhd.
(Ritter).

1. vor j: regelmäßige Verdoppelung

germ.	(got.)	wgerm.	ahd.	
+satjana(n)	(satjan)	+sattjan	setzen[2]	setzen
+sebja	(sibja)[3]	+sibbea	sippa[4]	Sippe

nicht konsequent durchgeführt bei r:

+nasjan	(nasjan)	+narjan	nerren	nähren
			aber auch: nerian, neren	

2. vor r und l: nur Tenues (p, t, k) verdoppelt

+akraz	(akrs)	+akkr	ackar[5]	Acker
+bitraz	(baitrs)	+bittr	bittar	bitter
+apluz	–	+appl	aphul[6]	Apfel

3. vor w(u̯) und n: nur in den Lautkombinationen
   ku̯ und hu̯ verdoppelt

+aku̯izjô	(aqizi)	+akku̯is	ackus	Axt
+druknu	–	+drukkn	truckan[4]	trocken

C Westgerm. Spirans-Wandel

1. S p i r a n s - M e d i a - W a n d e l

Die in der 1.LV entstandenen stimmhaften Spiran-
ten ƀ, đ, g̣ (aus bh, dh, gh oder p, t, k nach
Verners Gesetz) gehen über in die entsprechenden
Verschlußlaute b, d, g:

> ƀ đ g̣ > b d g

---

1 die Reihenfolge signalisiert die Wirkungskraft
2 s. 2.LV und ahd. i-Umlaut (s. § 15 III 2)
3 mit westgerm. i-Umlaut (s. § 15 II 1)
4 s. 2.LV
5 ahd. Sproßvokal a
6 ph = Affrikata, 2.LV

a) <u>im Anlaut</u>

germ.	wgerm.	ahd.	
+ƀellan	+bellan	bellan	bellen

b) <u>nach Nasal und nach z</u>

+ƀenđan	+bindan	bindan	binden
+hozđ	+hord[1]	hort[2]	Hort

Auch die übrigen stimmhaften Spiranten in anderen
Stellungen müssen zwar später, aber doch rechtzeitig
v o r der 2.LV in Mediae (Verschlußlaute) überge-
gangen sein, damit sie bei dieser Lautentwicklung
(die nur Verschlußlaute betraf) gegebenenfalls erfaßt werden konnten.
(vgl. auch lat. *Suēvus* - ahd. *Swâ̱ḇ*)

2. Die stimmlose gutturale Spirans X (ch) aus idg. k
geht über in den Hauchlaut h

a) <u>im Anlaut vor Vokalen</u>

germ.	wgerm.	ahd.	
+Xab⸗	+hab-	habên	haben
(lat. *capere*)			

b) <u>im Inlaut zwischen Vokalen</u>

+tiuXan	+tiohan	ziohan[2]	ziehen
(lat. *ducere*)[3]			

D <u>Westgerm. Konsonantenzuwachs</u>

Einschub von b nach m

germ.	(<u>got.</u>)	wgerm.	ahd.	
+temrjan	(timrjan)	+tim̱ḇarjan	zimbren[2]	zimmern

---

1 westgerm. Rhotazismus
2 s. 2.LV
3 c ≙ k

III Vom W e s t g e r m. zum A h d.

Konsonantenentwicklungen, die für das Althochdeut-
sche konstitutiv werden.

A Die zweite oder ahd. Lautverschiebung (2.LV)

Sie bestimmt den Konsonantenstand der ahd. Dialekte,
in welchen sie in unterschiedlichem Maße durchgeführt wird. Sie setzt den hochdeutschen Konsonantismus vom niederdeutschen in kennzeichnender Weise
ab.
Beginn in der südgerm. Sprachzone (Langobard., Bair.,
Alem.) im 6./7. Jh.
Erste Zeugnisse vgl. § 5 III.

Betroffen sind die V e r s c h l u ß l a u t e

1. die in der 1.LV entstandenen T e n u e s (stimmlose Verschlußlaute) und die entsprechenden durch
   die westgerm. Konsonantengemination entstandenen
   Doppellaute (s. oben II B):

   t, p, k und tt, pp, kk[1]

2. die aus den germ. stimmhaften Spiranten entstandenen (s. oben II C 1) stimmhaften M e d i a e
   und die entsprechenden Doppellaute:

   d, b, g und dd, bb, gg (b, g nur oberdt.)

nicht erfaßt werden bestimmte Verschlußlautverbin-
              dungen:

st sp sk (wie in der 1.LV)

tr ht ft (bei der 1.LV nicht vorhanden)

Bemerkenswert ist:

1. Der Ablauf der 2.LV läßt sich aus den Affrikata-
   bildungen rekonstruieren: Verstärkung der Aspiration: p > p+h; durch Konsonantisierung der
   Aspiration entsteht Affrikata p+f.
   Auf dieser Stufe bleiben einige Neulautungen bei
   vorhergehender phonetischer Stütze stehen: im
   Anlaut (d.h. im Wortansatz) und nach Konsonant.
   Ohne Stütze wird aus affriziertem Doppellaut
   (z.B. p+f) durch Assimilation eine Doppel-

---

1 die Reihenfolge ist bedeutsam für die Wirkungsbreite

spirans (ff). Zu dieser Hypothese der Entstehung der
2.LV vgl. auch die 1.LV (I B 1b).

2. Wirkungsdauer

Die 2.LV ist in ihrer Wirkung ebensowenig wie der
i-Umlaut auf den ahd. Zeitraum beschränkt. Die Tendenz zur Umformung der Artikulationsstrukturen besteht z.T. bis ins 16. Jh. fort, am deutlichsten zu
beobachten bei den erst in späterer Zeit in den dt.
Sprachschatz aufgenommenen Fremdwörtern:

vgl. lat. *cathari* (12.Jh.) > mhd. *ketzer* (Umlaut +
Affrizierung), oder lat. *astrologo* > über lombard.
strolegh > Strolch (16.Jh.),

ferner in neuzeitlichen Ausspracheformen von Ver-
schlußlautverbindungen, vgl. etwa pfälzisch 'zwischen':
palatale Spirans wird zur gutturalen, gesprochen etwa
'zwichen'; norddt. 'liegt' (gesprochen etwa 'liecht');
auslautendes g wird allgemein als Spirans gesprochen
(Ansätze dazu schon in mhd. Hss. zu konstatieren:
junch statt *junc*)[1]

3. Aus den Paradigmen (s. unten 4a) wird ein Grund für
den Sprachwandel sichtbar: Artikulationserleichterungen bei solchen Konsonantengruppierungen, welche
aus dem im Germ. fortentwickelten Lautstand und dem
durch die Endsilbenreduzierung (s. § 18) umstruktu-
rierten Sprachfluß gleichsam 'herausragen', akzentuell
bedingte Artikulationsbarrieren bilden.
In die neuen Artikulationsbedingungen werden auch
Lehnwörter eingeschmolzen:
vgl. lat. *palatium* > ahd. *phalanza*.

---

1 Vgl. ähnliche Entwicklungen auch im Lat.:
lat. k > spätlat. z: caesar (gesprochen k + Diphthong)
≙ nhd. Kaiser, spätlat. *caesar/Cäsar* (gesprochen zä),
vgl. nhd. Zar. - Vgl. auch die Aussprache von lat. *patio*,
wo folgendes i ebenfalls eine Affrizierung in Gang setzte.

G e m e i n s a m k e i t e n der 1. und 2. LV

1. Betroffen sind jeweils Verschlußlaute (Tenues und Mediae)

2. Nicht erfaßt werden Tenues in bestimmten Konsonantenverbindungen (st, sp, sk).

3. Ursache ist ein verstärkter Akzentdruck auf die Verschlußlaute, der sich über konsonantisierte Aspiration ein 'Ventil' schafft.

U n t e r s c h i e d e

1. Unterschiedliche Ausgangspunkte:
   - Vor der 1.LV gab es 4 Verschlußlautreihen:
     (Tenues, Tenues aspiratae, Mediae, Mediae aspiratae),
     die sich in 3 Verschiebungsakten entwickelten
     (Tenues und Tenues aspiratae fallen in einen zu-
     sammen).
   - Vor der 2.LV gibt es nur 2 Verschlußlautreihen
     (Tenues und Mediae).

2. Unterschiedliche Ergebnisse:
   a) Bei den Spiranten treten stellungsbedingte Varian-
      ten auf:
      im Inlaut (intervokalisch): Doppelkonsonanten;
      nach langem Vokal und im Auslaut (postvokalisch);
      einfache Konsonanten (wie in der 1.LV).

   b) Als dentale Spirans entsteht in der 2.LV : s
      (nicht þ wie in der 1.LV).

   c) Im Anlaut und nach Konsonant (auch in Gemination)
      erscheinen als neuer Lauttypus: Affrikatae.

   d) t bleibt auch in Verbindungen mit r und den in der
      1.LV entstandenen Spiranten f und h unverändert
      (tr, ft, ht).

   e) In der Verbindung s+k wird k mit Verzögerung ver-
      schoben.
      Auf den Wandel von k deuten die Schreibungen s+ch
      hin (ch zunächst = aspiriertes k).

3. Unterschiedlicher geographischer Verbreitungsgrad

Die 1.LV war im gesamten germ. Sprachgebiet wirksam.

In der 2.LV zeigt sich eine gestaffelte Verbreitung im ahd. Sprachraum, abhängig von der Position eines Lautes im Mundraum, im Wort und teilweise auch vom Satzakzent.

So bleibt t z.B. im Mittelfränk. in schwachtonigen Wörtern wie *dat, it, wat* (das, es, was) von der Verschiebung ausgespart.

Dentale sind stärker betroffen als Gutturale, es bestehen Unterschiede zwischen An- und Inlaut.

Die Ausdehnung der Verschiebung von d hängt vom Stand des westgerm. Spirans-Media-Wandels (s. oben II C 1) ab.

4. Unterschiedliche Konstanz der Veränderungen

In der 1.LV akzentbedingte Weiterentwicklung: Verners Gesetz.

In der 2.LV

a) koartikulatorisch bedingte Weiterentwicklungen,

 z.B. ph (pf) > f nach Liquida (l oder r):
 helphan > *helfan*, *werphan* > *werfan*
 aber: ahd. (bair.) *karpfa* noch nhd. Karpfen

b) Rückbildungen: ahd. (bair.) *kepan* > mhd. *geben*

Erläuterungen zur tabellarischen Übersicht

1. die got. und altsächs. Beispiele stehen für den vorahd. Konsonantenstand.
 Lat. und engl. Beispiele, welche diesen Lautstand ebenfalls repräsentieren, sind in Klammern zugefügt.

2. ahd. mhd. nhd. bezeichnen Entwicklungsphasen

3. gesamthochdeutsch (gesamthd.) ist sprachgeographisch zu verstehen.
 An der Benrather Linie scheidet sich der hochdt. Lautstand vom niederdt. Diese west-östl. verlaufende Linie überquert den Rhein bei Benrath südl. von Düsseldorf, die Weser nördl. von Kassel, die Elbe südl. von Magdeburg.
 Orientierungslaut ist die in der 2.LV entstandene gutturale Spirans ch (ach-Laut, s. auch unten unter IV). Hier scheidet sich die Aussprache maken von machen.

1. Tenuis - Spirans - Wandel

Tenuis (t, p, k) wird Doppelspirans inlautend nach kurzem Vokal, einfache Spirans inlautend nach langem Vokal und im Auslaut

	got. (lat.)	altsächs. (engl.)	ahd.	mhd.	nhd.
a) t > ȥ(ȥ)			gesamthd. (Benrather Linie)		
	t	t	ȥȥ - ȥ	ȥ(ȥ)	s(s)
inlautend:					
n.kurzem Vokal	itan	etan (to eat)	eȥȥan	eȥȥen	essen
n.langem Vokal	beitan	bîtan (to bite)	bîȥan	bîȥen	beißen
auslautend:	ût	ût (out)	ûȥ	ûȥ	aus
b) p > f(f)			gesamthd. (Benrather Linie)		
	p	p	ff - f	f(f)	f(f)
inlautend:					
n.kurzem Vokal	– (piper)	piper	pfeffar	pheffer	Pfeffer
n.langem Vokal	greipan	grîpan (to gripe)	grîf(f)an	grîfen	greifen
auslautend:	skip	skip (ship)	scif	schif	Schiff
c) k > hh			gesamthd. (Benrather Linie)		
	k	k	hh - h	ch	ch
inlautend:	brikan	brekan (to break)	brehhan	brechen	brechen
auslautend:	juk	juk (yoke)	joh	joch	Joch

4. ȥ bedeutet stimmlose Spirans (sog. scharfes s); ph, kch, ch, cch stehen jeweils für Affrikata.

5. nach <u>langem Vokal</u> und im <u>Auslaut</u> erscheint statt der Doppelkonsonanz der einfache Laut: *pfeffar* - aber: *grîfan.*

2. Tenuis-Affrikata-Wandel

Tenuis (t, p, k) wird Affrikata im Anlaut, nach Konsonant, in Gemination

	got. (lat.)	altsächs. (engl.)	ahd.	mhd.	nhd.
a) |t > tz|			gesamthd. (Benrather Linie)		
	t	t	z (zz)	z (tz)	z (tz)
anlautend:	taîhum[1]	tehan (ten)	zehan	zehen	zehn
n.Kons.:	haîrtô	herta (heart)	herza	herze	Herz
Gemination:	satjan	settian (to set)	sezzen	setzen	setzen
b) |p > pf|			oberdt., ostfränk. (Germersheim-Kassel-Linie)		
	p	p	pf (f)	pf (f)	pf (f)
anlautend:	– (piper)	piper (pepper)	pheffar	pfeffer	Pfeffer
		plegan	pflegan	pflegen	pflegen
n.Kons.:	(campus)		champf	kampf	Kampf
	hilpan	helpan (to help)	helphan helfan	(auch südrheinfränk.) helfen	helfen
Gemination:		appul (apple)	aphel	apfel	Apfel
	skapjan	skeppian (to scoop)	skephen (st.V.)	schepfen (schw.V.)	schöpfen
c) |k > kch|			oberdt. (Germersheim-Nürnberg-Linie)		
	k	k	kch,ch	k	k
anlautend:	kaúrn	korn (corn)	chorn	korn	Korn
n.Kons.:		werk (work)	werch	werk	Werk
Gemination:	wakjan	wekkian (to awake)	wecchan	wecken	wecken

6. oberdt. umfaßt das Alemannische und Bairische, nach Norden begrenzt durch die Germersheim-Nürnberg-(Hof-)Linie.

7. ostfränk.: ahd. Dialektgebiet, markiert durch die Städte Würzburg, Nürnberg, Hof, Kassel. Wird im Norden abgegrenzt

---

1 got. aî = kurzes offenes e

3. Media-Tenuis-Wandel

Media (d, b, g) wird regional gestaffelt zu Tenuis

	got. (lat.)	altsächs. (engl.)	ahd.	mhd.	nhd.
a) d > t			oberdt., ostfränk. (Germersheim-Kassel-Linie)		
	d	d	t	t	t
	daúr[1]	dor (door)	tor	tor	Tor
	biudan	biodan	biotan	bieten	bieten
dd > tt			oberdt., ost-, rheinfränk.		
		dd	tt	tt	tt
	bidjan	biddian[2] (to bid)	bitten	bitten	bitten
b) b > p			oberdt., bes. bair. (Germersheim-Nürnberg-Linie)		
	b	b	p	b	b
	blôþ	blôd (blood)	pluat	bluot	Blut
bb > pp			oberdt., ostfränk.		
		bb	pp	pp	pp
	sibja	sibbia (sib)	sippa	sippe	Sippe
c) g > k			oberdt., bes. bair.		
	g	g	k	g	g
	giban	geban (to give)	keban (kepan)	geben	geben
gg > kk			oberdt., teilweise fränk.		
		gg	kk ck	ck	ck
		hruggi (ridge)	rucki	rücke	Rücken

durch die Germersheim-Kassel-Linie. Diese überschreitet bei
Germersheim den Rhein und trifft nördl. von Kassel auf die
Benrather-Linie.
Orientierungslaut ist p.
Hier scheidet sich die Aussprache von Appel und Apfel.

8. rheinfränk.: Gebiet westl. der Germersheim-Kassel-Linie,
begrenzt im Westen durch die Saarbrücken-Siegen-Linie. Sie

---

1 got. aú = kurzes o
2 westgerm. Konsonantengemination

scheidet da<u>t</u> und da<u>s</u>.

<u>südrheinfränk.</u>: Gebiet südl. der Saarbrücken-
Kassel-Linie, im Süden markiert durch Orte wie
Rastatt, Ludwigsburg, trifft im Odenwald wieder
auf die Saarbrücken-Kassel-Linie.

Nhd. B e i s p i e l e für die hochdeutsch-nieder-
deutschen Lautunterschiede, bedingt durch die 2.LV

<u>oberdt.</u>

Messer[1]   -   Mettwurst (vgl. engl. meat, Fleisch)

setzen   -   Setter

Waffen   -   Wappen

schlaff   -   schlapp

Staffel   -   Stapel

stampfen   -   Stempel

stopfen   -   stoppen

Brücke   -   Brügge (Ortsname)

B <u>Konsonantenänderungen im Vor- und Umfeld der 2.LV</u>,
welche mit den akzentuellen und artikulatorischen
Umschichtungen zusammenhängen, die in der 2.LV ihren
stärksten Ausdruck finden.

     1. Ä n d e r u n g e n des Halbkonsonanten w

        a) inlautendes w <u>schwindet</u> meist nach Konsonant[2]
                                     (außer nach l und r)

         <u>wgerm.</u>   (<u>got.</u>)   <u>ahd.</u>

         *sehwan   (saíhwan)   sehan   sehen

         *singwan   (siggwan)   singan   singen

         <u>aber</u>: ahd. melo - melwes (Gen.Sg.) Mehl - Mehles
                      gar - garwes (Gen.Sg.) gar - gares

         gelegentlich schwindet w auch <u>nach langem Vokal</u>
         *spîwan   (speiwan)[3] spîwan/spîan   speien

---

1 aus ahd. mezzi-sahs, eigentlich 'Speise-Schwert',
   ags. mete-seax
2 vgl. dagegen die Sievers'sche Regel, bei welcher der
   Spirant schwindet (s. oben I B 2)
3 ei ≙ î

b) germ. ww (ṷṷ)[1] wird zu <u>Diphthong + w</u>

    - bei vorangehendem kurzen a: aww > auw/ouw[2]
    - bei vorangehendem kurzen e: eww > iuw[3]

<u>germ.</u>   <u>ahd.</u>

+hawan/+hawwan   *hauwan/houwan*   hauen

+dawaz/+dawwaz   *+dau/tou* - *touwes* (Gen.) Tau

+trewô/+trewwô   *triuwa*   Treue

c) westgerm. àww (Konsonantengemination vor j[4])
   entwickelt sich regional verschieden:

    - bair.: auw/ouw
    - fränk., alem.: awwj > eww > ew
      (einfacher Vokal + Konsonant nach Umlaut a > e)

<u>germ.</u>   <u>ahd.</u>

+frawjan/+frawwjan   *frouwen* (bair.) freuen
                    frewwen (fränk., alem.)
                    frewen

2. Frühahd. S p i r a n t e n s c h w ä c h u n g

   - stimmlose Fortes werden stimmlose Lenes:
   f, þ, s > v(u), d(th), s(z)
   - h wird Hauchlaut oder schwindet
   8.Jh. (Beginn: Dänemark, Mitte 6.Jh.), bes. im
   Mitteldt.

   ahd. *fatar* / *givatero* Gevatter
        heffen / *heven*   heben
        werthan (≙ þ) / *werdhan* (≙ đ) / *werdan* werden
        sehan / *gisian* - mhd. *sên* sehen

3. S p i r a n s - M e d i a - W a n d e l

   Spirans đ (aus þ) wird Media d[5]
   regionale Staffelung, ausgehend vom Bair. (8.Jh.),
   begegnet auch im Niederdt., <u>nicht</u> im Engl.

---

1 spontan entstanden aus w, s. oben I D 3
2 s. § 15 III 4
3 vgl. dazu auch § 15 II 1
4 s. oben II B
5 vgl. schon oben II C westgerm. Spirans-Wandel

Zuerst <u>inlautend</u> (beginnt nach l und r)

	8.Jh.	9.Jh.	900	10./11.Jh.
bair.	d (th)	d	d	
alem.	th (d)	d	d	
ostfränk.		th-, -d-	d	
rheinfränk.			th-, -d-	
mittelfränk.				(th) d

z.B. <u>ahd.</u> *thanne* / *dhanne* / *danne*   dann

4. A n l a u t v e r ä n d e r u n g e n

Anlautendes w (8.Jh.) und h (9.Jh.) <u>schwinden</u>
vor Konsonant.

<u>wgerm.</u>	(<u>got.</u>)	<u>ahd.</u>	
+*wrekan*	*(wrikan)*	*rehhan*	rächen
	(<u>as.</u>)		
+*hlût*	*(h̄lûd)*	*lût*	laut
(lat. *in c̲lutus*	berühmt)		

5. V e r e i n f a c h u n g von Doppelkonsonanten
<u>nach langem Vokal</u> (s. 2.LV)

<u>wgerm.</u>	<u>ahd.</u>	
+*lêtan*	*lâzzan*[1]/*lâzan*	lassen

6. Nebentonentwicklungen: K r a s i s
Tritt schon im Ahd. auf, bes. verbreitet im Mhd.
daz ich > deich; > daz ez > deiz

---

1 ê > â vgl. § 15 III 1

IV Vom A h d. zum M h d.

Konsonantenentwicklungen, die typisch für einen mhd.
Normstatus sind.

1. Mhd. A u s l a u t v e r h ä r t u n g

im Auslaut und vor stimmlosen Konsonanten werden:

a) Mediae b, d, g > Tenues p, t, k[1]

mhd. *geben - gap; nîdes - nît; tages - tac;*
neigen - neicte

b) lenisierte Spiranten h, v[2] > Fortes ch, f:

mhd. S p i r a n t e n w e c h s e l

mhd. *sehen - sach, sâhen - siht*

neve (Neffe) - *niftel* (Nichte = ndt. Lautform)

Begegnet in der Schreibung in ein- und derselben
Hs. in unterschiedlicher Konsequenz.

Im Nhd. in der Schrift ausgeglichen, nicht durchweg in der Aussprache, vgl. Tag (tak) - Tages.

2. W e i t e r b i l d u n g d e r 2.LV

a) ahd. sk > mhd. sch

Die Konsonantenverbindung sk, die zunächst von
der 2.LV ausgespart blieb (s. oben III A), wurde offenkundig noch in mhd. Zeit weiterentwickelt und zwar über gespaltene Spirans s-ch[3]
(vgl. Aussprache von mlat. *s-cholar*, Scholar):
ursprünglich ein Doppelkonsonant wie st, sp
- darauf deutet auch die Schreibung - schließl.

im Spätmhd. zum einheitlichen Laut (Monophthong)
sch (zur breiten Spirans) assimiliert.

ahd. *scrîban* - mhd. *schrîben*   schreiben
     scôni   *schoene*   schön

b) Mhd. K o n s o n a n t e n s c h w ä c h u n g
(im Inlaut)

ahd. f > mhd. v - ahd. ch > h (evtl. Totalschwund)

Im Widerstreit zwischen der Erhaltung eines
ahd. f durch die Auslautverhärtung und der mhd.
Konsonantenschwächung behält die Auslautverhärtung die Oberhand:

---

1 vgl. auch das kontextorientierte Anlautgesetz Notkers
2 s. frühahd. Spirantenschwächung oben III
3 s. auch k-ch Wandel in der 2.LV

ahd. *hof/hofes* - mhd. *hof/hoves*

ahd. *sehan* - mhd. *sehen/sên* (mdt., vgl. auch *sêon*, as.)

Mit der Akzentsteigerung vor der 1.LV ging eine teilweise Fortisierung (Reduzierung der Stimmhaftigkeit) einher (b, d, g > p, t, k). Ihr folgte eine akzent- und stellungsbedingte Lenisierung (f, þ, h > ƀ, đ, ǥ, vgl. auch Verners Gesetz).

Ebenso folgte auf die Phase der Akzentsteigerung vor der 2.LV eine solche verminderten Sprechdrucks, welche auch hier zu einer Lenisierung im Inlaut führte.

Wird zum Nhd. hin wieder ausgeglichen, zunächst wohl in der Schrift durch Systemausgleich, konnte dann auch auf die Lautung zurückwirken.

3. K o n s o n a n t e n a u s f a l l

a) Ausfall von h zwischen Vokalen (mit Vokal-Kontraktion)
   ahd. *fâhan* - mhd. *vâhan*[1]*/vân*

b) Ausfall von intervokalischen Mediae (b, d, g)
   (mit Kontraktion der Vokale zu <u>Langvokal</u> oder <u>Diphthong</u>)

   -ibi- > î: *gibit - gît*

   -idi- > î: *quidit - quît*[2]

   -igi- > î: *ligit - lît, bijihte/bigihte - bîhte*[3]

   -abe- > â: *haben - hân*

   -ade- > â: *lâdet - lât*
             (Analogiebildung: *lâzen - lân*)

   -egi- > ei: *legit - leit, getregidi - getreide*[4]

   -age- > ei: (vor t, st; v.a. bair.) *maget - meit*
               ahd. *sagêt* - mhd. *seit*

   In der nhd. Schriftsprache durch Systemausgleich beseitigt.

---

1 zu f > v s. oben 2b
2 zu *quedan* sagen
3 Beichte, zu *jehan* bekennen
4 zu tragen

4. V e r e i n f a c h u n g von Konsonantenhäufungen
   (gelegentlich Assimilationen)

   a) v.a. durch <u>Ausfall von t</u> zwischen Konsonanten:

      <u>mhd.</u> *lustsam/lussam* lieblich
             truhtsaeze/truhsaeze Truchseß[1]

   b) durch (totale) <u>Dissimilation</u>

      <u>mhd.</u> *körder/köder; einlant/eilant*
             wîchnaht/wînaht[2]

             küning/künec (Endsilbenreduktion)

5. D i s s i m i l a t i o n e n (v.a. bei Liquiden
                                      und Nasalen)

   <u>mhd.</u> *kliuwel/kniuwel* Knäuel

       mûrbere/mûlbere Maulbeere (Volksetymologie)
       (lat. *morum*)

       marmer/marmel   noch in Marmelstein
       (lat. *marmor*)

       kirche/kilche   noch in Ortsnamen: Kilchberg

6. M h d. r - S c h w u n d in einsilbigen Partikeln
                                              (11.Jh.)
   <u>mhd.</u> *êr > ê* ehe; *sâr > sâ* bald

V Vom M h d. zum N h d.

   In dieser Phase treten erstmals neben <u>Lautänderungen</u>
   (A) auch <u>Schreibänderungen</u> (B) auf, welche nicht auf
   einem Lautwandel beruhen, sondern aus Systematisierungen, aus gewissen Eigengesetzlichkeiten der Schreibung resultieren (die dann auch wieder in die Aussprache zurückwirken können).

   A L a u t ä n d e r u n g e n

      1. Mhd. D e n t a l w a n d e l
         erfaßt die dentale Artikulationsposition, welche
         auch in der 2.LV am stärksten betroffen war:
         ṡ   <germ. ṡ, halbbreite postdentale Spirans[3]
         s(ʒ)<germ. t, schmale dentale Spirans
         t   <germ. d, dentaler Verschlußlaut

---

1 *truht* zu tragen, *saeze* zu setzen
2 Weihnacht, zu *wîch* heilig
3 Die übliche, scheinbar historische Aussprache des mhd. s,
  z.B. in *s-tein* (wie etwa hamburgisch S-tein) ist ein
  unhistorischer philologischer Usus.

a) <u>s-Wandel</u>

I <u>mhd. ṡ > nhd. š(sch)</u>

Die mhd. postdentale (halbbreite) Spirans ṡ wird in
bestimmten Konsonantenverbindungen zur palatalen
(breiten) Spirans sch (š), die allerdings nicht immer
in der Schrift wiedergegeben wird.

Diese Entwicklung beginnt im 13. Jh. im dt. Südwesten;
deshalb geht in diesem Sprachgebiet die weitere Entwicklung auch über den Standard der nhd. Schriftsprache hinaus.

Vgl. z.B. schwäb. sch auch im In- und Auslaut vor
Konsonanten: bischt (bist) - Fenschter (Fenster)

1) <u>s > sch in Lautung u n d Schreibung</u>

- im Anlaut in Verbindung mit l, m, n, w:

sl, sm, sn, sw > schl, schm, schn, schw

slange[1] - Schlange, *smal* - schmal

snê - Schnee, *swîgen* - schweigen

Dieser neue Laut sch fällt schließlich mit dem
alten sch aus ahd. sk (s. oben IV 2) zusammen:
ahd. *skôni* - mhd. *schoene* - nhd. schön

- im <u>Inlaut</u> und <u>Auslaut nach r</u>

hêrsen - herrschen, *kirse* - Kirsche,
hirz - Hirsch (aber: mhd. *hirse* - nhd. Hirse)
burse - Bursche (aber: Börse < ndt. *beurs*, 16.Jh.)

- gelegentlich <u>vor und nach t</u>

jest - Gischt, *zwitzern* - zwitschern
(vgl. engl. to twitter)

2) <u>s > sch n u r in der Lautung</u>

mhd. sp, st > nhd. sp, st (<u>gespr</u>.: schp, scht)

spil - Spiel, *stein* - Stein

Diese Veränderung unterbleibt im nordwestdt. Sprachgebiet.

Sie trat wohl später als die anderen s-Wandlungen
ein, deshalb kein Niederschlag in der Schreibung.

---

1 Schon um 1300 findet sich z.B. in der Weingartner LH
die Schreibung *schlaich* (Walther von der Vogelweide,
B 108)

II __mhd. ṡ > nhd. s(ʒ)__

    Die mhd. postdentale (halbbreite) Spirans ṡ wird
zwischen Vokalen und im Auslaut nach Vokal zur
dentalen schmalen Spirans s und fällt in der Artikulationsart mit der aus germ. t in der 2.LV
entstandenen Spirans ʒ zusammen.

rôse - Rose

saz[1] (< germ. +*sat*) - saß (ß im Auslaut nach
                    langem Vokal)

ros - Roß (ß-Schreibung nach kurzem Vokal, wenn
           in flektierten Formen Doppel-s
           steht: Rosse)

Unterschiedlich kann dabei der Stimmton in der
Aussprache werden:

Im Norddt. (im Anlaut und zwischen Vokalen, im
Auslaut nach langen Vokalen): s t i m m h a f t

Im Süddt.: durchweg s t i m m l o s

Bis zur mhd. Zeit (13.Jh.) waren die zwei s-Laute
genetisch bedingt:
ṡ = germ. Herkunft
ʒ = entstanden in der 2.LV aus germ. t

Der mhd. s-Wandel führt dagegen seit dem 13. Jh.
zu einer nicht mehr herkunftsbestimmten Lautung,
sondern zu einer artikulatorischen Umschichtung
je nach der Stellung der s-Laute im Wort.

b) __Mhd. t vor w > nhd. zw oder qu__

    Mhd. tw entwickelt sich regional in zwei ver-
schiedenen Artikulationsrichtungen, wobei beide
Resultate in die Schriftsprache gelangen konnten.

                oberdt. zw (dentale Affrikata + Labial
                          wie in 2.LV)
tw
                mitteldt. qu (velarer Verschlußlaut + La-
                          bial)

twingen - zwingen (oberdt.)
           über-zwerch, Zwerchfell (oberdt.)
twerch
          quer (mitteldt.)
twalm - Qualm (mitteldt.)

Vgl. auch spätmhd. *zwetsch(g)e* - nhd. Zwetschge,
    aber regionale Nbf. Quetsche (rheinfränk.)

---

1 annähernd wie 'schaß' gesprochen

2. Mhd. h - L a u t - W a n d e l

a) <u>mhd. h schwindet zwischen Vokalen</u>

(bleibt aber als graphisches Längezeichen erhalten, vgl. § 9 D)

stahel (kurzer Tonsilbenvokal) - Stahl
sehen/sên (mdt.) - sehen

b) <u>mhd. h schwindet nach r und l</u>

(in der Schrift als Längezeichen vorangestellt: graphische Metathese)

bevelhen - befehlen, *vorhe* - Föhre
(aber oberdt. Forche)

c) <u>mhd. ht wird nhd. cht vor t</u>

(verstärkte Spirans oder nur graphischer Wandel?)

naht - Nacht

d) <u>Übergang in Verschlußlaut k vor s</u>:

mhd. hs > nhd. chs (gespr. ks)

sehs - sechs, *wahsen* - wachsen

e) Die <u>gutturale Spirans</u> (ach-Laut) wird nach palatalem Vokal (i, e) <u>zur palatalen</u> Spirans (ich-Laut)

ich - Becher, aber: machen (vgl. auch gutturales
schweizerdt. ch)

Im Spätmittelalter setzt sich von der in der 2.LV entstandenen ch-Linie (Benrather Linie) im westdt. Raum eine zweite Linie ab: die sog. nördliche <u>Ürdinger Linie</u>[1] (welche die Artikulation von ik und ich trennt). Bei der südlichen Benrather Linie verbleibt die Scheidung von ak und ach.

3. Mhd. H a l b v o k a l - E n t w i c k l u n g e n

a) <u>Halbvokal-Wandel</u>

1) <u>Konsonantisierung von w und j</u>: werden zu Verschlußlauten nach l und r

(unterbleibt aber in fränk. Mundarten)

<u>mhd. w > nhd. b</u>: *gelwe varwe* - gelbe Farbe
vgl. aber oberdt. gehl

---

1 diese Linie überquert den Rhein bei Ürdingen, einem
Stadtteil von Krefeld

mhd. j > nhd. g: *verje* - Ferge[1]
kevja/ kevige[1] - Käfig

2) Vokalisierung von w zu u nach langem Vokal
brâwen (Pl. zu *brâ*) - Brauen[2]

b) Halbvokal-Ausfall

1) w schwindet nach u (im Zus.hang mit der nhd.
Diphthongierung, s. § 15 V 1)

bûwen - bauen, *frouwe* - Frau
aber: *êwig* - ewig, *lewe* - Löwe (Nbf. Leu)

2) j schwindet intervokalisch

saejen - säen
aber: spätmhd. *boje* - nhd. Boje

4. M e d i a - T e n u i s - S c h w a n k u n g e n
(Lenis-Fortis-Schwankungen)

a) mhd. t > nhd. d

tâht - Docht, *tump* - dumm, *tunkel* - dunkel,
tam - Damm, *tîch* - Deich (niederdt. Einfluß?)

Analogiebildungen bei Lehnwörtern:

tihten - dichten (zu lat. *dictare*)
tuom - Dom (zu lat. *domus*)
aber: *tanzen* (aus frz. *danser*) - tanzen

b) mhd. d > nhd. t, oft nach n, l, r (Dissimilation?)
dûsent (Nbf. *tûsent*) - tausend,
hinden - hinten, *under* - unter (ahd. *untar*)
(der) sibende - siebente (Analogie zu 'achte')

c) mhd. b/p > nhd. p

bes. bei Lehnwörtern aus dem Lat. und aus roman.
Sprachen

bolster/polster - Polster
bech/pech - Pech (lat. *pix*)
bilgerin/pilgerin - Pilgrim (lat. *peregrinus*)
enbore - empor

d) mhd. v > nhd. f (Lenis-Fortis-Wandel)

varn - fahren, *kevje* - Käfig

---

1 Sproßvokal mit Endungsanalogie
2 trifft mit der nhd. Diphthongierung zusammen, s. § 15 V 1

5. Veränderungen im W o r t - und S i l b e n -
   a u s l a u t

Auch diese Veränderungen sind Hinweise auf eine
generelle Artikulationsänderung: vgl. auch die
heutigen Schwierigkeiten eines Romanen mit der dt.
Auslaut-Artikulation.

a) <u>Konsonantenzuwachs</u> (t, n) <u>im Wortauslaut</u>,
   S t ü t z k o n s o n a n t :

   t: nach Spirans (s, ch, f), Nasal (n) und zwi-
      schen l und z:

   obez - Obs<u>t</u>, *habech* - Habich<u>t</u>, *saf/saft* - Saf<u>t</u>

   nieman - nieman<u>d</u>

   belliz - Pel<u>z</u>, *bülez* - Pil<u>z</u> (z gespr. <u>tz</u>: statt
   s Affrikata im Auslaut bei Synkopierung des
   Endsilbenvokals)

   n: vgl. *alwaere* - alber<u>n</u> (w > b s. oben 3a)

      nû - nu<u>n</u> (aber: im Nu)

b) <u>Konsonantenzuwachs</u> (d/t) <u>im Silbenauslaut</u> nach
   Nasal: S p r o ß k o n s o n a n t

   eigen-lich - eigen<u>t</u>lich, *offen-lich* - öffen<u>t</u>lich
   spinnel - Spin<u>d</u>el
   enzwei[1] - en<u>t</u>zwei (Präfix en- fällt dadurch mit
                   dem mhd. Präfix ent- zusammen)

c) <u>spätmhd. Verschlußlautwandel im Auslaut</u>
   manic/manec - man<u>ch</u> (mit Synkopierung der Endsilbe)
   künec - König (gespr. ch, aber Könige: Verschlußlaut)

6. A n a l o g i e b i l d u n g e n (Normierungen,
   Systemausgleich)

a) <u>Grammatischer Wechsel</u> wird in Lautung u. Schrift
   (unsystematisch) <u>ausgeglichen</u>
   mhd. *was, waren* - nhd. wa<u>r</u>, waren
   mhd. *ziehen, zôch, zugen, gezogen* -
              nhd. ziehen, zo<u>g</u>, z<u>o</u>gen, gezogen

---

1 aus 'in zwei (Stücke)'

b) <u>Ausfall von t in 3.Pl.Ind. Präs.</u>

   si werdent – sie werden (Analogie zur 1.Pl.)
   aber: schwäb. se ganget

c) <u>Ausgleich des mhd. Spirantenwechsels</u> (oben IV 1)

   sach, sehen – sa<u>h</u>, sehen; *hof, hoves* – Hof, Ho<u>f</u>es

7. A s s i m i l a t i o n e n   (bes. bei Nasalen)

a) totale Assimilation:

   kamb – Kamm, *ambet* – Amt,
   hôchvart – Hoffart (nach voraufgegangener Forti-
                         sierung des v, s.oben 4 d)

b) partielle Assimilation

   enbore – empor (s. 4c), *wintbrâ* – Wimper
   singen (n–g) – singen (ŋ)
   anebôz – Amboß (Synkopierung des Zwischenvokals)

B S c h r e i b ä n d e r u n g e n

a) <u>Beseitigung der mhd. Auslautverhärtung</u> in Analogie zu flektierten Formen (z.T. schon im Mhd.)

   leit, leides – Leid, Leides
   tac, tages – Ta<u>g</u>, Tages

b) <u>Doppelschreibung</u> im Auslaut und vor Konsonant

   man, mannes – Ma<u>nn</u>, Mannes
   brennen, brante – brennen, bra<u>nn</u>te

c) <u>Graphische Konsonantenverdoppelung</u> zur Kennzeichnung von kurzem Haupttonvokal

   biten – bi<u>tt</u>en, *komen* – ko<u>mm</u>en

d) <u>Nicht systematisiert</u> wird die Schreibung von
   <u>labiodentaler Spirans</u> am Wortanfang:

   varn – <u>f</u>ahren, aber: *vater* – <u>V</u>ater (Aussprache
                                            identisch)

§ 18 Endsilbenentwicklung und Auslautgesetze

Akzentbedingter Lautwandel in unbetonten Endsilben

Bei diesen Entwicklungen zeigt sich, gerade im Vergleich mit dem Lautwandel in Haupttonsilben, welche Bedeutung der Akzent und die Stellung eines Lautes im Wort für die lautlichen Veränderungen haben:

Unter anderen Akzentbedingungen ergeben sich auch andere Tendenzen des Lautwandels

I K o n s o n a n t e n

A Vom I d g. zum W e s t g e r m.

1. **Nasale:** idg. auslautendes m > germ. n

   idg. +*deikonom* - germ. +*tîhanan* zeihen

   Weiterentwicklung nach unbetontem Vokal:

   n schwindet nach Nasalierung des vorhergehenden Vokals:

germ.	wgerm.	ahd.	
+*tîhanan*/+*tihanã*	+*tîhan*	*zîhan*	zeihen

   bleibt aber erhalten in **einsilbigen Wörtern** nach kurzem Vokal

idg.	germ.	(got.)	ahd.	
+*q%om*	+*huam*/*huan*	(*hwan*)	(*hwanne*)	wann?

2. **Dentale** (Verschlußlaute und Spiranten) **schwinden** auslautend nach unbetontem Vokal

idg.	germ.	(got.)	ahd.	
+*nem-ci-t* (3.Sg.Opt.Präs.)	+*nemaið*/*nemai*	(*nimai*)	*neme* (er) nehme	
+*nēm-nt* (3.Pl.Ind.Prät.)	+*nêmunð*/*nêmun*	(*nêmun*)	*nâmun* (sie) nahmen	

   bleiben erhalten:

   - in germ. einsilbigen Wörtern

idg.	germ.	ahd.	
+*kᵏod* (lat. *quod*)	+*hwat*	*hwaz*	was?
+*u̯osa*	+*was(a)*	*was*	war

   - in ursprünglicher Paenultima (vorletzter Silbe)

germ.	wgerm.	ahd.	
+*daǥaza* (Gen.Sg.)	+*daǥaz*	*tagas*/*tages*	(des) Tages

B Vom W e s t g e r m . zum A h d .

1. z schwindet auslautend

germ.   wgerm.   (got.)   ahd.

+daɣaz *+daɣ(z)* *(dags)* *tag* Tag

bleibt aber erhalten in einsilbigen Wörtern, in
denen s > r geworden ist (westgerm. Rhotazismus)

germ. *+ez* (got. *is*) ahd. *er/ir* er

2. Endsilbe -jan > -en (Kontaktassimilation)

wgerm.   (got.)   ahd.

+hôrjan *(hausjan)* *hôren* hören

3. Auslautendes w wird vokalisiert zu o oder u

germ.   wgerm.   (got.)   ahd.

+knewan[1] *+knew* *(kniu)* *kneo/knio/kniu* Knie
                                 (Gen. *knewes*)

+snaiwaz *+snaiw* *(snaiws)* *snêo/snio*
                                 (Gen. *snewes*)

Im Mhd. wird o/u > e nach kurzem Tonsilbenvokal,
schwindet nach langem Tonsilbenvokal:

ahd. *knio/kniu*   mhd. *knie*
    snêo   *snê*

C Vom A h d . zum M h d .

Abschwächung der vollen Endsilben- und der Mittel-
silbenvokale, die keinen Nebenton tragen.
(Bei Notker sind schon um 1000 alle kurzen Vokale
in geschlossener Endsilbe und kurzes i im reinen
Auslaut abgeschwächt)

ahd.	mhd.	ahd.	mhd.
geban	*geben*	*enti*	*ende*
lobôn	*loben*	*lobôta*	*lobete*
wârum	*wâren*	*(dia) taga*	*(die) tage*

Ausgenommen sind Ableitungssilben mit Nebenton
                 und die Flexionssilbe -iu
(gelegentlich auch -ôt in 3.Sg.Ind.Präs. u. Part.
                                  Prät.)

ahd.   mhd.

viskâri   *vischaere*
samanunga   *samenunge*
disiu scôniu vrouwa *disiu schoeniu vrouwe*

Zu weiteren Veränderungen in Nebentonsilben vgl.
§ 15 V B 5b

---

[1] zu auslautendem n s. oben A 1

D Vom M h d. zum N h d.

Auslautendes m wird n nach <u>kurzem</u> Haupttonvokal:
<u>mhd.</u> *bese<u>m</u>* - <u>nhd.</u> Bese<u>n</u>, *vade<u>m</u>* - Fade<u>n</u>
aber: <u>mhd.</u> *âtem* - <u>nhd.</u> Atem

II V o k a l e

A Vom G e r m. zum W e s t g e r m.

<u>Grundregel</u>: Vokale in Endsilben werden jeweils
um eine Mora[1] kürzer:
<u>Kürzen</u> (≙ eine Mora) verschwinden
<u>stoßtonige Längen</u> (≙ zwei Moren) werden zu Kürzen
<u>schleiftonige Längen</u> (≙ drei Moren) werden zu ein-
fachen Längen

1. Auslautende Kürzen (germ. a, i, u)

a) a schwindet in Ultima[2] und absolutem Auslaut

<u>germ.</u>	<u>wgerm.</u>	(<u>got.</u>)	<u>ahd.</u>	
+tîhan<u>a</u>(n)	*+tîhan*	*(teihan)*	*zîhan*[3]	zeihen
+þunni<u>a</u>(z)	*+þunni*	–	*dunni*	dünn
+dag<u>az</u>	*+dag(z)*[4]	*(dags)*	*tag*	Tag
+wait<u>a</u>	*+wait*	*(wait)*	*weiz*	(er) weiß

b) u und i <u>schwinden</u> nach (positions- und natur-)
langer Stammsilbe
<u>bleiben erhalten</u> nach kurzer St.silbe

	<u>germ.</u>	<u>wgerm.</u>	(<u>got.</u>)	<u>ahd.</u>	
	+hand<u>uz</u>	*+hand(uz)*	*(handus)*	*hant*	Hand
aber:	*+sunuz*	*+sunu(z)*	*(sunus)*	*sunu*	Sohn
	+gast<u>iz</u>	*+gast(iz)*	*(gasts)*	*gast*	Gast
aber:	*+uiniz*	*+wini(z)*	–	*wini*	Freund

2. <u>Auslautende Längen</u>

Die Entwicklungen vollziehen sich bei den Längen
nicht nur langsamer, die Ergebnisse sind in den
einzelnen germ. Dialekten auch verschieden.

---

1 lat. *mora* Zeitdauer, Verzug, metrische Längeneinheit
2 lat. *ultima* letzte (Silbe)
3 zu auslautendem n: s. oben I A 1
4 zu auslautendem z: s. oben I B 1

a) die einfachen (stoßtonigen) Längen ô, ê₁ (æ)

ô > u im absoluten Auslaut (im Got. > a)

germ.	wgerm.	(got.)	ahd.
+nemô	+nimu	(nima)	nimu (ich)
(1.Sg.Ind.Präs.)			nehme

ô > a im gedeckten Auslaut (nach Wegfall des
                           Nasals; wie got.)

+gebôm	+geba	(giba)	geba Gabe
(Akk.Sg.)			(Akk.u.Nom.Sg.)
+salbôdôm	+salbôda (salbôda)		salbôta
			(ich)salbte

in Paenultima und in funktionsbedingten Positionen bleibt ô bis ins Ahd. erhalten

ê > a (nach Wegfall des Dentals; wie got.)

+salbôdê(đ)	+salbôda (salbôda)	salbôta
(3.Sg.Ind.Prät.)		(er)salbte

b) schleiftonige Länge germ. õ̃ > o

germ.	wgerm.	(got.)	ahd.
+dagõm	+dagô	(dagê)	tago (der) Tage
(Gen.Pl.)			
+hanõm	+hanô	(hana)	hano Hahn
(Nom.Sg.)			

B Vom A h d. zum M h d. werden v.a. bis dahin
vollvokalische Endsilben abgeschwächt, s. § 15 B

C Vom M h d. zum N h d.
Durch die nhd. Schriftsprache wird der im Spät-
Mhd. erreichte Endsilbenbestand auf mitteldt. Ba-
sis normiert und fixiert.

In der Aussprache werden aber die Endsilbenvokale
z.T. noch weiter reduziert. Es entstehen schwa-
Laute oder silbische Nasale oder Liquide: vgl.
nhd. nehmen/nehmən/nehmn̩, Vogel/Vogəl/Vogl̩ .

§ 19 Lautentwicklungen - Zusammenfassung

I Allgemeines

1. In den vor-ahd. Phasen gibt es (abgesehen von den lat. und got. Beispielen) nur erschlossene Lautkonstellationen.

2. Mit Beginn der ahd. Aufzeichnungen differenziert sich das bis dahin relativ einheitliche Bild, da sich auch schon in den ahd. Hss. eine größere Zahl von Schreibvarianten findet, welche auf eine analoge Lautvielfalt hindeuten.
Diese Bezeichnungsfülle vermehrt sich noch in den schriftlichen Zeugnissen der mhd. Zeit, so daß eine Registrierung von Lautentwicklungen in generellen Formationen immer schwieriger wird.

3. Unterschieden werden können in mhd. Zeit:
   a) Änderungen, welche für die nhd. Schriftsprache allgemein verbindlich werden,
   b) solche, welche nur mit bestimmten Wörtern oder Lautkonstellationen in die nhd. Schriftsprache gelangen.

4. Mit der Entstehung der nhd. Schriftsprache endet die genuine germ.-dt. Lautgeschichte. Sie spaltet sich auf

   a) in prinzipiell unterliterarische Entwicklungslinien, welche in die neuzeitlichen Dialekte führen,
   b) in eine literarische Linie, welche auf der Basis ostmitteldt. Lautbildung und ostoberdt. Schriftbilder immer konsequenter auf eine einheitliche nhd. Normsprache zuläuft. Diese systematisierten Schreibformen können teilweise wieder auf die gesprochene Sprache zurückwirken (s. § 9 D).

   Diese nhd. Schriftsprache kann in gewissen Landschaften dialektal gefärbt sein, v.a. bedingt durch eine eventuelle Grundmundart mit einer jeweils eigentümlichen Artikulationsbasis, d.h. einer Grundeinstellung der Sprechorgane, die in der Regel im Kindesalter fixiert wird.

5. Bei einer Gegenüberstellung von mhd. und nhd. Lautformen ergibt sich bisweilen ein nur scheinbarer Lautwandel: Die mhd. Lautformen, welche die textkritischen Ausgaben und die darauf aufbauenden Grammatiken und Lexika beherrschen, basie-

ren in der Regel auf (west-)oberdt. Hss., der nhd. Lautstand
dagegen basiert im wesentlichen auf mitteldt. Lautungen.

6. Bedeutsame Vorstufen der nhd. Schriftsprache bildeten sich
   in den spätmhd. Kanzleien heraus, insbes. in der kursäch-
   sischen Kanzlei und den kaiserlichen Kanzleien in Prag
   (14.Jh.) und Wien (15.Jh.). Von letzterer ging das v.a. im
   Oberdeutschland des 15.Jh.s verbreitete 'gemeine Deutsch'
   aus (Bez. belegt erstmals 1384). Entscheidende Förderung er-
   fuhren die Tendenzen zu einer überregionalen Schriftsprache
   dann durch die Verbreitung der Lutherischen Bibelübersetzung
   im Zuge der Reformation und mit Hilfe des Buchdrucks.

7. In der nhd. Schriftsprache können auf Grund ihrer überregionalen Kompilation gelegentlich Formen verschiedener lautgeo-
   graphischer Herkunft (mit Bedeutungsdifferenzierungen) nebeneinander stehen, vgl. Wappen (ndt.) - Waffen (oberdt.),
   sacht - sanft u.a..

II Die Lautentwicklung im Überblick

A Vokale (§ 15, 16)

Die vokalische Vielfalt des Indogerm. wird im Germ. zunächst
reduziert, dann in der folgenden Entwicklung zum Ahd./Mhd.
hin wieder stärker differenziert, wobei neue Laute (Umlaute)
hinzutreten. Entscheidend wird auf diesem Wege die Konzen-
tration unterschiedlicher Vokalqualitäten auf die Haupttton-
und Nebentonsilben, während in den Endsilben ein unbetontes
e vorherrschend wird.

Vorgerm. Bestand: insgesamt 21 silbenbildende Ele-
                  mente, s. § 13

Germ. Bestand:

Kürzen:	a e i u
Längen:	ê î ô û / später â (< anh)
Diphthonge:	ai au eu
	insgesamt: 11(12) Positionen

Norm-Ahd.:

Kürzen: a e (offen) i o u + Umlaut-e (ge-

Längen: â ê î ô û   schlossen)

Diphthonge: ei   ou   iu/eo/io   uo   ia/ie

   insgesamt: 16 Positionen

Norm-Mhd.:

Schreibvarianten deuten auf eine gesprochene Lautvielfalt hin, die sich nicht mehr ohne Zwang genera-
lisieren läßt.

Kürzen: a ä e i o ö u ü

Längen: â ae ê î ô oe û iu (=$\hat{\text{û}}$)

Diphthonge: ei ou ie öi öu uo üe

   insgesamt: 23 Positionen

Nhd. Standard-Lautstand:

nicht registriert sind Aussprachevarianten

Kürzen: a e i o u / ä ö ü

Längen: ā ē ī ō ū / ǟ ȫ ǖ

Diphthonge: ei/ai   eu/äu   au

   insgesamt: 19 Positionen

B **Konsonanten** (§ 17)

Bei der Konsonantenentwicklung entfallen im Germ. zunächst die
aspirierten Varianten; dagegen wird die Zahl der Spiranten be-
trächtlich vermehrt. Im Ahd. tritt dann als neue Artikulations-
form die Affrikata hinzu.

Vorgerm. Bestand: insgesamt 19(20) Positionen, s. § 13

Germ. Bestand:

Verschlußlaute: p t k

Nasale: m n (ŋ), Liquide: r l, Halbvokale i̯ u̯

Spirans: s (wie im Vor-Germ.)

neue Laute: Spiranten: f þ X ƀ đ q z (stimmhaft)

(es fehlen: aspirierte Verschlußlautvarianten und
                Mediae)

   insgesamt trotz der neuen Laute nur 16(17) Posi-
                                   tionen

Norm-Ahd.:

Verschlußlaute: p t k b d g

Liquide, Nasale, Halbvokale und Spirans s wie im Germ.

neue Laute: Affrikaten: pf ts (kX)

(Doppel)Spiranten: ff hh ʒʒ / f h ʒ

insgesamt: 17(21) Positionen

Dieser Konsonantenbestand bleibt in den prinzipiellen
Artikulationspositionen bis ins Nhd.

C Entwicklung der Endsilben (§ 18)

Die Endsilbenentwicklung führte z.T. zu beträchtlichen Verkür-
zungen der Wörter. Dies konnte nicht ohne Auswirkung auf das
Artikulationsgefüge, auf den Sprechduktus im Ganzen bleiben,
schon weil durch die Wortverkürzungen die Hauptakzente im Satz
in kürzeren Abständen aufeinanderfolgen.

Zwei Beispiele mögen dies nochmals illustrieren:

Idg.	germ.	wgerm.	ahd.	mhd.	nhd.
+pór-onom	+far-anã[1]	+faran[2]	faran	varn[3]	fahren[4]
(Infinitiv)					
+kérd-ōnōm	+hertônôn[5]	+hertôno[6]	herzôno[7]	herzen[8]	(der) Herzen
(Gen.Pl.)					

Wurden Laute für die Verdeutlichung des syntaktischen Bezugssystems nicht mehr gebraucht, schwächten sie ab oder fielen ganz
aus, allerdings erst, nachdem ihre Funktion von anderen Sprachelementen übernommen worden war, z.B. beim Übergang vom synthetischen zum analytischen Sprachbau und der damit verbundenen Umschichtung des gesamten syntaktischen Bezugssystems (vgl. § 10),
wobei funktionale Notwendigkeiten und die Tendenzen zu artikulatorischen Vereinfachungen in einem die Verständigung garantie-
renden Wechselverhältnis stehen.

In Endungssilben mit Nebenton, v.a. wenn sie durch die Reim-
technik gestützt waren, konnten volle Vokale bis ins Mhd. über-
dauern, vgl. z.B. verwandelôt (neben verwandelt) in MF 107,13.

---

1 o > a vgl. § 15 A 1; m > n mit Nasalierung des Vokals: § 18 I A 1;
  p > f : § 17 I A (1.LV)
2 vgl. § 18 II A 1
3 vgl. § 17 III B; ahd. Spirantenabschwächung, § 15 IV B: Endsilbenreduzierung
4 gesprochen fahrn, vgl. § 18 II C: nhd. Systematisierung
5 vgl. § 17 I A (1.LV), § 18 I A 1
6 funktionale Bewahrung des Endsilbenstandes bis ins Ahd.
7 vgl. 2.LV
8 vgl. § 15 IV B: Endsilbenreduzierung

III Zusammenfassung

Lautwandel spielt sich nicht, wie es nach den üblichen sprachgeschichtlichen Darstellungen scheinen könnte, in genau abge-
grenzten Stufen ab. An den ersten schriftlichen Aufzeichnungen
in ahd. Zeit läßt sich beobachten, wie zunächst an bestimmten
koartikulatorisch bedingten Stellen eine neue (noch instabile)
Lautung auftaucht (s. û-Umlaut, ahd. Diphthongierungen), wie
sich dann die neue Lautung mehr und mehr ausbreitet und schließlich in einem bestimmten Lautverband zur Regel wird, sich stabilisiert. Alte und neue Lautungen können noch eine Zeitlang
nebeneinander bestehen: Doppellautungen (z.B. im Endsilbenvoka-
lismus).

Der zunächst offene Übergang von einem Lautstand zum andern
zeigt sich im Variantenreichtum in den Handschriften gerade in
den Anfangsphasen (vgl. die handschriftlichen Notierungen zur
2. LV).

Für die Ausbildung eines neuen Lautes sind psychische und physische Gründe (Antizipation, Assimilation) ausschlaggebend.
Wenn dann ein neuer Laut im System stabilisiert ist, kann er
auch funktional eingesetzt werden (s. Umlaut-Plural, Analogiebildungen).

Der zeitlichen Staffelung entspricht in der Regel eine geogra-
phische (vgl. Ausbreitung der nhd. Diphthongierung).

Formengeschichte

Die sprachgeschichtliche Entwicklung der Formen läuft in allen idg. Sprachen in unterschiedlichen Ausprägungen und Graden auf eine Vereinfachung und Vereintheitlichung des Flexionssystems zu.

§ 20 Das Verbum

Die lat. Bedeutung von *verbum* 'Wort' verweist auf die grundlegende Bedeutung dieser Sprachkategorie. Erscheint in spätlat. Übersetzungen für griech. *logos*.

Im idg. Verbsystem sind zwei Verbkategorien und fünf Konjugationskategorien zu unterscheiden.

I Verbkategorien

1. konjugierbare[1], finite[2] Verbformen

definiert durch Person, Numerus, Modus, Tempus, Genus
(s. II)

2. deklinierbare[3], infinite[4] Verbformen:

Verbalnomina (Nominalformen)

a) Verbaladjektive (dekliniert wie Adjektive):

Part. Präs.   (lat. *laudans* – dt. lobend)
Part. Perf./Prät. (lat. *laudatus* – dt. gelobt)

b) Verbalsubstantive (dekliniert wie starke Substantive)

substantivierter Infinitiv (das Lesen)

II Konjugationskategorien

Am Beginn der literarisch erfaßbaren Sprachgeschichte waren die Formen des Verbums weitaus stärker differenziert als in den neuzeitlichen Folgesprachen. Dies erklärt sich u.a. damit, daß bei der gegebenen synthetischen Sprachstruktur die einzelnen Konjugationsformen (mit zum Teil konkreten Bedeutungen) in Endungen ausgedrückt wurden. Mit zunehmender Abstrahierung und dem Übergang von synthetischer zu analytischer Formstruktur

---

1 lat. *coniugare* verbinden, verknüpfen (mit den entsprechenden Kategorien Person, Numerus etc.)
2 lat. *finire* begrenzen, definieren
3 lat. *declinare* abweichen (vom Nominativ)
4 lat. *infinitus* unbestimmt, nicht (durch Angaben zur Person etc.) bestimmt

nahm der Funktions- und Formen-Synkretismus[1], das Zusammenfallen ursprünglich verschiedener Formen, immer mehr zu.

Bei den konjugierten Verbformen werden folgende Kategorien
unterschieden: 1. Person, 2. Numerus (Zahl), 3. Modus (Art und
Weise), 4. Genus (Verbgeschlecht), 5. Tempus

1. Person

Unterschieden werden 3 Personen:

a) der Sprechende: ich (Pl.: wir)
b) der Angesprochene: du (Pl.: ihr)
c) der (oder das) Besprochene: er, sie, es (Pl.: sie)

2. Numerus

Es gibt 2 (3) Numeri:

a) Singular[2] (Einzahl): er trägt

b) Plural[3] (Mehrzahl): sie tragen

(c) Dual[3] (Zweizahl): wir, ihr, sie beide

Auf älteren Sprachstufen noch eigener Numerus für eine
natürliche Zweiheit (Eltern, Paar), vgl.

im Griechischen: 2., 3. Pers. Dualis, z.B. im
  Ind. Präs.: *pher-eton* $\left\{\begin{array}{l}\text{ihr beide fahrt}\\\text{sie beide fahren}\end{array}\right.$

im Gotischen sind erhalten: 1., 2. Ind. u. Opt. Präs.
                          und 2. Imperativ, vgl.

1. Dual Ind. Präs.: *nimôs* wir beide nehmen
2. "   "   "   : *nimats* ihr beide nehmt

dagegen:

1. Pl. Ind. Präs.: *niman* wir nehmen
2. "   "   "   : *nimiþ* ihr nehmt

Lautliche (nicht mehr formal als Dual gebrauchte)
Reste des germ. Dual sind noch in zwei Pronomen des
heutigen Bairisch erhalten:

ös = Ihr (2. Nom. Pl.), entspricht lautgeschichtlich
       dem got. Pronomen +*jut* (t > s: 2. LV)

enk = Euch (2. Dat./Akk. Pl.), entspricht lautge-
        schichtlich dem got. Pronomen *igqis*
        (gq = nk)

---

1 griech./lat. *syncretio* Zusammenwachsen
2 lat. *singularis* einzeln
3 Analogiebildung als grammatische Bezeichnung zu *singularis*,
  nach lat. *plus, pluris* mehr, ebenso Dual(is) 'je zwei' nach
  lat. *duo* zwei

3. Modus

A Im Indogermanischen bestanden fünf Modi:

a) Indikativ[1]

Modus einer neutralen Aussageweise: ich gehe

b) Konjunktiv[2]

bringt (nicht-reale) Vorstellungen, Gedanken mit dem
Subjekt in Verbindung:
ich will (soll, kann) gehen

c) Optativ[3]

Ausdruck des Wunsches oder der Möglichkeit:
ich möchte (könnte) gehen

d) Imperativ[4]

Ausdruck des Befehls: gehe!

e) Injunktiv[5] (auch Prohibitus)

Ausdruck des Verbotes: ich soll nicht gehen

B Im Germanischen (und im Lateinischen) sind davon drei
Formen erhalten

a) Indikativ als Wirklichkeitsform

b) Konjunktiv/ Optativ

in einer der beiden modalen Wortformen fielen die
Aussageweisen von Konjunktiv, Optativ und teilweise
des Injunktivs zusammen: Im Germanischen war dies
der Form nach der Optativ.

c) Imperativ als Befehlsform

im Got. noch zwei eigenständige synthetische Formen:
2. Sg.: *nim!*
3. Sg.: *nimadau!*
(2. Dual und 1., 2. Pl. mit den Indikativformen gleichlautend)

im Ahd. nur noch eine eigenständige Form:
2. Sg.: *nim!*
(die anderen Formen lauten - wie dann auch
im Nhd. - wie die des Indikativ Präsens).

---

1 eigentlich lat. *mòdus indicativus*, zu *indicare* anzeigen;
dieselbe Begriffsbildung bei den anderen Modi
2 lat. *coniugare* in Verbindung bringen
3 lat. *optare* wählen, wünschen
4 lat. *imperare* befehlen
5 lat. *in-iungere* anfügen, auferlegen

4. Tempus

Ursprünglich wurden nicht Tempusstufen bezeichnet, sondern Aktionsarten: formale Kategorien nach temporalen Aspekten, z.B.

durativ[1]   (dauernde Handlung)
imperfektiv[2]   (unvollendete Handlung)
inchoativ[3]   (beginnende Handlung)
perfektiv[4]   (abgeschlossene Handlung)

Darauf baute (durch einen Abstraktionsakt) das Tempussystem im Indogermanischen auf

A   Das Lateinische z.B. unterscheidet noch folgende synthetische Tempusstufen:

- mit durativem Aspekt und Präsensstamm (*lauda-*)

a) Präsens[5]

gegenwärtige Handlung im Verlauf:
lauda-t (er lobt)

b) Imperfekt

nicht abgeschlossene Handlung in der Vergangenheit:
lauda-ba-t (er lobte)

c) Futur[6]

Handlung in der Zukunft:
lauda-bi-t (er wird loben)

- mit perfektivem Aspekt und Perfektstamm (*laudav-*)

d) Perfekt

in die Gegenwart reichende abgeschlossene Handlung:
laudav-it (er hat gelobt)

e) Plusquamperfekt[7]

in der Vergangenheit abgeschlossene Handlung:
laudav-erat (er hatte gelobt)

---

1 lat. *durare* dauern
2 lat. *imperfectus* unvollendet
3 lat. *incohare* anfangen
4 lat. *perfectus* vollkommen
5 lat. *praesentis* gegenwärtig
6 lat. *futurus* künftig, zu *fore* werden
7 lat. *plus quam* mehr als

Im Griechischen gab es außerdem noch eine erzählende Zeit-
form zur Darstellung punktueller Aktionen in einer unbe-
stimmten Vergangenheit, den

f) Aorist[1]

Er ist im Lat. nicht (mehr) als synthetische Form vertreten,

vgl. aber das historische Perfekt

im Franz. (passé simple): *il chanta*
(aber: Imperfekt   : *il chantait* } er sang
im Italien. (passato remoto): *cantò*
(aber: Imperfekt   : *cantava*

Die Bildung der Tempusformen erfolgt grundsätzlich mit drei
Komponenten:

1. Ablaut: (Wurzelflexion, vgl. germ. Verbsystem)

2. Prä-, In- und Suffixe (Suffixflexion: vgl. v.a. das lat.
                          Verbsystem)
3. Reduplikation

Diese drei Bildungsweisen können gemischt auftreten
(s. Kap. V und VI):

B Das germanische Verbsystem ist durch folgende Besonderheiten
   geprägt:

   - Es kennt nur noch z w e i synthetisch gebildete Tempus-
     stufen (im Aktiv), alle anderen Stufen werden durch Um-
     schreibung analytisch gebildet (s. C): sog. Z w e i -
     t e m p u s - S y s t e m :

   a) Präsens

   b) Präteritum[2]

      in dieser einzigen synthetischen Vergangenheitsform sind
      im Germanischen die lat. synthetischen Vergangenheits-
      formen Imperfekt und Perfekt vertreten:

      Vgl. die ahd. Übersetzungen lat. Vergangenheitsstufen:

      lat. *cogitabat*   (er dachte, 3. Sg. Ind. Imperfekt)
      ahd. *tâhta*   (er dachte, Präteritum)

      lat. *dixit*   (er hat gesagt, 3. Sg. Ind. Perfekt)
      ahd. *quad*   (er sagte - ebenfalls Präteritum!)

---

1 griech. *aoristos* nicht abgegrenzt
2 lat. *praeter-ire* vergehen

- Durch Ableitung aus den sog. starken Verben wird eine neue Verbkategorie gebildet, die sog. schwachen oder Sekundär- verben (s. VII).

- Starke und schwache Verben unterscheiden sich prinzipiell durch die Bildung des Präteritums, so daß im Germ. zwei verbale Flexionssysteme nebeneinander bestehen: Präteritalformen

starke Verben durch Ablaut (Wurzelflexion)
wir singen - wir sangen

schwache Verben v.a. durch Dentalsuffix (Suffixflexion)
wir loben - wir lob-ten

C Analytisch gebildete Tempusstufen im Germanischen

a) Perfekt

Umschreibung mit Präsensformen von sein/ haben + Part. Prät.
(vgl. dazu auch Wendungen wie *ich kam gegangen*
Wa 39,20: Part. Prät. hier nicht Verbaladjektiv)

- Umschreibung mit sein bei:

intransitiven Verben: ich bin gegangen

- Umschreibung mit haben bei:

transitiven Verben: *ich hân... wol gesprochen* (Wa 40,19)

reflexiven Verben: er hat sich gefreut

intransitiven Verben mit durativer Aktionsart: er hat
geschlafen

b) Plusquamperfekt

Umschreibung mit Präteritumsformen von sein/ haben
+ Part. Prät. analog zum Perfekt

ich hete in mîne hant gesmogen (Wa 8,7)
(ich hatte ... geschmiegt)

Im Ahd. und Mhd. außerdem oft Kennzeichnung durch Per- fektiv-Präfix ge- (*gi-, ga-*) bei Präteritalformen (*ge-* zeigt eine abgeschlossene Handlung an, s. auch seine Ver- wendung im Part. Prät.):

lat.: *qui cum audissent regem*
ahd.: *tho si gihôrtun den cuning* (Tatian)
(als sie den König gehört hatten)

mhd.: *des âbendes dô si gâzen* (Hartmann, Erec 4614)
(... als sie gegessen hatten)

c) <u>Futur</u>

Wie beim Passiv (s. 5c) zunächst unterschiedliche Versuche, lat. synthetische Futurformen im Ahd. wiederzugeben, z.B. einfach

- durch Präsens

    lat. *vocabis* (du wirst nennen; 2. Sg. Ind. Fut.)
    ahd. *thû nemnis* (du nennst - Präsens)

    lat. *invenietis* (ihr werdet finden; 2. Pl. Fut.)
    ahd. *ir findet* (Präsens)

Vereinzelte Ansätze zur genaueren Futurkennzeichnung:

- durch Adverbien

    lat. *ero ei cui loquor barbarus* (ich werde sein...)
    ahd. *ih <u>bin imo danne</u> elidiutic* (Monseer/Fragment)
    (ich <u>bin</u> <u>dann</u> der, der mit ihm spricht)

    so auch noch im Nhd. möglich (mit Zeitadverb):
    er kommt morgen

- durch Modalverben

    <u>sollen</u> (ahd. *sculan*, mhd. *soln*, engl. shall)

    lat. *regnabit rex* (der König wird regieren)
    ahd. *ir chunic <u>scal</u> dhanne rihhison* (Isidor)

    mhd. *got <u>sol</u> uns helfe erzeigen* (Wa 77,1)
    (Gott <u>wird</u> uns Hilfe erweisen)

    <u>wollen</u> (ahd./mhd. *wellen*, engl. will)

    mhd. *du <u>wilt</u> von ir grôzen scaden gewinnen* (Kaiser-
    (du <u>wirst</u> ...)   chronik)

    uns <u>wil</u> schiere wol gelingen (Wa 51,21)
    (wir <u>werden</u> bald Erfolg haben)

    <u>werden</u>

diese heutige Futur-Umschreibung wird erst im 13. Jh.
üblich: Einer der ersten Belege um 1270:

    Ich weiz wol, daz diu guote <u>wirt</u> zürnen
                               (Frauenlist)

Eine psychologische Erklärung für die späte Ausbildung
des Futurs liegt wohl darin, daß es eine Abstraktion der
Gegenwart voraussetzt, auch eine bewußte Konfrontation
mit Ungewissem.

5. Genus

In der idg. Grundsprache werden nur zwei Genera Verbi (Verbgeschlechter) vermutet:

a) Aktiv[1]

   bezeichnet eine Tätigkeit des Subjekts, vom Subjekt veranlaßt: ich male, er läßt malen

b) Medium[2]

   bezeichnet eine Handlung oder einen Zustand im Umkreis des Subjekts oder rückbezogen auf das Subjekt (medium reflexivum): es geht (mir gut), es macht sich (gut)

Mutmaßlich entwickelte sich erst in den idg. Einzelsprachen - in jeweils verschiedener Weise - ein weiteres Verbgeschlecht:

c) Passiv[3]

   bezeichnet ein das Subjekt betreffendes Geschehen:
   ich werde gelobt.
   Es findet sich:

   im Griechischen nur in Ansätzen

   im Lateinischen dagegen als synthetische Form voll ausgebildet: *laudatur* (er wird gelobt)

   im Germanischen erst in historischer Zeit, evtl. im Anschluß an das Lat., entwickelt:

   - im Gotischen in synthetischer Form nur im Präsens erhalten:

        baírada (ich werde getragen)

     wohl ursprüngliches Medium, das in passiver Bedeutung eingesetzt wurde, auch: Medio-Passiv

   - im Althochdeutschen: in Übertragungen aus dem Lat. sind unterschiedliche Versuche belegt, das lat. synthetische Passiv wiederzugeben (z.B. bei Isidor), und zwar durch:
     Umsetzung ins Aktiv

     lat. *dicitur* (es wird gesagt: 3. Ind. Präs. Pass.)
     ahd. *quhidit* (er sagt - Aktiv)

     lat. *queritur* (es wird gefragt)
     ahd. *suohhant* (sie suchen - Aktiv)

---

1 lat. *actio* Tätigkeit
2 lat. *medius* in der Mitte (stehend)
3 lat. *passio* Leiden

Umschreibungen mit dem Part. Prät.

lat. *vocatur*   (er wird genannt)
ahd. *ist gi-nemnit* (er <u>ist</u> genannt)

lat. *nascetur*
ahd. *giboran wirdit*

Seit dem Mhd. werden diese Umschreibungen üblich:

- mit <u>sein</u> (Zustandspassiv)
  <u>du bist beslozzen</u> (MF 12,17)

- mit <u>werden</u> (Vorgangspassiv)
  <u>dem wirt ze jungest gegeben</u> (MF 29,2)

III Kennzeichnungen der T e m p u s f o r m e n

Die unter II 4 aufgeführten Elemente Ablaut, Affixe, Reduplikation werden zur Kennzeichnung der Tempusformen in den einzelnen Sprachen unterschiedlich eingesetzt:

im <u>Lateinischen</u> z.B. überwiegen Suffixe; daneben auch Reduplikation, seltener (quantitativer) Ablaut.

im <u>Germanischen</u> werden für das Tempussystem der <u>starken Verben</u>
v.a. die idg. Ablautstufen eingesetzt. Dies führt zu 6 bzw. 7
Verbklassen (s. V) mit Wurzelflexion (Abwandlung der Wortwurzel).

Im Unterschied dazu werden die sog. schwachen Verben durch
Suffix-Flexion (Ergänzung der Wortwurzel) gebildet.

Neben dem Hauptkennzeichen der starken Verben (Ablaut) finden
sich noch eine Reihe weiterer Formantien[1], zum Teil pleo-
nastische Doppelmarkierungen, die im Laufe der Entwicklung
mehr und mehr hinter dem Hauptkennzeichen zurücktreten.

Diese Formantien finden sich in derselben Funktion auch im
Lateinischen.

1. <u>Zusätzliche Präsenskennzeichnungen</u> durch

   a) j-Suffix

      germ. Verben mit dieser zusätzlichen Präsenskenn-
      zeichnung werden als j - P r ä s e n t i e n be-
      zeichnet

      <u>j-Präsentien im Ahd.:</u>

      erhalten noch 10 Verben in Kl. I, V, VI und VII. Das
      Suffix j ist in der Regel geschwunden, jedoch noch
      erkennbar an den konsonantischen und vokalischen

---

1 lat. *formans*, Part. Präs. zu *formare* bilden, hervorbringen

Veränderungen (Gemination, Umlaut), vgl. z.B. aus

Kl. V: ahd. *bitten*   (< germ. *+bid-jan*)
       liggen   (< germ. *+lig-jan*)
       sitzen   (< germ. *+set-jan*)

Das nur im Präs. auftretende und Gemination bewirkende j-Suffix erklärt auch den Unterschied zwischen der Affrikata im Präs. (*sitzen* - *sitzu*) und der entsprechenden Spirans im Prät. (*saz*).

Kl. VI: ahd. *swerien*   (< germ. *+swar-jan*) schwören
        skephen   (< germ. *+skap-jan*) schöpfen
        heffen   (< germ. *+haf-jan*) heben

Kl.VII: ahd. *erien/erren* (< germ. *+ar-jan*) ackern

<u>Vgl. dazu lat.</u> *capere* - *cap-i-o* - *captum*
    (aber: *ducere* - *duc-o* - *ductum*

b) n-Infix

nur noch <u>im Gotischen</u> erkennbar:

got. *sta__n__dan, sta__n__da* - *stôþ* - *stôþum* (stehen)

<u>ahd.</u>: durch Systemausgleich beseitigt:
    stantan, standu - *stuo__n__t*

<u>Vgl. lat.</u> *fu__n__dere, fu__n__do* - *fudi* (gießen)

2. <u>Zusätzliche Präteritumskennzeichnung</u> durch <u>Reduplikation</u>:

erhalten noch im <u>Gotischen</u> (Reduplikationsvokal: ë,
                                geschrieben aí)
- statt Ablaut: *haitan* - *ha__íhait__* (heißen)

- Reduplikation <u>und</u> Ablaut: *lêtan* - *la__ílôt__* (lassen)

<u>ahd.</u> jeweils beseitigt:
    heizan - *hiaz* - *giheizan, lâzan* - *liaz* - *gelâzan*

<u>Ausnahme:</u> 1., 3. Sg. Ind. Prät. von *tuon*:

ahd. *tuon* - *tuo* - *të__ta__* (ich/ er tat)

Reduplikationsvokal ë erscheint als Hauptsilbenvokal:
mhd. *tëte/ tete*

im <u>Nhd.</u> Systemausgleich durch Anschluß an den Pl. *tâten*
                                (wir taten, er tat)

<u>Vgl. lat.</u> *dare* - *dō* - *de-dī* (geben)
         pendere - *pendo* - *pe-pendi* (wägen)

3. <u>Kennzeichnungen des Partizips Präteritum</u>

    <u>starkes Verb</u>: Ablautstamm + Perfekt-Präfix *ge-(gi-, ga-)*
                               + Nasal-Suffix:

       bitten - gi-bet-an

    <u>schwaches Verb</u>: Wurzel + Perfekt-Präfix *ge-*
                       + Dental-Suffix

       loben - ge-lob-t

Bei Verben mit perfektiver Bedeutung fehlt im Ahd. (oft auch noch im Mhd.) konsequenterweise das Perfekt-Präfix:

ahd. *findan - funtan* (finden - <u>ge</u>funden)
     werdan - wortan (werden - <u>ge</u>worden)

vgl. mhd. *ich bin komen an die stat* (Wa 15,4)

Im Nhd. durch Systemausgleich reguliert.

Vgl. auch die <u>neuzeitliche Bildung der Tempusformen</u>

a) in den Folgesprachen des Lateinischen, z.B.

   <u>Französisch</u> und <u>Italienisch</u>: der Flexionsstamm bleibt in allen Tempusstufen gleich:

   vgl. jeweils die 1. Sg. Ind. Akt. von:

        <u>frz.</u> chant-er - <u>it.</u> cant-are singen

	frz.	it.
Präs.	je chant-e	cant-o
Imperf.	je chant-ais	cant-avo
hist.Perf.	je chant-ai	cant-ai
Futur	je chant-erai	cant-erò

b) im <u>Englischen</u>, das dem Germanischen zugehört:

   starke Verben: Ablaut
   schwache Verben: Dentalsuffix <u>-ed</u>

   (allerdings häufigerer Systemausgleich):

to dr<u>i</u>ve	dr<u>o</u>ve	dr<u>i</u>ven	(treiben, fahren)
to dr<u>i</u>nk	dr<u>a</u>nk	dr<u>u</u>nk	(trinken)
to w<u>i</u>n	w<u>o</u>n	w<u>o</u>n	(gewinnen)
to live	liv<u>ed</u>	liv<u>ed</u>	(leben)

IV Z u s a m m e n s e t z u n g eines V e r b s

Ein (starkes) Verbum wird - je nach Tempus, Modus, Numerus, Person - aus verschiedenen Elementen zusammengesetzt

Basis ist die <u>Wortwurzel</u>, an die

<u>Suffixe</u>: 1. Stammsuffix [1]
(auch: Thema[1]-, Binde-, Stammvokal)

2. Personalsuffix angehängt werden.

<u>Wurzel + Themavokal</u> = thematischer Flexionsstamm

<u>Themavokale</u> sind im Idg. *e* und (ablautend) *o*; entsprechend den lautgesetzlichen Entwicklungen[2] germ./ahd. *e(i)* - *a*.

Je nach den idg. Akzentverhältnissen stehen idg. *e* oder *o* als Thema- (Binde- oder Stamm-) Vokal zwischen Wurzel und den einzelnen Personalendungen.

<u>Beispiele</u>:

1. <u>Indikativ Präsens</u>: <u>thematische Flexionsformen</u>

<u>e-Stufe</u> des Themavokals in:

2. Sg. Ind. Präs.:   idg. *+nem-e-si*
germ. *+nem-ī-z*
ahd. *nim-ī-s*
nhd. nimm̄st

<u>o-Stufe</u> des Themavokals in:

3. Pl. Ind. Präs.:   idg. *+nem-o-nti*
germ. *+nem-ā-ndi*
ahd. *nem-ā-nt*
nhd. nehm̄en

<u>gedehnter Themavokal ō</u> - ohne Personalsuffix:

1. Sg. Ind. Präs.   idg. *+nem-ō*
germ. *+nim-u*
ahd. *nim-u*
nhd. nehme

---

1 griech. *thema* Stamm
2 v.a. Umlautungen (s. § 15 u. 16), 1.LV (§ 17 I A) und Endsilbenentwicklungen (§ 18), im Nhd. auch Systemausgleich

2. Indikativ Präteritum: <u>athematische Flexionsformen</u>,

gebildet o h n e Themavokal: Die Personalendung tritt unmittelbar an die Wortwurzel, z.B.

1./3. Sg. Ind. Prät.:   idg. *+nom-a / nom-e*
                        germ. *+nam*
                        ahd. *nam*
                        nhd. nahm

2. Sg. Ind. Prät.:

im <u>Got.</u> und <u>Altnord.</u> auf eine idg. <u>athematische</u>
                        <u>Perfektform</u> zurückgehend:

        idg.   *+nom-tha*
        got.   *nam-t*
        (nhd. nahmst)

im <u>Westgerm.</u> mutmaßlich auf eine idg. <u>thematische</u>
                        <u>Aoristform</u> zurückgehend:

        idg.   *+bhudh-e̱-s*
        germ. *+bud-i-z̄*
        ahd.   *but-ī*
        mhd.   *büt-ī*
        (nhd. botst)

analogisch auch auf <u>langvokalische</u> Stämme übertragen, z.B.

        ahd.   *nām-i*
        mhd.   *naemi*
        (nhd. nahmst)

3. Optativ/ Konjunktiv

markiert durch ein sog. <u>Optativ-Zeichen</u>:
idg. *i̯ē* (Vollstufe), *ī* (Schwundstufe), ahd. *i/ī*.

Dieses tritt im Optativ <u>Präsens</u> zum Themavokal hinzu,

im Optativ <u>Präteritum</u> (athematische Flexion) tritt es
zwischen Wurzel und Personalsuffix

<u>Themavokal o + schwundstufiges Opt.zeichen</u>

2. Sg. Opt. Präs.:   idg. *+nem-oi̯-s*
                     germ. *+nem-ai̯-z*
                     ahd. *nem-ē̆-s*
                     nhd. (du) nehmest

<u>nur Optativ-Zeichen</u> (Schwundstufe)

2. Sg. Opt. Prät.:   idg. *+nēm-ī-s*
                     germ. *+nēm-ī-z*
                     ahd. *nām-ī-s*
                     nhd. (du) nähmst

4. Infinitiv

ist im Idg. ein erstarrter Akk.Sg. des neutralen Verbal-
substantivs, gebildet aus den Elementen:

Wurzel + Themavokal + nominales Bildungssuffix + Kasusendung (Akk.Sg.):

> idg. *+nem-o-no-m*
> germ. *+nem-a-nā-(n)*
> ahd. *nem-an*
> nhd. nehmen

V Das starke Verbum

Es gibt im Germ. s i e b e n starke Verbklassen.

Zur Kennzeichnung ihrer Zeitformen bauen die Klassen I - VI
auf den idg. kurzvokalischen Ablautreihen (s. § 14 V) auf.

Zugrunde liegt bei:

Kl. I - V das idg. e-o-System (germ./ahd. e-a)

Kl. VI das idg. a-ā bzw. o-ō-System (germ. a-ō)

Kl. VII weicht von den Klassen I - VI insofern ab, als in
ihr sowohl langvokalische Reihen als auch Reduplikationsformen vertreten sind.

Bei den einzelnen Verbklassen können bis zu vier verschiedene
(Tempus-)Stammformen auftreten, die durch bestimmte <u>Ablaut-
stufen</u> markiert werden:

a) <u>Infinitiv/Präs.</u>: Grundstufe

b) <u>1./3.Sg.Prät.</u>:
Abtönungsstufe (I - V), Dehnstufe (VI)

c) <u>2.Sg.Prät./Pl.Prät.</u>:
Schwundstufe (I - III), Dehnstufe (IV - VI)

d) <u>Part.Prät.</u>:
Schwundstufe (I - IV), Grundstufe (V, VI)

Die Stammform (Ablautstufe) des Pl. Prät. wird auch in der
2.Sg. Ind. Prät. und im Opt. Prät. eingesetzt:

> z.B. ahd. *ih nam* - mhd. *ich nam*
> *du nāmi*   *du naeme*
> *wir nāmum* *wir nāmen*

Im Nhd. werden diese vier Stammformen reduziert, da der
Unterschied zwischen der 2. und 3. Stufe durch Systemausgleich beseitigt wird.

Entsprechend den Ablautformen ergeben sich innerhalb der
Verbklassen wechselnde Konstellationen:

Jeweils enger gehören zusammen:

a) auf Grund des Klassenkennzeichens:

    Kl. I, II : vokalisches Klassenkennzeichen: i bzw. u

    Kl. III, IV: konsonantisches Klassenkennzeichen:
                 Nasal bzw. Liquida

b) auf Grund des Ablauts in der 2.Sg.Prät. und Pl.Prät.

    Kl. I-III : Schwundstufe

    Kl. IV-VI: Dehnstufe

c) auf Grund des Ablauts im Prät.

    Kl. VI, VII: im gesamten Prät. (Sg. u. Pl.) dieselbe
              Stammform (Dehnstufe)

d) auf Grund der Ablautstufe im Part. Prät.

    Kl. I-IV : Schwundstufe

    Kl. V-VII: Grundstufe

Übersicht über die Verteilung der idg. Ablautstufen auf
die germ. Verbklassen I - VI

		Präs.	Sg.Prät.	Pl.Prät.	Part.Prät.
		Gr.St.	Abt.St.	Schw.St.	Schw.St.
I	idg.	e + i	o + i	i	i
II	idg.	e + u	o + u	u	u
III	idg.	e + N/L+K	o + N/L+K	N̦/L̦+K	N̦/L̦+K
				Dehn-St.	
IV	idg.	e + N/L	o + N/L	ē + N/L	N̦/L̦
					Red.St.
V	idg.	e + V/Sp	o + V/Sp	ē + V/Sp	ə + V/Sp[1]
		Dehn-St.			Gr.St.
VI	idg.	a / o	ā / ō	ā / ō	a / o

N = Nasal (m, n), L = Liquida (r, l), V = Verschlußlaut,
Sp = Spirans, N̦, L̦ = sonantischer Nasal, Liquid (germ. um, un,
ur, ul).

---

1 erscheint im Germ. als Grundstufe e + V/Sp

Für die unterschiedlichen L a u t u n g e n zwischen den
Formen verschiedener Epochen und verschiedener Tempusstufen
liefert die Lautgeschichte die entsprechenden Erklärungen:

Zu beobachten sind im

Idg. : Ablaut, s. § 14

Germ. : 1. Lautverschiebung (LV), s. § 17 I A
        grammatischer Wechsel (GW), s. § 17 I B
        Vokalwandel (VW), s. § 15 I A 1
        vokal. u. konsonant. Assimilationen (Ass), s. § 15 u. 17

Wgerm.: Umlaut (U), s. § 15 II 1
        Konsonantengemination (G), s. § 17 II B
        Spirans-Media-Wandel (SMW), s. § 17 II C

Ahd. : Umlaut (U), s. § 15 III 2
        Diphthongwandel (DW), s. § 15 III 4
        Diphthongierung (D), s. § 15 III 5
        Monophthongierung (M), s. § 15 III 3
        2. Lautverschiebung (LV), s. § 17 III A

Mhd. : Endsilbenreduktion (ER), s. § 15 IV B
        Umlaut (U), s. § 15 IV A 1

Nhd. : Diphthongwandel (DW), s. § 15 V A 3
        Diphthongierung (D), s. § 15 V A 1
        Monophthongierung (M), s. § 15 V A 2
        Vokaldehnung (VD), s. § 15 V B 1
        Systemausgleich (Sy), s. § 17 V A 6
        analoge Schreibung (aSch), s. § 9 D
        historische Schreibung (hSch), s. § 9 D

Vgl. z.B.

nehmen   : analoge Schreibung
(er) nimmt: wg. i-Umlaut, analoge Schreibung (mm)
(er) nahm : Ablaut, analoge Schreibung (h)
genommen : Ablaut, wg. a-Umlaut, analoge Schreibung

Übersicht über die im folgenden verwendeten Abkürzungen

Ass	= Assimilation	hSch	= histor. Schreibung
	v. = vokalisch	LV	= Lautverschiebung
	k. = konsonantisch	M	= Monophthongierung
aSch	= analoge Schreibung	SMW	= Spirans-Media-Wandel
AV	= Auslautverhärtung	Sy	= Systemausgleich
D	= Diphthongierung	U	= Umlaut
DW	= Diphthongwandel	VD	= Vokaldehnung
ER	= Endsilbenreduktion	VW	= Vokalwandel
G	= Konsonantengemination	W	= wg. ê-â-Wandel
GW	= grammat. Wechsel		

Übersicht über die starken Verbklassen im Germanischen

In Klammern wird jeweils auf die Lautveränderungen gegenüber der
zeitlich vorhergehenden Form hingewiesen.

Lautformen, die nur einen analogen Status repräsentieren - wie das
Gotische - oder nicht lautgesetzlich sind, stehen ebenfalls in
Klammern.

1. Verbklasse (I)

	Präs.	Sg.Prät.	Pl.Prät.	Part.Prät.
	Gr.St.	Abt.St.	Schw.St.	Schw.St.
idg.	e + i	o + i	i	i
germ.	î (v.Ass)	ai (VW)	i	i

nach der ahd. Diphthongverschiebung Aufteilung in
z w e i   U n t e r k l a s s e n

a) mit Diphthongwandel : ai > ahd. ei
b) mit Monophthongierung: ai > ahd. ê (vor h,w,r und im
                                              Auslaut)

a)	(got.	greipan (ei=î)	graip	gripum	gripans)
	as.	grîpan	grêp (M)	gripun[1]	gigripan
	ahd.	grîfan (2.LV)	greif (2.LV,DW)	griffum (2.LV)	gigriffan (2.LV)
	mhd.	grîfen (ER)	greif	griffen (ER)	gigriffen (ER)
	nhd.	greifen (D)	(griff) (Sy)	griffen	gegriffen

b)	(got.	þeihan (ei=î)	þáih[2]	þaíhum[3] (Sy)	þaíhans) (Sy)
	as.	thîhan	thêh (M)	thigun (GW)	githigan (GW)
	ahd.	dîhan (SMW)	dêh	digum	gidigan
	mhd.	dîhen (ER)	dêch (AV)	digen (ER)	gidigen (ER)
	nhd.	(ge)deihen (D)	(ge)(dieh) (Sy)	(ge)diehen (Sy)	gediehen (Sy)

vgl. Adjektiv gediegen

---

1 auslautendes m im As. zu n geworden
2 åi = Diphthong
3 aî = Monophthong e

2. V e r b k l a s s e (II)

	Präs./1.Sg. Gr.St.	Sg.Prät. Abt.St.	Pl.Prät. Schw.St.	Part.Prät. Schw.St.
idg.	e + u	o + u	u	u
germ.	eu	au	u	u

- -

nach der ahd. Diphthongverschiebung Aufteilung in
z w e i U n t e r k l a s s e n

a) mit Diphthongwandel : au > ahd. ou
b) mit Monophthongierung: au > ahd. ô (vor Dental u. germ. h)

a) (got.	biugan (v.Ass)	baug	bugum	bugans)
as.	biogan/biugu (a-U)	bôg (M)	bugun	gibogan (a-U)
ahd.	biogan/biugu (i-u)	boug (DW)	bugum	gibogan
mhd.	biegen/biuge (DW,ER) (Ass.ü)	bouc (AV)	bugen (ER)	gibogen (ER)
nhd.	biegen/biege (M) (Sy)	bog (Sy)	bogen (VD,Sy)	gebogen (VD,Sy)

- -

b) (got.	tiuhan (iu=Diphth.)	táuh	taúhum[1]	taúhans)
as.	tiohan/tiuhu (a-U)	tôh (M)	tugun (GW)	gitogan (a-U,GW)
ahd.	ziohan/ziuhu (2.LV)	zôh (2.LV)	zugum (2.LV)	gizogan (2.LV)
mhd.	ziehen/ziuhe (DW,ER) (Ass.ü)	zôch (AV)	zugen (ER)	gizogen (ER)
nhd.	ziehen/ziehe (M, hSch)	zog (Sy)	zogen (VD,Sy)	gezogen (VD)

---

1 âu = Diphthong, aú = Monophthong o

3. V e r b k l a s s e (III)

	Präs./1.Sg.	Sg.Prät.	Pl.Prät.	Part.Prät.
	Gr.St.	Abt.St.	Schw.St.	Schw.St.
idg.	e+N/L+K	o+N/L+K	N̥/L+K	N̥/L+K
germ.	e+N/L+K	a+N/L+K	uN/L+K	uN/L+K

- -

nach dem westgerm. Umlaut Aufteilung in
z w e i U n t e r k l a s s e n

a) Präsensvokal e - Part. Prät. o (wg. Umlaut)
b) Präsensvokal i (wg. Umlaut vor N+K) - Part.Prät. u

		Präs./1.Sg.	Sg.Prät.	Pl.Prät.	Part.Prät.
a)	(got.	waírpan (ai=e)	warp	waúrpum (aú=o)	waúrpans)
	as.	werpan/wirpu (u-U)	warp	wurpun	giworpan (a-U)
	ahd.	werfan/wirfu (2.LV)	warf (2.LV)	wurfum (2.LV)	giworfan (2.LV)
	mhd.	werfen/wirfe (ER)	warf	wurfen (ER)	giworfen (ER)
	nhd.	werfen/werfe (Sy)	warf	warfen (Sy)	geworfen

- -

b)	(got.	bindan	band	bundum	bundans)
	as.	bindan	band	bundun	gibundan
	ahd.	bintan (2.LV)	bant (2.LV)	buntum (2.LV)	gibuntan (2.LV)
	mhd.	binden (k.Ass,ER)	bant (AV)	bunden (k.Ass,ER)	gibunden (k.Ass,ER)
	nhd.	binden	band (Sy)	banden (Sy)	gebunden

4. V e r b k l a s s e (IV)

	Präs./1.Sg.	Sg.Prät.	Pl.Prät.	Part.Prät.
	Gr.St.	Abt.St.	*Dehn-St.*	Schw.St.
idg.	e+N/L	o+N/L	ē+N/L	N/Ḷ
germ.	e+N/L	a+N/L	ê+N/L	uN/L
(got.	niman	nam	nêmum	numans)
as.	neman/nimu (u-U)	nam	nâmun (ê-â-W)	ginoman (a-U)
ahd.	neman/nimu	nam	nâmum	ginoman
mhd.	nemen/nime (ER)	nam	nâmen (ER)	ginomen (ER)
nhd.	nehmen/nehme (VD,aSch,Sy)	nahm (VD)	nahmen (VD,aSch,Sy)	genommen (aSch)

5. V e r b k l a s s e (V)

	Präs./1.Sg.	Sg.Prät.	Pl.Prät.	Part.Prät.
	Gr.St.	Abt.St.	*Dehn-St.*	Reduktions-St.
idg.	e+V/Sp	o+V/Sp	ē+V/Sp	ə +V/Sp erscheint im Germ. als Gr.St.
germ.	e+V/Sp	a+V/Sp	ê+V/Sp	e+V/Sp
(got.	giban (ƀ)	gaf (AV)	gêbum	gibans)
as.	geban/gibu (u-U)	gab	gâbun (W)	gigeban
ahd.	geban/gibu	gab	gâbum	gigeban
mhd.	geben/gibe (ER)	gap (AV)	gâben (ER)	gigeben (ER)
nhd.	geben (VD)	gab (VD)	gaben (VD)	gegeben (VD)

6. V e r b k l a s s e (VI)

In ihr sind auf Grund der Vokalentwicklungen vom Idg. zum Germ.
(idg. o > germ. a; idg. ā > germ. ô) zwei idg. Ablautreihen zusammengefallen:

a) die kurzvokalische Reihe idg. a - ā (Gr.St. - Dehn-St.)
b) die kurzvokalische Reihe idg. o - ō (Gr.St. - Dehn-St.)

Dadurch entstand im Germ. ein s c h e i n b a r e s
Abtönungsverhältnis (a - ô)

	Präs.	Sg.Prät.	Pl.Prät.	Part.Prät.
	Gr.St.	Dehn-St.	Dehn-St.	Gr.St.
idg.	a / o	ā / ō	ā / ō	a / o
	\ /	\ /	\ /	\ /
germ.	a	ô	ô	a

(got.	dragan	drôg	drôgum	dragans)
as.	dragan	drôg	drôgun	gidragan
ahd.	tragan (2.LV)	truog (D)	truogum (D)	gitragan (2.LV)
mhd.	tragen (ER)	truoc (AV)	truogen (ER)	gitragen (ER)
nhd.	tragen (VD)	trug (M)	trugen (M)	getragen (VD)

7. V e r b k l a s s e (VII)

Auch in dieser Klasse sind mehrere idg. Formen der Tempus-
stufenbildung zusammengefallen:

a) auf Langvokalen oder Diphthongen aufbauende Ablautreihen
b) durch Reduplikation gebildete Vergangenheitsformen

Im Gotischen sind diese Tempusbildungen in zwei Unterklassen
zusammengefaßt:

a) Präteritumsbildung mit Reduplikation
b) Präteritumsbildung mit Reduplikation u n d Ablaut

z.B.: Gr.St.	Reduplikationsstufe		Gr.St.
zu a) háitan	*hai*hait	*hai*haitum	háitans
	Reduplikation + Ablaut		
zu b) lêtan	*lai*lôt	*lai*lôtum	lêtans

Im Ahd. haben sich aus den verschiedenen germ. Vorformen mit Ablaut und Reduplikation ebenfalls z w e i U n t e r k l a s s e n herausgebildet, welche sich nur noch durch die Vokallautung im Prät. unterscheiden

a) Präteritum: Diphthong ia (aus vorahd. zweigipfligem Langvokal e_2, s. § 15 III 5)

  Grundstufe mit langem Vokal oder Diphthong der vorderen (hellen) Vokalreihe:
  â, a+ll, nn oder l, n + Konsonant, ei, z.B.:

  ahd. *lâzan*   *liaz*   *liazum*   *gilâzan*
       haltan   *hialt*   *hialtum*   *gihaltan*
       heizan   *hiaz*   *hiazum*   *giheizan*

b) Präteritum: Diphthong io (aus vorahd. ô, s. § 15 III 5)

  Grundstufe mit Diphthong oder langem Vokal der hinteren (dunklen) Vokalreihe:
  ou, ô (aus vorahd. au, differenziert nach den Folge-
       konsonanten, s. § 15 III 3b)
  uo (aus vorahd. ô, s. § 15 III 5), z.B.:

  ahd. *loufan*   *liof*   *liofum*   *giloufan*
       stôzan   *stioz*   *stiozum*   *gistôzan*
       (h)ruofan[1] *riof*   *riofum*   *giruofan*

Im Mhd. fallen beide Unterklassen auf Grund der Diphthongentwick-lung zusammen (s. § 15 IV A 2); Präteritum nun in beiden Unter-klassen: ie

a)

	Präs.	Sg.Prät.	Pl.Prät.	Part.Prät.
as.	lâtan	lêt	lêtun	gilâtan
ahd.	lâzan	liaz	liazum	gilâzan
	(2.LV)	(D,2.LV)	(D,2.LV)	(2.LV)
mhd.	lâzan/lân[2]	liez	liezen	gilâzen
	(ER)	(DW)	(DW,ER)	(ER)
nhd.	lassen	ließ	ließen	gelassen
	(VW,aSch)	(M)	(M)	(VW)

- -

b)

as.	hlôpan	hliop	hliopun	gihlôpan
ahd.	loufan[1]	liof	liofum	giloufan
	(D,2.LV)	(2.LV)	(2.LV)	(D,2.LV)
mhd.	loufen	lief	liefen	giloufen
	(ER)	(DW)	(DW,ER)	(ER)
nhd.	laufen	lief	liefen	gelaufen
	(DW)	(M)	(M)	(DW)

---

1 h-Ausfall, s. § 17 III B 4
2 Kontraktion, s. § 17 IV 3

Zu einem Kennzeichen der 3. und 4. Tempusform (Pl.Prät. und
Part.Prät.) wird auf Grund von Verners Gesetz der

g r a m m a t i s c h e   W e c h s e l,
d.h. ein Konsonantenwechsel gegenüber der 1. und 2. Tempusform (Infinitiv und Sg.Prät.).

Vgl. für das Ahd. folgende Fälle in den Klassen:

		Inf.	Sg.Prät.	Pl.Prät.	Part.Prät.	
I	d-t:	snîdan	sneid	snitum	gisnitan	(schneiden)
II	d-t:	siudan	sôd	sutum	gisotan	(sieden)
	h-g:	ziohan	zôh	zugum	gezogan	(ziehen)
	s-r:	kiosan	kôs	kurum	gikorn	(küren)
III	d-t:	findan	fand	funtum	funtan	(finden)
V	s-r:	wesan	was	wârum	(+giweran)	(wesen, sein)
VI	h-g:	slâhan	sluog[1]	sluogum	gislagan	(schlagen)
VII	h-g:	fâhan	fiang[1]	fiangum	gifangan	(fangen)

Verben der Kl. IV sind o h n e grammatischen Wechsel, da hier
nur Konsonanten vorkommen, die von Verners Gesetz nicht betroffen
sind (Liquida und Nasale, s. § 17 I B).

VI Die sog. m i - V e r b e n

Im Idg. sind (wie auch noch im Griech.) nach der
Personalendung der 1. Sg. Ind. Präs.
z w e i K a t e g o r i e n von Verben zu unterscheiden:

A   die in Kap. V behandelten sog. ō-Verben (omega-Verben:
    1. Sg. Ind. Präs. idg. -ō), deren Präsens thematisch
    gebildet ist (s. Kap. IV):
    vgl. griech. *fer-ō*, ahd. *biru* ich trage (nhd. gebären)
    Zu ihnen gehört der Großteil der germ. starken Verben.

B   die sog. mi-Verben (1.Sg.Ind.Präs. idg. -mi), deren Präsens
    athematisch gebildet wird, d.h. die Personal-Endung tritt
    unmittelbar an die Wurzel, deshalb auch W u r z e l -
    v e r b e n genannt,
    vgl. griech. *ei-mi* ich gehe

_____

1 früher Systemausgleich

Im Germ. sind f ü n f m i - V e r b e n erhalten.

<u>Kennzeichen</u>: a) einsilbige Präsensform

              b) lautgesetzlicher m/n-Auslaut in der 1.Sg.Ind.Präs.

              c) zum Teil mit Präteritalformen aus anderen Stämmen.

1. Das sog. V e r b u m s u b s t a n t i v u m

(sprachphilosophische Bezeichnung), bezieht sich auf die Substanz (substantia), das Sein, eines Objektes:
    der Baum i s t - das i s t ein Baum
(im Unterschied zur Benennung einer Eigenschaft:
der Baum blüht).

Daher ursprünglich <u>nur präsentische Formen</u>; erst später dazu präteritale Suppletiv- (Ersatz-) Formen entwickelt.

Die Präsensformen des ahd. Verbum substantivum gehen zurück auf

z w e i i d g. W u r z e l n

a) idg. *es-/*s-* (Grundstufe / Schwundstufe);

bezieht sich ursprünglich nur auf <u>abstraktes</u> Sein.

Aus dieser Wurzel wird das Präsens gebildet, jeweils unterschiedlich auf Grundstufe oder Schwundstufe (<u>s</u>) aufbauend:

<u>idg.</u> *es-mi* *es-si* *es-ti*... (ich bin, du bist, er ist...)

<u>lat.</u> <u>*sum*</u> *es* *est*...

<u>got.</u>:		<u>anord.</u>:		<u>ags.</u>:	
im		*em*		*eom*	
is		*est (ert)*		*eart*	
ist		*es (er)*		*is*	
sijum		*erum*		*sint*...	
si̅ju̅þ		*eroþ*		(s. aber auch Abschn. b)
sind		*ero*			

<u>ahd.</u> und <u>as.</u> n u r <u>3. Sg. und Pl. Ind.</u> (und Optativ)

ahd./as.: *ist* - <u>*sint*</u>

b) idg. *bheu-/ *bhu-* (Grundstufe / Schwundstufe)

Grundbedeutung: wohnen, bezieht sich auf <u>konkretes</u> Sein, abgeleitet von der sinnlichen Vorstellung <u>des Wohnens</u>.

Auf dieser Wurzel basiert die ags. Nebenform für <u>1.Sg.Ind.Präs.</u>:

    <u>ags.</u> *beo* (aus idg. *bhe̬ō?*)

Auf die verwandte idg. Wurzel *bhu-* geht das Verb
ahd. *bûan* wohnen, bauen zurück;
vgl. auch lat. *fui* ich war
        gr. *physis* Natur[1]

---

1 idg. bh > gr. ph, lat. f

B e i d e idg. Wurzeln erscheinen k o m b i n i e r t
(wobei die Wurzel +es Flexionsträger ist)

<u>im Ahd.</u> in der <u>1. u. 2. Sg. u. Pl. Ind. Präs.</u>:

bim/bin   Pl. *birum*
bis(t)   *birut*

<u>im As.</u> nur <u>1. u. 2. Sg. Ind. Präs.</u>:

bium
bist

(die 1. Sg. Ind. Präs. könnte idg. etwa *+bhμ-és-mi* gelautet
haben).

Das Hinzutreten der konkreten Wurzel zur abstrakten Grundwurzel
(+es-/+s-) bei der 1. u. 2. Person läßt sich als Versuch erklären, zusätzlich die konkret Sprechenden und Angesprochenen
im Unterschied zu den nur indirekt (abstrakt) Gemeinten der
3. Person zu kennzeichnen.

Die Formen des Verbum substantivum im Ind. Präs.:

<u>ahd.</u>		<u>mhd.</u>	<u>nhd.</u>
bim/bin	komb. Wurzel	*bin*	bin
bis(t)		*bist*	bist
ist (+es-Wurzel)		*ist*	ist
birum/birun	komb. Wurzel	*birn,sîn*	sind
birut		*birt,sît*	seid
sint (+s-Wurzel)		*sint*	sind

(s-Formen in 1. u. 2. Pl. sind
Analogieformen zur 3. Pl.)

<u>Das Präteritum</u>

Die präteritalen Suppletivformen werden übernommen vom Verbum
wesan sein, vorhanden sein (Kl. V):

ahd.	1./3. Sg. *was*	2. Sg. *wâri*	1./3. Pl. *wârum(n)*
		(GW)	(GW)
<u>mhd.</u>	*was*	*waere*	*wâren*
		(e-U)	(ER)
<u>nhd.</u>	war	warst	waren
	(Sy)	(Sy)	(SY)

<u>Part. Prät.</u>: ahd. *giwesan*

Die ursprünglichen Präsensformen von *wesan* sind auf Grund der
Ersatzfunktion untergegangen, Ausnahme:

<u>Imperativ:</u> mhd. *wis*! (Nbf. *bis*!), vgl. Wa L 91,17:
    Junger man, wis hôhes muotes

<u>nhd.</u> ersetzt durch: sei! (erste Belege 15. Jh.),
vgl. aber noch ndt.: wees nich bang!

Infinitiv: *wesan*
der im Nhd. allein noch gültige Inf. 'sein' (mhd. *sîn* statt
wesen) ist seit dem 13. Jh. belegt.

Von ahd. *wesan* sind im Nhd. noch erhalten:
der substantivierte Infinitiv 'das Wesen'
die Part. Präs. 'anwesend', 'abwesend' (mhd. *wesende*)

2. Das Verbum t u n

idg. Wurzel: langvokalische Reihe *+dhē-/+dhō-/+dhǝ-*

<u>got.</u> nur im Subst. *dēds* Tat erhalten, Verbum ersetzt wohl durch
taujan tun, machen (ahd. *zouwen* bereiten)

Im <u>Westgerm.</u> auf ablautender idg. Wurzelbasis *+dhō-* gebildet:
<u>Präsens</u>: 1.-3. Sg. Ind.

idg.	as.	ahd./mhd.	
+dhō-mi	*dôm*	*tuom/tuon*	(2.LV,D)
+dhō-si	*dôs*	*tuos(t)*	
+dhō-ti	*dôd*	*tuot*	

<u>Präteritum</u>, gebildet mit Reduplikation

<u>Sg.</u> idg.	ahd.	mhd.
+dhe-dhōm	*tëta*	*tëte*
+dhe-dhēs	*(tâti)*	*(taete)*
+dhe-dhēt	*tëta*	*tëte*

<u>Pl.</u> mit (seltener) langer Reduplikationssilbe

1. Pl. idg. *+dhē-dhōmes*   ahd. *tâtum* (Analogie zu Kl. V)

Auf Grund der sprachlichen Entwicklung erscheinen die ursprünglichen Reduplikationssilben *+dhe-* und *+dhē-* im Ahd. als Stamm-
silben: ahd. *të*, *tâ*.

Im <u>Nhd.</u> im Sg. Systemausgleich nach den Pluralformen.

3. Das Verbum g e h e n

idg. Wurzel: *+ghē-*

<u>Präsens</u>: 1.-3. Sg. Ind.

idg.	ahd.	mhd.
+ghē-mi	*gêm,gên/ gâm,gân*	*gên/ gân*
	(ê-â-w)	
+ghē-si	*gês/ gâs*	*gêst/ gâst*
+ghē-ti	*gêt/ gât*	*gêt / gât*

â-Lautung v.a. alem., ê-Lautung fränk. und bair.

<u>Präteritumsformen</u> gebildet durch das starke (omega-) Verbum der
Kl. VIIa

ahd.	*giang*	*giangum*	*gigangan*
mhd.	*gienc*	*giengen*	*gigangen*
	(AV)	(ER)	(Er)

(vgl. <u>got.</u> *gaggan*[1], Prät.-formen - etwa +*gai-gagg* - nicht belegt. Präs. im Got. aus anderer Wurzel gebildet: 1. Sg. Präs:
iddja ich gehe, vgl. lat. *ire*).

Der <u>nhd.</u> Infinitiv 'gehen' (aus mhd. *gên*) ist eine auf die
idg. Wurzel +*ghē*- zurückgehende Analogiebildung zur Infinitiv-
form starker Verben.

Infinitiv und Präsensformen von *gangan* sind aber in Dialektformen noch erhalten:
schwäb.: gangə, mr gangət (neben: mr gehnt)

4. Das Verbum s t e h e n

   idg. Wurzel +*st(h)ā*-   (vgl. gr. *ista-mi* ich stelle
                            lat. *stare* stehen)

<u>Präsens:</u> 1.-3. Sg. Ind.

idg.	ahd.	mhd.
+*sthā-mi*	*stām,stān/stêm,stên*	*stân/stên*
+*sthā-si*	*stās(t)/stês(t)*	*stâst/stêst*
+*sthā-ti*	*stât/stêt*	*stât/stêt*

die ê-Lautungen evtl. Analogiebildungen zu *gên*

<u>Präteritumsformen</u> gebildet durch das starke (omega-) Verbum
                     hier der Kl. VI

ahd.	*stuont*	*stuontum*	*gistantan*
mhd.	*stuont*	*stuonden*	*gistanden*
	(AV)	(k.ASS,ER)	

Der <u>nhd.</u> Infinitiv 'stehen' ist Analogiebildung zu 'gehen'.

Auch hier Infinitiv und Präsensformen von *standen*[2] noch in
Dialektformen:
schwäb.: schdandə, mr schdandət.

5. Das Verbum w o l l e n

   idg. Wurzel +*uel*- (vgl. lat. *velle* wollen)

Seiner Bedeutung gemäß so überwiegend im Optativ gebraucht,
daß im Germ. die ursprünglichen Indikativformen verloren
gingen.

Im <u>Got.</u> sind nur Optativformen bezeugt. Im <u>Ahd.</u> wurde zu den
<u>indi</u>kativisch gebrauchten Optativformen ein <u>neuer Optativ</u>
gebildet:

<u>Optativ Präsens:</u> 1.-3. Sg.

got.	ahd.	mhd.
wiljau	*willu*	*wile*[3]
wileis	*wili*	*wilt*[3]
(ei=î)		
wili	*wili*	*wil(e)*

---

1 got. gg = ng
2 mit Präsens-Infix, s. Kap. III 1b
3 2. Sg. *wil<u>t</u>*: Analogie zu den Präterito-Präsentien, vgl. noch
  E. MÖRIKE: Herr! schicke, was du willt,

Ahd. neuer Optativ: 1.-3.Sg.Präs.

welle, welles, welle (Analogie zu schwachen Verben wie *zelle*)

Präteritum ebenfalls im Anschluß an die schwache Verbflexion:
ahd. *welta/wolta*[1]   mhd. *wolte/wolde*   nhd. wollte

Infinitiv: auch mhd. noch *wellen* neben *wollen*

VII Das s c h w a c h e V e r b u m[2]

G e r m a n i s c h e N e u b i l d u n g ,

sog. Sekundärverben: Ableitungen von starken Verben,
sog. Primärverben (Deverbativa[3]), von Substantiven und
Adjektiven (Denominativa[3]) mit besonderen semantischen
Komponenten: durativ, kausativ, faktitiv, resultativ,
inchoativ, intensiv.

Schwache Verben wurden von der Abtönungsstufe (2. Tempusstufe) der Verbklassen I - VI oder der Grundstufe der Verb-
klasse VII abgeleitet.

Kennzeichen der schwachen Verben

1. gleichbleibender (oder umgelauteter, n i c h t ablautender!) Stammvokal

2. drei Tempus-Stammformen: Präs. - Prät. - Part.Prät.
   z.B. leben - lebte - gelebt
        brennen - brannte - gebrannt

3. gegebenenfalls grammatischer Wechsel gegenüber den
   Primärverben, da im Idg. der Wortakzent auf der Ableitungs-
   silbe lag

4. Bildung des Präteritums und des Part.Prät. durch Dentalsuffix (n i c h t durch Ablaut):

   Geht ursprünglich wohl zurück auf eine Z u s a m m e n -
   s e t z u n g mit P r ä t e r i t a l f o r m e n des
   Verbums t u n (vgl. Kap. VI 2), die durch Enklise (Anlehnung) zum Präterital-Suffix geworden sind.[4]

---

1 ahd. e-Verdumpfung, s. § 15 III 6
2 Begriff von Jacob GRIMM, 'schwach', weil es die Tempusstämme nicht
  aus sich selbst bilden kann wie die 'starken' Verben.
3 Kunstwörter, Ableitung von (lat. *de*) einem Verbum oder Nomen
4 Vgl. die heutige umgangssprachliche Ausdrucksweise 'jetzt tun wir
  gehen' etc., oder die engl. Umschreibungen mit 'to do' in Frage
  und Verneinung

Erkennbar noch <u>im Gotischen</u> (wo das Wort 'tun' selbständig nicht erhalten ist):

Die Präterital-Suffixe der 1.-3.Pl.Ind.Prät. der got.

schwachen Verben entsprechen z.B. der 1.-3.Pl.Ind.Prät.

von ahd. *tuon*:

got. *salbô-dêdum*   *salbô-dêduþ*   *salbô-dêdun*

ahd.   *tâtum*   *tâtut*   *tâtun*

Die lautlichen Unterschiede zwischen den got. und ahd.

Formen erklären sich lautgesetzlich durch die 2.LV (d > t)

und den ê-â-Wandel (s. § 15 III 1).

Die Reduzierung der Präteritalformen des Verbums 'tun' zum

Dentalsuffix im Ahd.: *-ta (< têta)* und *-tum (< tâtum)*, etwa

in *suoh-ta - suoh-tum*, ist durch den mit der Enklise ein-

hergehenden lautgesetzlichen Vokalausfall zwischen gleichen

Konsonanten zu erklären (s. auch § 15 IV C).

In der Regel steht zwichen der Wortwurzel und dem Dentalsuffix das <u>Klassenkennzeichen</u> (Ausnahme: die langsilbigen
Verben der 1. schwachen Klasse).

Schon im Mhd. und besonders im Nhd. werden diese Unterschiede im Zuge der Lautentwicklung eingeebnet; das Dentalsuffix tritt dann jeweils unmittelbar an die Wortwurzel:

mhd. *teilte - lobete - lebete*

nhd. teilte - lo<u>bte</u> - le<u>bte</u>

Die schwachen Verben werden wie die starken in Klassen

eingeteilt, unterschieden nach Klassenkennzeichen

(Ableitungssuffixen):

Vergleichende Übersicht über die Klassen der schwachen Verben

1. j a n - V e r b e n (Kl. I)

Klassenkennzeichen: j (< germ. -i$\underline{i}$- < idg. -é$\underline{i}$-)

a) Deverbativa (genetisch) = Kausativa[1] (semantisch)

starkes Verbum	schwaches Verbum
Infinitiv Sg. Prät. (Präs. Stamm) (Abt. Stufe)	

idg.	+nés-o-no-m (V)	+nos-	- - -
germ.	+nés-a-na(n)	+nas- $\longrightarrow$	+naz-î(j)-an[2] (frühgerm.) +náz-jan
got.	(ga)nisan		nas-jan (Sy)
as.	(gi)nesan		nerian (U,wg. Rhotazismus)
ahd.	(gi)nesan		nerian/nerren (G)
mhd.	(gi)nesen		nern (ER)
nhd.	genesen (VD)		(er)nähren (aSch, vgl. Nahrung)

- -

idg.	+séd-o-no-m (V) +séd-io-no-m (j-Präs.)	+sod-	- - -
germ.	+sét-a-na(n) +sét-ia-na(n)	+sat- $\longrightarrow$	+sat-î(j)-an +sát-jan
got.	sitan		satjan
as.	sittian		settian (U,G)
ahd.	sizzen		sezzen (2.LV)
mhd. nhd.	sitzen		setzen

- -

starkes Verbum	schwaches Verbum
germ. +fall-a-na(n) (VII) $\longrightarrow$	+fall-î(j)-an
as. fallan	fellian (U)
ahd. fallan	fellen (U)
mhd. vallen	vellen
nhd. fallen	fällen (aSch)

---

1 lat. *causa* Ursache (d.h. Verben, die ein Veranlassen bezeichnen)
2 z (stimmhaft) wegen Verners Gesetz, da im Frühgerm. endbetont.

Ableitungen von starken Verben der Kl. VII gehen von der Grundstufe (n i c h t der Abtönungsstufe oder 2. Tempusstufe) aus.
Daher kein Ablautverhältnis zwischen starkem und abgeleitetem
schwachen Verbum.

b) Denominativa (genetisch) = Faktitiva[1] (semantisch)

Nomen	schwaches Verbum
got. háils (Adj.) $\longrightarrow$	háiljan
as. hêl	hêlian (M)
ahd. heil	heilen
mhd. heil nhd.	heilen

Präteritum

Je nach der Quantität der Stammsilbe zerfallen die jan-Verben
im Westgerm. in

z w e i U n t e r k l a s s e n :

a) kurzsilbige jan-Verben:
   bewahren j als Bindevokal (i)

   ahd. *nerian/nerren - nerita - ginerit*

b) lang- und mehrsilbige jan-Verben:
   stoßen j im Prät. und den flektierten Formen des Part. Prät.
   aus:

   Die umlautfähigen Formen haben daher im Ahd. keinen Umlaut:

   langsilbig:

   vorahd. *+hôrjan*, __ahd.__ *hôren - hôrta - gihôrit*
   aber: gihôrtêr

+brannjan,	*brennen - branta - gibrennit*
+satjan,	*sezzen[2] - sazta - gisezzit*
+dakjan,	*decken - dahta[3]/dacta - gideckit*
+dankjan,	*denken - dâhta[4] - gidenkit/gidâht*
+sâjan,	*sâen - sâta - gisâit* (säen)

   mehrsilbig:

   ahd. *angusten* (ängstigen), - *angusta - giangustit*
   aber: giangustêr

---

1 lat. *factitare* verrichten
2 Länge der Hauptsilbe erst westgerm. durch j-Gemination des
  Konsonanten
3 *kt > ht* vgl. § 17 I B 1b
4 *ank > âht*: Nasalausfall + Ersatzdehnung vgl. § 17 I D 2a

2. ô n - V e r b e n (Kl. II)

Klassenkennzeichen: ô (< idg. -ā-)

a) Deverbativa (genetisch) = Intensiva[1] (semantisch)

starkes Verbum	schwaches Verbum
ahd. kiosan (II) kôs ——>	korôn (GW)
mhd. kiesen (DW)	korn (ER)
nhd. kiesen (wählen)	(küren: Analogiebildung zu Kür)

b) Denominativa mit verschiedenen semantischen Komponenten, z.B. Resultativa[2]

Nomen	schwaches Verbum
ahd. fisk (Subst.) ——>	fiskôn (fischen)
dank ——>	dankôn (danken)
salba ——>	salbôn (salben)

3. ê n - V e r b e n (Kl. III)

Klassenkennzeichen: ê (< idg. -ēi̯-)

a) Deverbativa (genetisch) = Durativa[3] (semantisch)

starkes Verbum	schwaches Verbum
ahd. durfan[4] darf ——> (Prät.-Präsens)	darbên (GW)
mhd. nhd. dürfen	darben (ER) (entbehren)

Ableitung von der Grundstufe:

ahd. ˙wësan (V) ——>	wërên (GW)
mhd. wësen	wëren/wërn (ER)
nhd. -	währen (aSch)

b) Denominativa (genetisch) = Inchoativa[5] (semantisch)

Nomen	schwaches Verbum
ahd. naz (Adj.) ——> mhd. naz	nazzên (naß werden) nazzen (ER; nässen)
ahd. alt ——>	altên (alt werden)
rîf ——>	rîfên (reif werden)

---

1 nach frz. *intensif* heftig, stark; lat. *intensus* heftig
2 Kunstwort nach frz. *resultat* Ergebnis, Folge, Wirkung, aus lat. *resultare* zurückspringen
3 lat. *durare* dauern
4 Grundbedeutung: nötig haben
5 lat. *incohare/inchoare* anfangen

VIII P r ä t e r i t o - P r ä s e n t i e n [1]

Verben, deren Präteritum Präsensbedeutung annehmen konnte;
begegnet auch in anderen idg. Sprachen: vgl.

gr. *oĩda*[2] ich habe eingesehen = ich weiß
            (1.Sg.Ind.Perf. zu *ideĩn* einsehen)

lat. *nõvi* ich habe kennengelernt = ich weiß
            (1.Sg.Ind. Perf. zu *nõscere* kennenlernen)

consuēvi ich habe mich gewöhnt = ich pflege
            (1.Sg.Ind.Perf. zu *consuēscere* sich gewöhnen)

Im Germanischen gewann die Präsensbedeutung der präteritalen
Formen so sehr die Oberhand, daß die ursprüngliche Perfekt-
bedeutung verloren ging und damit auch das ursprüngliche
Präsens.

Zu diesen präteritumslosen, defektgewordenen Verben wurde
im Germ. ein n e u e s P r ä t e r i t u m analog den
schwachen Verben gebildet.

Im Ahd. sind noch z e h n Präterito-Präsentien erhalten
mit folgenden Kennzeichen:

a) sie lassen sich den Ablautreihen I - VI der starken
   Verben zuordnen

b) der Präsenslautstand entspricht dem der jeweiligen
   2. und 3. Tempusstufe und wird wie diese flektiert.

   Ausnahme:

   2.Sg.Ind.Prät. zeigt nicht die westgerm. Aorist-Endung
   auf -i (ahd. *nãmi* - mhd. *naeme*, s. Kap. V), sondern die
   (auch im Got. und Altnord. vorhandene) Personalendung
   des idg. Perfekts: idg. -tha, germ. -t: vgl. got.
   þu namt (du nahmst) - ahd. *du darft*.
   Im Nhd. durch Systemausgleich in allen Verbarten -t bzw.
   -st (als Artikulationserleichterung) im Anschluß an die
   mhd. Form *du weis-t* (nhd. weißt).

c) Infinitiv und Präteritum werden neu entwickelt. Die
   Formen bauen auf der 3. Tempusstufe (Schwund- oder
   Dehnstufe) auf. Sie werden schwach gebildet (Dental-
   suffix ahd. -ta) und flektiert.

---

1 Singular: das Präterito-Präsens
2 entspricht etymologisch, nicht aber mit der Sekundärbedeutung
  lat. *vĩdĩ* ich habe gesehen (1.Sg.Ind.Perf. zu *vidēre* sehen)

d) sie brechen öfters aus den lautgesetzlichen Entwicklungen und dem morphologischen System aus und schließen sich an andere phonetische und grammatische Formen an. Solche Analogiebildungen können immer dann auftreten, wenn eine Form eine feste Ordnung (z.B. das Tempussystem) verlassen hat.

Die ahd. Präterito-Präsentien lassen sich wie folgt den Klassen der germ. starken Verben zuordnen:

Kl. Ia (Paradigma[1]: *rîtan*   *reit*   *ritum*   *giritan*)

1. w e i z[2]: <u>Präs.</u>: *ih/er*   *weiz, wir wizzum*
                       du   *weis-t*

<u>etymologische Ableitung</u>: idg. +*u̯oida* (Abtönungsstufe)
germ. +*wait(a)* (1.LV) - ahd. *weiz* (2.LV)

<u>Grundbedeutung</u>: ich habe gesehen = ich weiß[3]

<u>Präteritum</u>

gebildet von der 3. Tempusstufe (Schwundstufe):
vorgerm. +*uid-dhom*
   germ. +*wit-ta* - *wis-sa*[4] - *wessa* (a-U)
   ahd. *wissa/wessa* - *wista/westa* (Analogie zu den schwachen
                                              Prät.)

   mhd. *wiste/wuste* (Verdumpfung) - nhd. wußte

<u>Infinitiv</u>: ahd. *wizzan* - mhd. *wizzen*

2. e i g u n[5] (1.,3.Pl.) wir/sie haben

im <u>Ahd.</u> nur noch in Pluralformen belegt,
<u>ersetzt</u> durch das schwache Verbum *habên*

<u>erhalten</u> noch im Verbaladj. ahd. *eigan*
                       mhd./nhd. eigen
auch im <u>Got.</u> nur Restformen:
1.Sg. *áih* - 1.Pl. *áihum/áigum* (GW)

Im <u>Got.</u> findet sich in dieser Klasse noch

l a i s , 1.,3.Sg. ich/er weiß

Im <u>Ahd.</u> nur noch die kausative Ableitung als schwaches jan-Verb erhalten:
ahd. *lêran* (mit GW) wissen machen, nhd. lehren

---

1 griech. *paradeigma* Beispiel
2 das Vollverb im Got. noch in Komposita erhalten: *fraweitan* (ei=î)
  jemand rächen, *inweitan* jemand anbeten
3 vgl. auch altind. *Veda (Weda)* Wissen, Bezeichnung der ältesten
  heiligen Schriften der Inder (seit 1200 v.Chr.)
4 tt > ss vgl. § 17 I B 1c
5 ei = Systemausgleich (eigentlich *igun*)

Kl. IIa

3. t o u g: __Präs.__: *ih/er toug   wir tugum*

Präteritum

vorahd. *+tuhta* (g > h vor t) - ahd. *tohta* (a-U)
   mhd. *tohte* - nhd. taugte (Sy)

__Infinitiv__: ahd. *tugan* - mhd. *tugen*, seit 13.Jh. auch
tougen (als Inf. für ein regelmäßiges schwaches Verbum)
- nhd. taugen

Kl. IIIa

4. d a r f: __Präs.__: *ih/er darf   wir durfun*
                  du   darf-t (ab 15.Jh. Analogieform *darf-s-t*)

__Grundbedeutung__: ich habe nötig, ich bedarf

Präteritum

ahd. *dorfta* (a-U) - mhd. *dorfte* - nhd. durfte (Sy)

__Infinitiv__: ahd. *durfan* - mhd. *durfen/dürfen* (e-U)

5. g i - t a r: __Präs.__: *ih/er gi-tar   wir gi-turrun*
                       du   gitar-s-t   (wagen)
               mhd. *ich/er   tar   wir turren/türren*
                       du   tarst   (e-U)

Präteritum

ahd. *gi-torsta* (doppelte Liquida im Auslaut vereinfacht,
            s = Analogieform)
mhd. *torste*

__Infinitiv__: mhd. *turren* (wagen)

Kl. IIIb

6. a n: __Präs.__: *ih/er an   wir unnun* (gönnen)
               du   an-s-t

         mhd. nur noch in der präfigierten Form:

            ich/er gi-an/gan wir gunnen/günnen (e-U)

Präteritum

ahd. *onda* (a-Umlaut trotz nd-Verbindung, s. § 15 II 2a;
            vielleicht Analogie zu *dorfta*)
mhd. *gunde/gonde* (später wirksam gewordene Umlautung)

__Infinitiv__: ahd. *unnan* - mhd. *gunnen/günnen*
            nhd. gönnen

7. k a n: Präs.: *ih/er kan*   *wir kunnun*
                du kan-s-t

Grundbedeutung: ich weiß, ich verstehe

Präteritum

ahd. *konda* (s. Nr. 7: *onda*) - mhd. *kunde/konde*

Infinitiv: ahd. *kunnan* - mhd. *kunnen/künnen*
            nhd. können (s. § 15 V A 4)

Kl. IV

8. s c a l: Präs.: *ih/er scal*   *wir sculun*[1] (sollen)
                  du scal-t

        mhd. *ich/er sol*[2]*/sal* (mdt.)*/schol/schal*
             wir/si suln/süln

Präteritum

ahd. *scolta* - mhd. *solte/solde* - nhd. sollte

Infinitiv: ahd. *scolan* - mhd. *suln/süln* - nhd. sollen

Kl. V

9. m a g: Präs.: *ih/er mag*   *wir magun/mugun*[3]
                du mah-t

        mhd. *ich/er mac*   *wir mugen/mügen/magen/megen*

Grundbedeutung: ich kann, ich vermag

Präteritum

ahd. *mahta/mohta* - mhd. *mohte*

Infinitiv: ahd. *magan/mugan* - mhd. *mugen/mügen*
            nhd. mögen

Kl. VI

10. m u o z: Präs.: *ih/er muoz*   *wir muozun*
                   du muos-t

        mhd.   *wir müezen* (e-U)

Grundbedeutung: ich habe Gelegenheit, ich darf

Präteritum

ahd. *muosa*
mhd. *muose/müese* - *muoste/müeste* (s. zu Nr. 1)

Infinitiv: mhd. *müezen* - nhd. müssen

---

1 weicht vom Klassensystem (dehnstufiges â) ab
2 sc entwickelt sich entweder (mit k-Schwund) zu s oder (seltener)
  lautgesetzlich zu sch, bes. bair.; Formen mit o gehen vom Prät.
  (scolta) aus. Vgl. auch engl. shall
3 wie bei Nr. 9 keine Dehnstufe

K o n j u g a t i o n s w a n d e l

<u>Übergang von der starken in die schwache Konjugation</u>:
Im Gegensatz zum Attribut 'schwach', das sich darauf bezieht, daß die sog. 'schwachen Verben' (s. Kap. VII) das
Präteritum nicht 'aus sich selbst', im Stamm, kennzeichnen
können, erweist sich im Laufe der Sprachgeschichte die
s c h w a c h e Konjugation als eine starke, expansive:

Verbale Neubildungen (s. Präterito-Präsentien) schließen
sich ihr an, Übertritte von einer Flexionsart in die andere
finden in der Regel nur zur schwachen Flexion hin statt
- wohl, weil die schwache Flexion die einfachere ist.

Schon im Ahd. finden sich zu dem starken Verbum der 3. Kl.
bringan sowohl das regelmäßige Präteritum *brang*, *brungum*
als auch ein schwach gebildetes: *brâhta*[1]; ebenso zu ahd.
biginnan neben *bigan*, *bigunnum* auch *bigonda*.

Dieser Wechsel von der starken zur schwachen Flexion wird
zum Nhd. hin häufiger.
Vgl. für die Fortdauer der Tendenz:
mhd. *bellen*, *bal*, *bullen*, *gibollen* (Kl. III):
noch im 19. Jh. mit partiellem Systemausgleich:
bellen, <u>boll</u>, <u>gebollen</u> (Gottfried KELLER)
im 20. Jh. durchweg schwach: bellen, bellte, gebellt
Nicht durchgesetzt hat sich andererseits in der Hochsprache
etwa
mhd. *ruofen*, *ruofte* (statt *rief*), s. aber KLOPSTOCK,
"Messias", 11. Gesang, Schluß: "rufte";
ebenso saufen, <u>saufte</u> (statt soff), so aber bei SCHILLER,
"Räuber" 2,3: "<u>saufte</u>".

---

1 Präteritumsvokal des starken Verbums mit Nasalausfall und Ersatzdehnung

§ 21 Das Nomen[1]

Zu den Nomina zählen:

1. das Substantiv[2] (Hauptwort)
2. das Adjektiv[3] (Eigenschaftswort)
3. das Pronomen[4] (Fürwort)
4. das Numerale (Zahlwort)

I Nominale Kategorien
(Klassen, Bestimmungen, Aussageweisen)

1. Genus (Geschlecht)

a) maskulin (männlich) : der Mann
b) feminin (weiblich) : die Frau
c) neutrum (*ne-utrum* keines von beiden,
bezogen auf a und b): das Kind

2. Numerus (Zahl)

a) Singular[5] (Einzahl): der Mann, die Frau
b) Plural (Mehrzahl): die Männer, die Frauen
c) Dual (Zweizahl): beide Männer

Auf älteren Sprachstufen gab es noch einen
eigenen Numerus zur Kennzeichnung einer
natürlichen Zweiheit von Personen und Dingen, z.B. Eltern, Gatten

vgl. griech. *toin podoin* mit den (beiden) Füßen

in Resten noch im Lat.: *ambo* beide (entspricht im Zahlensystem *duo* zwei)

Heute durch pluralische Formen oder durch
Umschreibungen (z.B. 'wir beide') wiedergegeben. Vgl. auch § 20 II 2.

3. Kasus[6]

Die einzelnen Kasus kennzeichnen die Stellung
des Nomens im Satz, seine syntaktischen Beziehungen.

In der antiken Grammatik wurde diejenige No-
minalform, welche das handelnde Subjekt kennzeichnet (der Nominativ), auch als *casus rectus*

---

1 lat. Benennung, Wort, Pl. *nomina*
2 lat. *substantivum* das für sich bestehende (Wort)
3 lat. *adiectivum* das zugefügte (Wort)
4 lat. *pro-nomen* für ein Nomen (stehend)
5 eigentlich *numerus singularis*
6 lat. *cāsus* Fall, Wortausgang, Pl. *cāsūs*

(gerader Fall), alle anderen von diesem abhängigen
Fälle als *casus obliqui* (schräge, abhängige Fälle)
bezeichnet[1].

Die Zahl der Fälle wurde nach einem Höchststand im
Idg. in den Folgesprachen immer mehr reduziert:

Zu Beginn der Sprachentwicklung, auf einer mehr
konkret-gestisch orientierten Sprachstufe, herrschte
offenbar das synthetische Flexionsprinzip: Jede Aktion
wurde durch ein bestimmtes Präfix ausgedrückt.

Mit dem Übergang zum analytischen Flexionsprinzip war
ein Übergang zu mehr abstrakten Ausdrucksformen verbunden, die es erlaubten, mehrere Aspekte (der syntaktischen Abhängigkeit) mit einer einzigen sprachlichen Form auszudrücken.

Im Indogermanischen gab es ursprünglich acht Kasus
(voll erhalten nur im Altindischen). Schon im Lateinischen sind sie auf sechs reduziert, im Griechischen
auf fünf, im Germanischen auf vier.

a) Nominativ[2]

   Kasus des Subjekts: *dominus* - der (ein) Herr

b) Akkusativ[3]

   Kasus eines unmittelbaren Gegenübers (Objekts):
   dominum - den Herrn

c) Dativ[4]

   Kasus eines ferneren Gegenübers und des Zweckes:
   domino - dem Herrn

d) Genitiv[5]

   Kasus der Beziehung: *domini* - des Herrn

e) Vokativ[6]

   Kasus des An- und Ausrufens: *domine* - (oh) Herr!

Bis hierher reicht das griech. Kasussystem

---

1 dahinter steht die Vorstellung der Stoiker, welche
  den Nominativ mit einem senkrecht fallenden Griffel
  verglichen, die anderen Formen mit schräggeneigten
  Griffeln
2 eigentlich *casus nominativus* (zu lat. *nominare* bezeichnen); entsprechend auch die anderen Kasus-Bez.
3 lat. *accusare* anklagen
4 lat. *dare* (an)geben
5 lat. *genitivus* angeboren, vgl. *nomen genitivus* Stamm-,
  Geschlechtsname
6 lat. *vocare* rufen

f) <u>Ablativ</u>[1]

   Kasus der Trennung: *ā domino* von dem (durch den)
   Herrn - *dōnō* - mit dem (durch das) Geschenk

Bis hierher reicht das lat. Kasussystem

g) <u>Lokativ</u>[2]

   Kasus der Orts- und Zeitbestimmung:
   ausgedrückt im Griech. durch Genitiv,
                 im Lat.   durch Ablativ

   Reste eines Lokativ Sg. können in ahd. endungslosen Formen vorliegen wie
   ahd. *hûs* <u>im</u> Haus, *dorf* <u>im</u> Dorf

h) <u>Instrumentalis</u>[3]

   Kasus des Mittels

   Reste noch im Ahd.: z.B. *wortu* <u>mit</u> dem Wort

Zum Kasus-Synkretismus: Im lat. Ablativ sind z.B.
die Funktionen der Kasus f - h zusammengefallen.

Im Deutschen wurden die Funktionen der Kasus e - h
schließlich von den drei obliquen Kasus Genitiv,
Dativ, Akkusativ mitübernommen, z.T. mit Hilfe von
Präpositionen:
<u>von</u> dem Herrn, <u>mit</u> dem Geschenk, <u>auf</u> dem Lande
(= Dativ + Präposition)
<u>an</u> die Wand (Akk. + Präp.)
<u>wegen</u> des Regens (Gen. + Präp.)

II Z u s a m m e n s e t z u n g des Substantivs

Ein Substantiv besteht in der Regel aus drei Elementen:
<u>Wortwurzel</u> - <u>Stammsuffix</u> - <u>Flexionssuffix</u> (Flexionsen-
                                                      dung)
Wortwurzel und Stammsuffix ergeben zusammen den
F l e x i o n s s t a m m[4]

Die F l e x i o n s e n d u n g signalisiert Genus,
Numerus, Kasus:

z.B. altlat. *+hort - o - s*

Wortwurzel: *hort-*, Stammsuffix (thematisches Formans,
Themavokal): *-o-*, Flexionsendung (Nom.Sg.mask.): *-s*.

---

1 lat. *auferre* wegtragen
2 zu lat. *locus* Ort, Stelle
3 lat. *instrumentum* Werkzeug
4 entspricht dem Tempusstamm der starken Verben, s. § 20 IV

Es gibt auch Formen o h n e Flexionsendung nach
dem Flexionsstamm, z.B.:
Nom.Sg. der idg. ā-/germ. ô-Stämme (sog. asigma-
tischer Nominativ[1])

Nach dem Stammsuffix werden die Nomina in unterschiedliche Deklinationsklassen (auch Stämme genannt) unterteilt.

III Die N o m i n a l s t ä m m e oder Deklinations-

    klassen

vokalische Stämme

der Flexionsstamm endet auf einen V o k a l

Prinzipiell können alle Vokale als Stammsuffixe
auftreten. Ihre Zahl wurde aber im Laufe der Sprachgeschichte reduziert.

konsonantische Stämme

der Flexionsstamm endet auf einen K o n s o n a n t e n

Auch hier begegnet eine zunehmende Einengung auf
bestimmte konsonantische Auslaute.

Wurzelnomina

Gruppe von Nomina o h n e Stammsuffix (athematische
Formen): die Flexionsendung tritt unmittelbar an die
Wurzel. Im Ahd. nur noch in Resten vorhanden.

Die ursprünglichen Lautformen des Stammsuffixes und
der Kasusendungen wurden durch die lautgeschicht-
lichen Entwicklungen z.T. stark verunklärt. Besonders der germ. Anfangsakzent führte zu einer zuneh-
menden Reduktion der Endungssilben: vgl. z.B. die
i-Deklination:
                    lat. *host-i-s*
                    got. *gast-s*
                    ahd. *gast*

Außerdem veränderten sich die ursprünglichen Konstellationen noch durch Analogiebildungen: vgl. Nom.Pl.
der germ. a-Deklination im Ahd.:

tagâ: lautgesetzlich aus idg. *+dhogh-o-es*, neben
taga: entspricht dem Akk.Pl. aus idg. *+dhogh-o-ns*,
        germ. *+dagans* (so noch got.).

Auch diese letzten Unterscheidungen auf Grund der ursprünglichen Bildungsweisen fallen im Mhd. nach der
spätahd. Endsilbenabschwächung weg. Für das Ahd. wird
meist das idg. Einteilungsprinzip noch beibehalten.

---

1 asigmatisch = ohne Endungs-s, zu gr. *sigma (=s)*

Die mhd. und nhd. Nomina werden nach den Formen von
Nom./Gen.Sg. und Nom.Pl. klassifiziert. Lat. und ahd.
Wörter, die auf dieselbe idg. Wurzel zurückgehen,
können trotzdem verschiedenen Deklinationsklassen
angehören.

A Die v o k a l i s c h e n S t ä m m e

1. idg. o-Stämme / germ. a-Stämme[1]

germ. a-Deklination

Stammsuffix: idg. -o- / germ. -a-

Nur mask. und neutr.

a) Maskulina

idg. *+ghordh-o-s*
altlat. *+hort-o-s* - lat. *hortus* Garten[2]

germ. *+fisk-a-z* - got. *fisks*
ahd. *fisc*, Gen. *fisces* Fisch[3]

b) Neutra

idg. *+korn-o-m*
altlat. *+corn-o-m* - lat. *cornum*[4]

germ. *+horn-a* - got. *haúrn*
ahd. *horn* Horn

2. idg. ā-Stämme / germ. ô-Stämme[5]

germ. ô-Deklination

Stammsuffix: idg. -ā- / germ. -ô-

Nom. asigmatisch gebildet (ohne bes. Kasusendung)

Nur Feminina

lat. *cur-a* Sorge
germ. *+air-ôm*[6] - ahd. *êra* Ehre

Diese beiden Deklinationsklassen sind auf Grund der
Genusaufteilung komplementär, ergeben erst zusammen
die übliche Genus-Trias mask., neutr., fem.

---

1 Zum Lautwechsel o > a vgl. die lautgesetzlichen Entwicklungen, § 15 I A 1
2 das auf dieselbe idg. Wurzel zurückgehende Wort
ahd. *garto* gehört zur n-Deklination
3 lat. *piscis* Fisch ist i-Stamm
4 Nebenform zu *cornu*, u-Stamm
5 ā > ô vgl. § 15 I A 2
6 Auslaut des Nom.Sg. ist Analogieform zu Akk.Sg. germ.
+airôm statt ursprünglich *+airô*; entspricht lat. Akk.
curam (im Lat. ist in Nom. und Akk. der ursprüngliche
Langvokal gekürzt); zur germ. Auslautentwicklung s. § 18 II

3. <u>idg./germ. i-Stämme</u> (germ. i-Deklination)

Idg./lat.: mask., neutr., fem.

Ahd. nur noch mask. und fem.

a) <u>Maskulina</u>

    idg. *ghost-i-s*
    lat. *hostis* Fremder, Feind

    germ. *gast-i-z* - got. *gasts*,
    ahd. *gast*, Gen. *gastes* Fremder, Feind, Gast

b) <u>Neutra</u>

    lat. *mare*, Gen. *maris* Meer

    evtl. ein Rest in ahd. *meri* Meer

c) <u>Feminina</u>

    lat. *cutis*[1]

    germ. *hûd-i-z*
    ahd. *hût*, Gen. *hûti* Haut

4. <u>idg./germ. u-Stämme</u> (germ. u-Deklination)

Lat. nur mask. und neutr.

Germ. ursprünglich mask., neutr., fem.

Ahd. nur noch Reste (meist in i-Dekl. übergetreten)

a) <u>Maskulina</u>

    lat. *fructus* Frucht[2]

    germ. *sun-u-s* - got. *sunus*
    ahd. *sunu* Sohn

b) <u>Neutra</u>

    idg. *pek-u*
    lat. *pecu*

    germ. *feh-u* Vieh - got. *faihu* Vermögen[3]
    ahd. *fihu* Vieh

c) <u>Feminina</u>

    got. *handus*
    ahd. nach u-Deklination nur noch
    Dat.Pl. *hantum*
    (übrige Formen nach i-Dekl., deshalb seltener
    auch Dat.Pl. *hantim*)

---

1 im Lat. kurzer Stammsilbenvokal
2 aber ahd. Lehnwort *fruht*, Gen. *fruhti*: i-Deklination (fem.)
3 zur Bedeutung vgl. lat. *pecunia* Vermögen

$\Big[$ 5. idg. ē-Stämme (ē-Deklination)

Lat. v.a. Feminina: $r\bar{e}$-s Sache

in germ. Dialekten nicht belegt $\Big]$

B Die k o n s o n a n t i s c h e n   S t ä m m e

1. idg./germ. n-Stämme (n-Deklination)

Stammsuffixe: idg. -en/-on/-n/ -ēn/-ōn (Suffix-
Mask., neutr., fem.   ablaut)

a) Maskulina

   idg. $+nom$-$\bar{e}n/\bar{o}n$ (lat. *nomen*, neutr.)

   germ. $+nam$-$\hat{o}n$ (got. *namô*, Gen. *nami̱ns*, neutr.)
   ahd. *namo*, Gen. *name̱n/nami̱n* Name‾

b) Neutra

   idg. $+kerd$-$\bar{o}n$ (?) [1]

   germ. $+hert$-a (got. *hairtô*, Gen. *hairti̱ns*)
   ahd. *herza*, Gen. *herze̱n* Herz

c) Feminina

   got. *tuggô*, Gen. *tuggo̱ns*
   ahd. *zunga*, Gen. *zungû̱n* Zunge

Die n-Stämme werden im Germ. zur umfassenden
sog. schwachen Deklination ausgebaut (s. Kap.
VI B 2).

2. idg./germ. r-Stämme

Stammsuffixe: idg. -ter/-tor/ -ter/-tōr/-tr
                   (Suffixablaut)

Nur mask. und fem., v.a. Verwandtschaftsnamen

a) Maskulina

   idg. $+p\partial$-ter - lat. *pater*

   germ. $+fa$-$\eth ar$ - got. *fadar*
   ahd. *fater*, Gen. *fater* (*fateres* nach
                             a-Deklination)

b) Feminina

   idg. $+m\bar{a}$-$t\acute{e}r$ - lat. *mater*

   germ. $+m\hat{o}$-$\eth er$ (?)
   ahd. *muoter*, Gen. *muoter*

Die r-Stämme treten im Ahd. zur mask. a-Deklination, bzw. zur fem. ô-Deklination über.

---

1 wurzelverwandt (ablautend): lat. *cor, cordis*

3. idg./germ. nt-Stämme

Partizipialstämme (substantivierte Part. Präs.):

z.B. lat. *legens*, Gen. *lege-nt-is* (zu Inf. *legere*, lesen)
Nur mask.

Im Got. begegnet diese Flexionsart nur noch bei
einigen wenigen Partizipien wie *fijands* Feind,
frijônds Freund[1], *nasjands* Heiland, *daupjands*
Täufer, *talzjands* Lehrer.
Nicht substantivierte Partizipien flektieren wie
schwache Adjektive.

Im Ahd. ist diese Deklinationsklasse reduziert auf
z w e i Beispiele:

    ahd. *friunt* Freund - *fîant* Feind

Substantive, die sich nach dem Nom.Sg. zu dieser
Klasse stellen wie *heilant*, *wîgant* Kämpfer, *helfant*
Helfer, gehen im Ahd. nach der a-Deklination.

4. idg./germ. s-Stämme

Stammsuffix: idg. -es/-os (Suffixablaut)
           germ. -iz/-az

Nur Neutra

    griech. *geno-s*, Gen. *genous* < +*gen-es-os*
      lat. *genu-s*, Gen. *generis*[2] < +*gen-es-es*,
                        Geschlecht, Abkunft

      ahd. *lamb*, Gen. *lambes*, Nom.Pl. *lembir*

Im Ahd. schließen sich diese neutralen Stämme der
germ. a-Deklination an und zwar treten im Sg. (nach
lautgesetzlichem Ausfall des Stammsuffixes) die
Flexionsendungen unmittelbar an die Wurzel:
ahd. *lamb-*, Gen. *lamb-es*.

Im Pl. bleibt dagegen das Stammsuffix (es > ir/er)
erhalten und wird als Pluralkennzeichen verstanden
(es bewirkt gegebenenfalls Umlaut des Stammsilben-
vokals: ahd. *lemb-ir*).

An dieses scheinbare Pluralkennzeichen treten die
Flexionsendungen der a-Deklination: Gen.Pl. *lembir-o*.

Das ursprüngliche Stammsuffix wird als Pluralmar-
kierung schon im Ahd. auch auf andere Wörter der
neutralen a-Klasse übertragen:
z.B. *holz*, *loh* (Loch), *bant*, *feld*, *hûs*[3]
und schließlich im Verlaufe des Mhd. auch auf Maskulina der übrigen Deklinationsklassen, vgl. z.B.:

---

1 vgl. got. *frijôn* lieben, *fijan* hassen
2 Rhotazismus, s. § 17 II A; Nom.Pl. *genera*
3 zur ursprünglichen Pluralflexion vgl. noch Ortsnamen
  wie Reinfelden, Hausen (Dat.Pl.), s. auch Kap. VIII 5b

aus der <u>mask. a-Deklination</u>:

mhd. *geist* - Pl. *geiste* (a-Dekl.) / *geister*[1]
mhd. *wald* - Pl. *walde* (a-Dekl.) / *wälder*

aus der <u>mask. i-Deklination</u>:

mhd. *wurm* - Pl. *würme* (i-Dekl.) / *würmer*

aus den <u>Wurzelnomina</u>:

mhd. *der man* - Pl. *die man* (Wurzelflexion)
  die manne (a-Dekl.)
  die männer (seit 14./15.Jh.)

In seltenen Fällen ist das alte Stammsuffix auch im Sg. erhalten geblieben, z.B. im

ahd. Neutrum *ahir*[2], Gen. *ahires*, Nom.Pl. *ahir*, mhd. *äher/eher*, nhd. Ähre (fem.!)

5. Im Idg. gab es noch eine Reihe anderer <u>konsonantischer Stämme</u>, z.B.

l-Stamm: vgl. lat. *so-l* (mask., asigmatisch) Sonne

b-Stamm: vgl. lat. *ple-b-s* (fem.) Volk

C Wurzelnomina

athematische Flexion: die Kasusendung tritt unmittelbar an die Wurzel an[3]

vgl. z.B. Nom.Endung idg. -s: lat. *op-s*, Gen. *op-is*
  Kraft

Im <u>Ahd.</u> nur noch Reste (mask., fem.) erhalten, die sich z.T. bereits der mask. a-Deklination bzw. der fem. ô- oder i-Deklination anschließen.

a) <u>Maskulina</u>

ahd. *man*, Gen. *man/mannes*, Nom.Pl. *man*

b) <u>Feminina</u>

lat. *nox* (= nok-s), Gen. *noctis*

got. *naht-s*
ahd. *naht*, Gen. *naht*, Nom.Pl. *naht*, Dat.Pl. *nahtum*[4]
Anschluß an die ô-/i-Deklination erst im Mhd.: vgl. Nom./Akk.Pl. nebeneinander:

naht (Wurzelfl.), *nahte* (ô-Dekl.), *nähte* (i-Dekl.)

wie *naht* noch *bruoch* (Hose), *burg*, *brust*

---

1 bei Luther noch beide Formen nebeneinander
2 idg. Wurzel *ak-*, vgl. lat. *acer* (Adj.) spitz, *acus* Nadel, Granne
3 vgl. die Prät.-Formen der starken Verben, § 20 IV
4 so noch in Weih<u>nachten</u>

IV U n t e r k l a s s e n

Zu den idg. o- und ā-Stämmen (germ. a/ô-Stämmen)
bilden sich durch <u>Erweiterungen des Stammsuffixes</u>
bestimmte Unterklassen.

Solche stammsuffixerweiternde Wortbildungselemente,
die zwischen Wurzel und Stammsuffix eingeschoben
werden, sind

idg. i̯ (> germ. j): kennzeichnen z.B. Nomina agentis

idg. u̯ (> germ. w)

Die neuen Endungen haben gegebenenfalls auch laut-
gesetzliche Auswirkungen auf den Lautstand der Wur-
zelsilbe (Umlaut: vgl. H<u>e</u>rde - H<u>i</u>rte)

<u>Ableitungen zu idg. o-/germ. a-Stämmen</u>

1. <u>germ. ja-Stämme</u>

Ableitungselement + Stammsuffix: idg. -i̯o > germ. -ja

Nur mask. und neutr. (wie die a-Stämme)

a) <u>Maskulina</u>

- kurzsilbige Stämme:

idg. *+kor-i̯o-s*[1]

germ. *+har-ja-z*   -   got. *harjis*
ahd. *heri* Heer

- langsilbige Stämme[2] (+ zusätzlichem Über-
gangslaut -i-)

idg. *+kerdh-i-i̯o-s*

germ. *+herd-i-ja-z* - got. *hairdeis* (ei=î)
ahd. *+hirti* Hirte

vgl. dagegen den germ. a-Stamm:

idg. *+kerdh-o-s*

germ. *+herd-az*   -   got. *hairdas*
ahd. *herta* Herde

b) <u>Neutra</u>

germ. *+and-ja-z*[3]   -   got. *andeis*
ahd. *enti* Ende

---

1 idg. substantiviertes Adjektiv 'zum Krieg gehörig',
  Denominativum zu idg. *+koros* Krieg, Streit
2 entweder mit langem Vokal oder mit kurzem Vokal in
  einer durch Konsonant geschlossenen Silbe
3 Grundwort idg. *+ants* Vorderseite, vgl. lat. *ante* vor;
  Präfix *ant-* entgegen; ferner <u>Ant</u>litz, <u>Ant</u>wort

2. germ. wa-Stämme

Ableitungselement + Stammsuffix: idg. -u̯o > germ. -wa

Nur mask. und neutr. (wie die a-Stämme)

a) <u>Maskulina</u>

    idg. *(s)noigu̯h-o-s[1]

    germ. *snai-wa-z̧ - got. *snaiws*
    ahd. *snê/snêo*[2], Gen. *sne̯wes* ⁻Schnee

b) <u>Neutra</u>

    lat. *genu*[3]

    germ. *+kne-wa-n* - got. *kniu*, Gen. *kniwes*
    ahd. *knio/kneo*, Gen. *kniwes* Knie

Ableitungen zu idg. ā-/ germ. ô-Stämmen

1. germ. jô-Stämme

Ableitungselement + Stammsuffix: idg. -i̯ā > germ. -jô

Nur fem. (wie die ô-Stämme)

  idg. *+rat-i̯ā* - lat. *ratio*

  germ. *+raþ-jô* - got. *raþjô* Zahl, Rechnung
  ahd. *radia/red(i)a* Rede

2. germ. wô-Stämme

Ableitungselement + Stammsuffix: idg. -u̯ā > germ. -wô

Nur fem. (wie die ô-Stämme), vgl. z.B.

  ahd. *drawa* neben *drôa* Drohung, *clawa* neben *clôa*
  Klaue, *brawa* Braue

V K l a s s e n s p e z i f i s c h e   A b l e i t u n g e n

In den einzelnen Deklinationsklassen werden aus Nomen und Verben durch klassen- und genus-spezifische
Ableitungs- oder Wortbildungssuffixe <u>neue Substantive</u>
gebildet.

Solche Suffixe können auf ursprünglich selbständige
Wörter zurückgehen, die aber in den germ. Dialekten
nicht mehr erhalten sind: sog. <u>Primärsuffixe</u>, oder
auf solche Wörter, die im Ahd. auch noch in selbständiger Form auftreten, sog. <u>Sekundärsuffixe</u> (vgl. Kom-
positumsbildungen wie *rîchi-tuom* Reichtum).

---

1 o: vokalisiertes w im Auslaut
2 lat. *nix, nivis* geht auf eine idg. Wurzel *neigu̯h- zurück
3 Laut-Umstellung in der Wurzel im Germ.

Daneben finden sich auch suffixlose Ableitungen von
Verben (Deverbativa), die auf einem bestimmten Ab-
lautstamm (meist Schwundstufe) aufbauen (s. mask. i-
Dekl., mask. n-Dekl.).

Wortbildungen in der a-Deklination

1. in den germ. a-Stämmen

a) Maskulina

1) Ableitungen auf -il, z.B.

- Gerätebezeichnungen

ahd. *sluzzil*
mhd. *slüzzel* Schlüssel (zu schließen)

- Nomina agentis[1]

ahd. *butil*
mhd. *bütel* Büttel (zu bieten)

- Naturphänomene

idg. *+kem-il-o-s*[2]
ahd. *himil*   -   mhd. *himel*[3] Himmel

ahd. *buhil*   -   mhd. *bühel* Bühl, Hügel

2) Ableitungen auf -ing
zur Bezeichnung von Abstammung oder Zugehörigkeit

ahd. *kuning* (zu ahd. *kunni* Geschlecht)
mhd. *künic* König

ahd. *pfenning*
mhd. *pfenni(n)c* Pfennig (zu Pfand)

3) Komposita mit westgerm. +dôm
ahd. tuom Stand, Gericht[4],
Adjektivabstrakta   Würde

ahd. *rîchituom*
mhd. *rîchtuom* Macht, Reichtum

b) Neutra

Diminutiva[5] auf -în, -lîn

ahd. *magatîn* (zu ahd. *magad* Jungfrau)
mhd. *magetîn* Mägdlein

ahd. *kindilîn* (zu ahd. *kint* Kind)
mhd. *kindelîn* Kindlein

---

1 Substantive, die handelnde Personen bezeichnen
2 idg. Wurzel +kem- bedecken
3 Ableitung hier evtl. auch nur Ergebnis einer Dissimilation, vgl. got. *himins*
4 vgl. engl. dooms-day 'Jüngstes Gericht'
5 Sg. Diminutivum 'Verkleinerungswort', zu lat. *diminuere*
klein machen

2. in den germ. ja-Stämmen

   a) Maskulina

      Ableitungen auf -âri

       - Nomina agentis:

         ahd. *wahtâri* (zu ahd. *wahta*, ô-Dekl., Wacht)
         mhd. *wahtaere* Wächter

         ahd. *lêrâri* (zu ahd. *lêren* lehren)
         mhd. *lêraere* Lehrer

       - Völkernamen

         ahd. *Rômâri*
         mhd. *Rômaere* Römer (zu Rom)

   b) Neutra

      1) Kollektivbildungen
         feste Kombination von Präfix gi- + j-Suffix

         ahd. *gibirgi*
         mhd. *gebirge* Gebirge (zu Berg)

      2) Abstraktbildungen auf -nissi

         ahd. *finstarnissi*
         mhd. *finsternisse* Finsternis (nhd. fem. - zu
                                            finster)

Wortbildungen in der ô-Deklination

1. in den germ. ô-Stämmen

   Nur Feminina

      1) Ableitungen auf germ. -ungô (bes. von schwachen
                                        Verben)
        zur Bildung von Nomina actionis[1]

        ahd. *manunga*
        mhd. *manunge* Mahnung (zu mahnen)

      2) Ableitungen auf germ. -idô

        Abstraktbildungen zu Adjektiven

        ahd. *gimeinida* (zu ahd. *gimeini* zusammengehörig)
        mhd. *gemeinde*   Gemeinde

        Im Ahd. und Mhd. verbreitete Wortbildung, da-
        nach zurückgegangen, vgl.

        ahd. *sâlida* (zu ahd. *sâlig* glücklich)
        mhd. *saelde* Glück, Heil

---

1 Substantive, die eine Handlung bezeichnen

2. in den germ. jô-Stämmen

Nur Feminina

Ableitungen auf germ. -injô (-unjô) > ahd. in

Feminin-Ableitungen von Maskulina, sog. movierte
(veränderte) Feminina

ahd. *kuningin*   (zu ahd. *kuning* König)
mhd. *künigin(n)e*[1] Königin

Wortbildungen in der i-Deklination

a) Feminina

   1) Verbalabstrakta auf -t

     substantivierter Stamm der Grundstufe von
     Verben der Klassen I - VI

     germ. +*ghebh-t-is*
     ahd. *gift*   (zu ahd. *geban*, Kl. V)
     mhd. *gift*   Gabe (nhd. Gift, s. Semasiologie)

     ahd. *scrift* (zu *scrîban*, I, schreiben)
     mhd. *schrift*

     ahd. *kluft*   (zu *clioban*, II, spalten)

     ahd. *durft*   (zu *durfan*, III, bedürfen)
     nhd. (Not-)durft

     ahd. *zunft*   (zu *zeman*, IV, ziemen) Ordnung

     ahd. *fart*   (zu *faran*, VI, fahren)

   2) Komposita mit -scaf (zu ahd. *scaffan*[2] schaffen)

     Verbalabstrakta (Deverbativa)

     ahd. *landscaf*
     mhd. *lantschaft*[3] Landschaft

   3) Komposita mit -heit (zu ahd. *heit* Wesen)

     Adjektivabstrakta (Denominativa)

     ahd. *tumbheit*
     mhd. *tumpheit* Dummheit

b) Maskulina

   Deverbativa, Abstraktbildung auf der Basis des
   suffixlosen Schwundstufenstammes: athematische
   Bildung

   germ. +*scrit-iz* (Stamm + Flexionsendung)
   ahd. *scrit* (Schwundstufenstamm zu ahd. *scrîtan*, I,
   mhd. *schrit* Schritt   schreiten)

---

1 n-Ausfall durch Dissimilation
2 vgl. auch ahd. *gi-scaf* Geschöpf
3 auslautendes t = Stützkonsonant, s. § 17 V A 5

ahd. *flug*   (zu ahd. *fliogan*, II, fliegen)

ahd. *bunt*   (zu ahd. *bindan*, III, binden)

ahd. *bruch*   (zu ahd. *brechan*, IV, brechen)

In Kl. V und VI tritt an die Stelle der Schwundstufe die Grundstufe:

ahd. *sitz*   (zu ahd. *sitzan*, V, sitzen)
ahd. *stant*   (zu ahd. *standan*, VI, stehen)

Wortbildungen in der n-Deklination

a) <u>Maskulina</u>

   1) Nomina agentis (Deverbativa auf der Basis des
                  Schwundstufenstammes)

      idg. *+bhudh-õ*
      germ. *+bud-*
      ahd. *boto*   (zu ahd. *biotan*, II, bieten)
      mhd. *bote*   Bote

   2) Ableitungen mit <u>j-</u>Suffix (und z.T. Präfix <u>gi-</u>)
   Kennzeichnung einer Zugehörigkeit

   Deverbativa:

      idg. *+sku-d-i̯-o*
      germ. *+skutjo*
      ahd. *skutzo*   (zu ahd. *skiozan* schießen) Schütze

   Denominativa:

      germ. *+gi-sal-jo*
      ahd. *gisell(i)o* Geselle (zu ahd. *sal* Saal)

b) <u>Feminina</u>

Ableitungen mit <u>Suffix î + Stammsuffix</u> (idg. -en/on):
          germ. <u>-în</u>

Adjektivabstrakta

got. *managei* (ei=̣î), Gen. *manageins*
ahd. *managî̄ / menigî̄* (zu ahd. *manāg* viel) Menge

VI Die S u b s t a n t i v - D e k l i n a t i o n e n
im A h d. und M h d.

  A Im <u>Ahd.</u> ist das ursprüngliche Stammsuffix weitgehend
  geschwunden, so daß an die Stelle des alten Bildungs-
  prinzips: Wortwurzel + Stammsuffix + Flexionsendung
  eine <u>Zweiteilung</u>: Wurzel + Flexionsendung (Kasusendung), mit welcher das Stammsuffix in der Regel verschmolzen ist, tritt.

  Das alte Stammsuffix ist nur noch teilweise zu erkennen, v.a. im Dat.Pl., der damit zu einem wichtigen
  Unterscheidungsmerkmal wird.

Übersicht über die a h d. Deklinationsformen

	Singular			Plural		
Dekl. Kl.	Nom. Akk.	Gen.	Dat.	Nom. Akk.	Gen.	Dat.
a (m)	tag	tages	tage	taga	tago	tagum
ja (m)	hirti	hirtes	hirtie	hirte	hirt(i)o	hirtum
wa (m)	sêo[1]	sêwes	sêwe	sêwa	sêwo	sêwum
a (n)	wort	wortes	worte	wort	worto	wortum
ja (n)	enti[2]	entes	ent(i)e	enti	ent(i)o	entim
wa (n)	kneo[3]	knewes	knewe	kneo	knewo	knewum
ô (f)	geba[4]	geba	gebu	gebâ	gebôno	gebôm
jô (f)	suntea[5]	suntea	suntiu	suntêa	suntôno	suntêom
i (m)	gast	gastes	gaste	gesti	gesteo	gestim
i (f)	stat[6]	steti	steti	steti	steteo	stetim
u	situ[7]	(sites	site	siti	siteo	sitim)
n (m)	hano[8]	hanen	hanen	hanon	hanôno	hanôm
n (n)	herza	herzen	herzen	herzun	herzôno	herzôm
n (f)	zunga	zungûn	zungûn	zungûn	zungôno	zungôm
r (m)	bruoder	bruoder	bruoder	bruoder	bruodero	bruoderum
r (f)	muoter	muoter	muoter	muoter	muotero	muoterum
nt (m) (=a)	fîant (Feind)	fîantes	fîante	fîanta	fîanto	fîantum
s (n)	lamb[9]	lambes	lambe	lembir	lembiro	lembirum

Wurzelnomina

	Singular			Plural		
(m) nach a:	man	man mannes	man manne	man	manno	mannum
(f) nach i:	naht	naht nahti	naht nahti	naht	nahto	nahtum nahtim

---

1 nhd. See   2 nhd. Ende   3 nhd. Knie   4 nhd. Gabe
5 nhd. Sünde   6 nhd. Stätte, Ort
7 nhd. Sitte; Formen in Klammern nach der i-Deklination
8 nhd. Hahn   9 nhd. Lamm

B Im <u>Mhd.</u> sind die ahd. Endsilbenvokale zu e abgeschwächt. Dies bedingt einen <u>Systemwandel</u> in der
Klassifizierung der Deklinationen. Unterschieden
werden im wesentlichen nur noch

<u>z w e i Deklinationskategorien</u>:

starke Deklination - schwache Deklination

1. Die <u>s t a r k e</u> Deklination

   Kennzeichen: Mask./Neutr.: Gen.Sg. -(e)s

                Fem.: Gen./Dat.Pl. -en (ô-Stämme)
                         Dat.Pl. -en (i-Stämme)

   In den drei Genera lassen sich nach gewissen Besonderheiten (Umlaut-Plural, Stammauslaut, Flexionsendung) jeweils noch bestimmte Deklinationsklassen unterscheiden:

a) <u>Maskulina</u>

   <u>Erste Deklinationsklasse</u> (meist alte a-Stämme)

   <u>Sg</u>. Nom.-Akk.: *tac*   *tages*   *tage*   *tac*

   <u>Pl</u>. Nom.-Akk.: *tage*   *tage*   *tagen*   *tage*

   <u>Sonderformen</u>:

   - auf <u>l oder r</u> auslautende <u>einsilbige</u> Substan-
     tive mit <u>kurzem</u> Wurzelvokal:

     e der Endungs-(Flexions-)silbe fällt in der
     Regel aus:
     Sg.: *stil*   *stils*   *stil_*   *stil*   Stiel
     Pl.: *stil_*   *stil̄*   *stiln̄*   *stil_*

   - <u>zweisilbige</u> Substantive:

     unbetontes Mittelsilben-e wird in gegebenen-
     falls dreisilbigen Flexionsformen ausgestoßen
     Sg.: *dienest* *dienstes* *dienste* *dienest*
     Pl.: *dienste* *dienste* *diensten* *dienste*

   <u>Zweite Deklinationsklasse</u> (meist i-Stämme mit
                              Pluralumlaut)

   <u>Sg</u>. Nom.-Akk.: *gast*   *gastes*   *gaste*   *gast*

   <u>Pl</u>. Nom.-Akk.: *geste*   *geste*   *gesten*   *geste*

   <u>Dritte Deklinationsklasse</u> (alte ja-Stämme,
   kurzsilbige u-Stämme wie *fride*

   <u>Nom./Akk.Sg. auf -e</u>

   <u>Sg</u>. Nom.-Akk.: *hirte*   *hirtes*   *hirte*   *hirte*

   <u>Pl</u>. Nom.-Akk.: *hirte*   *hirte*   *hirten*   *hirte*

Vierte Deklinationsklasse (alte wa-Stämme, oblique
Kasus: w)

Sg. Nom.-Akk.: *sê*   *sêwes*   *sêwe*   *sê*   See
Pl. Nom.-Akk.: *sêwe*   *sêwe*   *sêwen*   *sêwe*

b) Neutra

Erste Deklinationsklasse (alte neutrale a-Stämme)

Sg. Nom.-Akk.: *wort*   *wortes*   *worte*   *wort*
Pl. Nom.-Akk.: *wort*   *worte*   *worten*   *wort*

Sondergruppe: zweisilbige Substantive auf -r:
e der Endungs-(Flexions-)silbe fällt aus:
Sg.: *fenster*   *fensters*   *fenster*   *fenster*
Pl.: *fenster*   *fenster*   *fenstern*   *fenster*

Zweite Deklinationsklasse (meist alte ja-Stämme:
Nom./Akk.Sg. auf -e)

Sg.: Nom.-Akk.: *gesteine*   *gesteines*   *gesteine*   *gesteine*
Pl.: Nom.-Akk.: *gesteine*   *gesteine*   *gesteinen*   *gesteine*

Dritte Deklinationsklasse (alte wa-Stämme, oblique
Kasus: w)

Sg. Nom.-Akk.: *knie*   *kniewes*   *kniewe*   *knie*   Knie
Pl. Nom.-Akk.: *knie*   *kniewe*   *kniewen*   *knie*

Vierte Deklinationsklasse (alte s-Stämme: er-Plural
+ Umlaut, s. oben III B 4)

Sg. Nom.-Akk.: *lamp*   *lambes*   *lambe*   *lamp*   Lamm
Pl. Nom.-Akk.: *lember*   *lember*   *lembern*   *lember*

Diese Pluralbildung breitet sich mehr und mehr aus:
daz liet, diu liet/lieder
daz kint, diu kint/kinder

c) Feminina

Erste Deklinationsklasse (meist alte ô-Stämme; jô-
Stämme erkennbar am Umlaut)

Sg. Nom.-Akk.: *lêre*   *lêre*   *lêre*   *lêre*
Pl. Nom.-Akk.: *lêre*   *lêren*   *lêren*   *lêre*
Sg. Nom.-Akk.: *wünne*   *wünne*   *wünne*   *wünne*
Pl. Nom.-Akk.: *wünne*   *wünnen*   *wünnen*   *wünne*

Zweite Deklinationsklasse (meist alte i-Stämme mit
                                                    Umlaut)

<u>Sg</u>. Nom.-Akk.: *kraft* <u>*kraft/krefte*</u> *kraft/krefte kraft*
<u>Pl</u>. Nom.-Akk.: *kr<u>e</u>fte   krefte   kreften   krefte*

<u>Alte Wurzelnomina</u> zeigen nur noch selten die alten
endungslosen Formen. Sie schließen sich meist der
fem. zweiten Deklinationsklasse an:

<u>Sg</u>. Nom.-Akk.: *naht* <u>*naht/nehte*</u> *naht/nehte naht*
<u>Pl</u>. Nom.-Akk.: *nehte   nehte   nehten   nehte*

2. Die s c h w a c h e Deklination

Grundlage sind die ehemaligen n-Stämme

<u>Gemeinsames Kennzeichen</u> von Mask., Neutr., Fem.:

außer Nom.Sg. enden <u>alle Kasus</u> auf -en[1]:

	<u>mask.</u>	<u>neutr.</u>	<u>fem.</u>
Nom.Sg.	*bote*	*herze*	*zunge*
Gen./Dat./Akk. Sg.	*boten*	*herzen*	*zungen*
Nom.-Akk. Pl.	*boten*	*herzen*	*zungen*

VII Die S u b s t a n t i v - D e k l i n a t i o n e n
     im N h d.[2]

Der Wegfall der ursprünglichen Deklinationskennzeichen
durch die spätahd. Endsilbenabschwächung führte im
Mhd. zu einer Neugruppierung der Deklinationen.

Im <u>Nhd</u>. treten entsprechend der neuen Endsilbenver-
hältnisse <u>neue Einteilungsprinzipien</u> in Kraft; auf-
fallendstes Ergebnis ist die Ausbildung der gemisch-
ten Deklination. Unterschieden werden nun

<u>d r e i Deklinationskategorien</u>:

starke - schwache - gemischte Deklination

Maßgebendes Unterscheidungsmerkmal: die <u>Plural-
                                         kennzeichnung</u>

  1. Die s t a r k e Deklination

     Kennzeichen: - in allen drei Genera <u>starker Plural</u>
                    (d.h. <u>nicht</u> -en, außer Dat.Pl.)

                  - Mask./Neutr.: Gen.Sg. -(e)s

---

1 Davon abzusetzen sind starke Substantive, die bereits
  im Nom.Sg. auf -en endigen wie mhd. *diu küchen, der
  heiden, diu keten* (neben *diu ketene,* schw. fem.)
2 nach DUDEN-Grammatik

Substantiv Mhd. § 21 VII

a) Maskulina/ Neutra

	Nom.Sg.	Gen.Sg.	Nom.Pl.

1) ohne bes. Pluralbezeichnung (Pl.durch Artikel bez.)

mask.	der Lehrer	des Lehrers	die Lehrer
(mhd.[1]	der lêraere	des lêraeres	die lêraere,ja-St.)

neutr.	das Fenster	des Fensters	die Fenster
(mhd.	daz fenster	des fensters	diu fenster,a-St.)

2) Plural auf -e

mask.	der Tag	des Tages	die Tage, a-St.
neutr.	das Wort	des Wortes	die Worte[2]
(mhd.	daz wort	——	diu wort, a-St.)

3) Plural auf -e + Umlaut

mask.	der Gast	des Gastes	die Gäste
(mhd.	der gast	——	die geste, i-St.)
neutr.	das Floß	des Floßes	die Flöße
(mhd.	daz flôz	——	diu flôz)

4) Plural auf -er

mask.	der Leib	des Leibes	die Leiber
(mhd.	der lîp	des lîbes	die lîbe, a-St.)
neutr.	das Kind	des Kindes	die Kinder
(mhd.	daz kint	——	diu kint, a-St.)

5) Plural auf -er + Umlaut

mask.	der Wald	des Waldes	die Wälder
(mhd.	der walt	——	die walde,a-St.)
neutr.	das Wort	des Wortes	die Wörter

6) Plural nur durch Umlaut (selten)

mask.	der Garten	des Gartens	die Gärten
(mhd.	der garte	des garten	die garten,n-St.)
neutr.	das Kloster	des Klosters	die Klöster
(mhd.	daz clôster	——	diu clôster,a-St.)

7) Plural auf -s (v.a. Lehn- und Fremdwörter[3])

mask.	der Streik	des Streik(e)s	die Streiks
neutr.	das Kino	des Kinos	die Kinos

---

1 mhd. Formen werden meist nur aufgeführt, wenn sie in der
  Flexionsweise oder im qualitativen Lautstand vom Nhd. abweichen
2 mit Bedeutungsdifferenzierung, s. Plural auf -er+Umlaut
  (5); so auch Band, Bande/Bänder; Land, Lande/Länder
3 v.a. Übernahmen aus dem Niederländischen und Englischen,
  vgl. Steaks u.a.

b) <u>Feminina</u>

| | Nom.Sg. | Gen.Sg. | Nom.Pl. |

1) <u>Plural auf -e</u>

| | die Kenntnis | der Kenntnis | die Kenntnisse |
| (mhd. | *diu kentnis* | | *die kentnisse*) |

2) <u>Plural auf -e + Umlaut</u>

| | die Kraft | der Kraft | die Kräfte[1] |
| (mhd. | *diu kraft* | *der kraft/krefte* | *die krefte* ,i-St.) |

3) <u>Plural nur durch Umlaut</u>

| | die Mutter | der Mutter | die Mütter |
| (mhd. | *diu muoter* | | *die müeter* ,r-St.) |

4) <u>Plural auf -s</u>

| | die Mutti | der Mutti | die Muttis |

2. <u>Die s c h w a c h e Deklination</u>

Kennzeichen: -nur noch Maskulina

-außer Nom.Sg. enden alle Kasus auf -en

der Bote, des Boten - die Boten.

3. <u>Die g e m i s c h t e Deklination</u>

Neubildung des Nhd., entstanden aus dem Zusammenfall
der alten starken fem. ô-Deklination und der fem.
schwachen Deklination, dann auch auf Maskulina und
Neutra übertragen.

Kennzeichen: Singular stark - Plural schwach (Endung: -en)

	Nom.Sg.	Gen.Sg.	Nom.Pl.
<u>fem.</u>	die Gabe	der Gabe	die Gaben
(mhd.	*diu gâbe*		*die gâbe,* ô-St.)
	die Frau	der Frau	die Frauen
(mhd.	*diu frouwe*	*der frouwen*	*die frouwen,* n-St.)
<u>mask.</u>	der See	des Sees	die Seen
(mhd.	*der sê*	*des sêwes*	*die sêwe,* wa-St.)
<u>neutr.</u>	das Ende	des Endes	die Enden
(mhd.	*daz ende*		*diu ende,* ja-St.)
	das Herz	des Herzens	die Herzen
(mhd.	*daz herze*	*des herzen*	*diu herzen,* n-St.)

---

1 graphischer Systemausgleich

VIII B e s o n d e r h e i t e n in der Entwicklung der
     Deklination vom M h d. zum N h d.

   1. Im Mhd.: Schwanken zwischen starker und schwacher
                Deklination
      Im Nhd.: nur e i n e Deklinationsart obsiegt (a)

                b e i d e leben weiter mit Bedeutungs-
                differenzierung (b)

      a) mhd. ursprünglich stark, daneben schwach:

         st. : *buochstap, des buochstabes, die buochstabe*
         schw.: *buochstabe, des buochstaben, die buochstaben*

         nhd.: nur die schwache Deklination beibehalten

      b) mhd. st. : *der fleck, des fleckes, die flecke*
              schw.: *der flecke, des flecken, die flecken*

         nhd. gemischt: der (Schmutz)fleck, des Flecks
              stark : der (Markt)flecken, des Fleckens[1]

   2. Übergang in eine andere Deklination

      a) mhd. schwache - nhd. starke Deklination

         mhd. *der hane, des hanen, die hanen*[2]
         nhd. der Hahn, des Hahns, die Hähne

      b) mhd. schwache - nhd. gemischte Deklination

         mhd. *daz herze, des herzen, diu herzen*
         nhd. das Herz, des Herzens, die Herzen

      c) mhd. starke - nhd. schwache Deklination

         mhd. *der heiden*[3], *des heiden(e)s, die heidene*
         nhd. der Heide, des Heiden,   die Heiden

      d) mhd. starke - nhd. gemischte Deklination

         mhd. *diu küchen*[4], *der küchen(e), die küchene* (i-Dekl.)
         nhd. die Küche, der Küche,   die Küchen

      e) Doppelformen im Nhd.

         mhd. nur schw.: *der trache, des trachen*[5]
         nhd. schw.: der Drache, des Drachen (Fabeltier)
              st. : der Drachen, des Drachens (Schimpfwort)

---

1 n des obliquen Kasus in den Nom. eingedrungen
2 vgl. schw. Dekl. noch in 'Hahnenkamm' (Gen.Sg.) und
  'Hahnenkampf' (Gen.Pl.), auch 'Wasserhahnen' neben
  'Wasserhähne'
3 ahd. *heidan*, substantiviertes Adj., a-Deklination
4 ahd. *kuchîna* (ô-Stamm), Lehnwort aus lat. *coquina*
5 noch in 'Drachenstein'

3. Genuswechsel vom Mhd. zum Nhd.

   a) mhd. Maskulinum - nhd. Femininum

      mhd. *der fane* (ahd. *fano*, schw. Dekl.)
                     neben mdt. fem.: *diu fane*
      nhd. die Fahne (gemischte Dekl.)
           aber schwäb.: dr Fanə (mask.!)

      mhd. *der luft* (st. Dekl., i-Stamm)
                     neben mdt. fem.: *diu luft*
      nhd. die Luft (st. Dekl.)
           aber schwäb. ə kiəlr Luft (mask.!)

   b) mhd. Maskulinum - nhd. Neutrum

      mhd. *der lop* (st. Dekl., a-Stamm), neben *daz lop*
      nhd. das Lob (st. Dekl.)

   c) mhd. Neutrum - nhd. Femininum

      mhd. *daz ber* (ahd. *beri*, ja-Stamm), neben *diu ber*
      nhd. die Beere (gemischte Dekl.)

      mhd. *daz maere* (st. Dekl., ja-Stamm)
                     neben mdt. fem.: *diu maere*
      nhd. die Märe[1] (gemischte Dekl.)

   d) Genuswechsel findet sich auch bei der Übernahme
      von Wörtern aus fremden Sprachen

      lat. *murus* (m)   nhd. die Mauer

      lat. *fenestra* (f)   nhd. das Fenster

      frz. *le Rhône* (m)   nhd. die Rhone

      frz. *le raisin* (m)   nhd. die Rosine

      it. *il conto* (m)   nhd. das Konto

4. Semantisch differenzierte Doppelformen im Nhd.

   mhd. *der gehalt* (a-St.) Gewahrsam,Gefängnis, innerer Wert
   nhd. st. Mask. (Pl. auf -e):
        der Gehalt, des Gehalts, die Gehalte

        st. Neutr. (Pl. auf -er + Umlaut):
        das Gehalt, des Gehalts, die Gehälter -
                     Besoldung (seit 18.Jh.)

   mhd. *der posse/bosse* (n-St.) Beiwerk, Zierrat, Scherz
   nhd. gemischte Dekl. (mask.)
        der Possen, des Possen - Scherz, Spaß (seit 16.Jh.)

        gemischte Dekl. (fem.)
        die Posse, der Posse, die Possen - Farce, Schwank
                                          (seit 18.Jh.)

---

1 das Märe ist germanistischer Fachbegriff (terminus technicus)

5. Reste mhd. Deklinationsformen im Nhd.

a) alte Genitive (Singular) in Komposita

Gänseblümchen

vgl. mhd. *diu gans*, <u>Gen.</u> *der gense* (i-Dekl.)
dagegen nhd. die Gans, der Gans (st.Dekl.)

Mondenschein

vgl. mhd. *der mâne*, <u>Gen.</u> *des mânen* (n-Dekl.)
dagegen nhd. der Mond, des Mondes (st.Dekl.)

Frauenkirche

vgl. mhd. *diu frouwe*, <u>Gen.</u> *der frouwen* (n-Dekl.)
dagegen nhd. die Frau, der Frau (gemischte Dekl.)

b) alte Dative (Plural)

- in Ortsnamen (entstanden aus Formulierungen wie
  gegeben ze den + Dat.Pl.)

Steinhausen

vgl. mhd. *daz hûs*, <u>Dat.Pl.</u> *den hûsen* (a-Dekl.)
dagegen nhd. das Haus, den Häusern (st.Dekl.)

Wörishofen

vgl. mhd. *der hof*, <u>Dat.Pl.</u> *den hofen* (a-Dekl.)
dagegen nhd. der Hof den Höfen (st.Dekl.)

Rheinfelden

vgl. mhd. *daz felt*, <u>Dat.Pl.</u> *den felden* (a-Dekl.)
dagegen nhd. das Feld, den Feldern (st.Dekl.)

Vgl. aber den Landschaftsnamen
<u>Filder</u>: Nom.Pl. von *feld* analog den s-Stämmen:
fildir (s. oben Kap. III B 4)

- in Adjektiv- und Adverbbildungen

abhanden, vorhanden

vgl. mhd. *diu hant*, <u>Dat.Pl.</u> *den handen*[1]
dagegen nhd. die Hand, den Händen

mit altem Dativ Singular

behende (aus mhd. *bî hende* bei <u>der</u> Hand)

vgl. mhd. *diu hant*, <u>Dat.Sg.</u> *der hende* (i-Dekl.)
dagegen nhd. die Hand, der Hand

Der Zusammenhang mit 'Hand' wurde von den barocken
Sprachsystematikern nicht erkannt:

---

1 entspricht ahd. *den hantum*: Rest der urspr. u-Dekl.;
  übrige Formen nach der i-Dekl., (ahd. *hantim* - mhd. *henden*)

deshalb unterblieb der etymologische Vokalausgleich
wie beim Substantiv (mhd. *hant - hende*, nhd. Hand -
H<u>ä</u>nde).

IX Das A d j e k t i v

einem Substantiv zugeordnete Erläuterung, sei es
attributiv[1] oder prädikativ[2].

Die Adjektiv - F l e x i o n

Im <u>Idg</u>. entsprach die Adjektiv-Flexion derjenigen der
vokalischen und konsonantischen Substantiv-Stämme. Im
Lat. z.B. ist die o-/ā-, die i- und die konsonantische
Deklination der Adjektive noch voll ausgebaut.
Im <u>Germ</u>. entwickelte sich (ebenfalls) analog den Sub-
stantiv-Flexionen eine starke und schwache Adjektiv-
Flexion.

In der <u>starken Adjektiv-Flexion</u> (nach den a-/ô-Stämmen[3])
tritt eine der g e r m. grammatischen B e s o n -
d e r h e i t e n auf:

Neben die nominale starke Adjektiv-Flexion tritt eine
<u>pronominale</u>, welche die ursprünglich den Substantiven
entsprechenden starken Kasussuffixe bis auf wenige
Formen verdrängt:
<u>Nominal gebildet</u> werden nur noch

- Nom.Sg. mask., neutr., fem.
- Akk.Sg. neutr. und Akk.Sg. fem.

<u>Pronominal gebildet</u> werden alle übrigen Formen

Gen.Sg. mask. und neutr. können sowohl nominal als
auch pronominal abgeleitet werden.

A Die n o m i n a l e Adjektiv-Flexion

1. <u>starke Flexion</u>

Wie bei den Substantiven finden sich bei den Adjektiven neben reinen a-/ô-Stämmen auch ja/jô-
und wa-/wô-Stämme:

a) a-/ô-Stämme

	<u>Nom.Sg.</u>	<u>mask.</u>	<u>neutr.</u>	<u>fem.</u>
germ.		*+blindaz*	*+blindam*	*+blindô*
ahd.		*blint*	*blint*	*blint*
		(≙ *tag*)	(≙ *wort*)	(-)[4]

---

1 lat. *attribuere* zuteilen, zuschreiben
2 lat. *praedicare* aussagen, festsetzen
3 im Got. auch noch Reste einer i- und u-Deklination
4 zur Endsilbenentwicklung s. § 18. - Die endungslose Form
  des Adjektivs im Nom.Sg. <u>fem.</u> ist die ursprüngliche; beim
  Subst. der fem. ô-Dekl. *(lêra)* ist die Endung des Akk.Sg.
  in den Nom. übernommen, s. Kap. III A 2.

Im Ahd. erscheinen die starken Adjektive im Nom.
lautgesetzlich als endungslose Kurzformen in allen
drei Genera, mißverständlich als 'unflektiert' bezeichnet.

Gen.Sg. <u>mask.</u>, <u>neutr.</u> ahd. *blintes* (≙ *tages, wortes*)

Akk.Sg. <u>neutr.</u> ahd. *blint* - <u>fem.</u> *blinta* (≙ *lêra*)

b) <u>ja-/jô-Stämme</u>

<u>Kennzeichen</u>: Nom.Sg. im Ahd.: auslautendes -i
                im Mhd.: auslautendes -e

<u>Nom.Sg.</u> mask., neutr., fem. ahd. *herti*
                                mhd. *herte*
<u>Gen.Sg.</u> mask., neutr. ahd. *herties*, mhd. *hertes*

c) <u>wa-/wô-Stämme</u>

<u>Kennzeichen</u>: Nom.Sg. im Ahd.: auslautendes -o[1]
in den obliquen Kasus im Ahd./Mhd.: inlautendes -w-

<u>Nom.Sg.</u> mask., neutr., fem. ahd. *grao*, mhd. *grâ*

<u>Gen.Sg.</u> mask., neutr. ahd./mhd. *grawes*

2. <u>schwache Flexion</u>

Alle Adjektive können auch wie schwache Substantive
flektiert werden:

<u>Nom.Sg.</u> ahd. mask. *blinto* (≙ *hano*), Gen. *blinten*
              neutr. *blinta* (≙ *herza*), Gen. *blinten*
                fem. *blinta* (≙ *zunga*), Gen. *blintûn*

<u>Nom.Sg.</u> mhd./nhd. alle drei Genera: *blinte*/blinde
<u>Gen.Sg.</u> - <u>Akk.Sg.</u> und <u>ganzer Plural</u>: *blinden*

Zum Gebrauch der Flexionstypen s. unter C

B Die p r o n o m i n a l e Adjektiv-Flexion

In allen Kasus der starken Adjektiv-Flexion erscheinen im
Ahd. die Endungen des D e m o n s t r a t i v - Pronomens
(s. Exkurs unten).
Im Nom.Sg. aller Genera und im Akk.Sg. neutr. blieben
daneben die nominalen Formen erhalten, so daß im Ahd.,
Mhd. und Nhd. <u>Doppelformen</u> bestehen: vgl.

<u>Nom.Sg. ahd.</u>

nominal   : mask. *blint*   neutr. *blint*   fem. *blint*

pronominal: mask. *blintêr* neutr. *blintaz* fem. *blintiu*
              (≙*dër*)   (≙*daz*)   (≙*diu*)

---

1 vokalisiertes w im Auslaut

Die nominale und pronominale Adjektiv-Flexion[1]

		mask.	**neutr.**	**fem.**
Sg.	Nom.	_blint_ blintêr (≙_der_)	_blint_ blintaz (≙_daz_)	_blint_ blintiu (≙_diu_)
	Gen.	blintes (≙_des_	oder	blintes _tages/wortes_)	blintera (≙_dera_)
	Dat.	blintemu (≙_demu_)	blintemu (≙_demu_)	blinteru (≙_deru_)
	Akk.	blintan (≙_den_)	_blint_ blintaz	blinta
Pl.	Nom. Akk.	blinte	blintiu	blinto
	Gen.	blintero	blintero	blintero
	Dat.	blintêm	blintêm	blintêm

Im Got. gibt es Doppelformen nur im Nom./Akk.Sg.
neutr.: _blind/blindata_ (≙ _þata_ das); sonst wechseln die Formen kasusweise: Nominal: Nom., Gen.Sg.
mask., neutr.: _blinds_ (m), _blind_ (n), _blindis_.
Pronominal: Dat.Sg. mask., neutr.: _blindamma_
(≙ _þamma_ dem), Akk.Sg. mask.: _blindana_ (≙ _þana_ den).
Im Sg. fem. gibt es Verschiebungen gegenüber mask./
neutr.: Nominal sind Nom. und Akk.: _blinda_ (≙ _daga_)
und Dat.: _blindai_. Pronominal ist der Gen.:
blindaizôs (≙ _þizôs_ der).

E x k u r s : Das einfache Demonstrativpronomen im Ahd.[2]

Das germ. einfache Demonstrativpronomen entstand
aus zwei Stämmen:

1. s-Anlaut (Nom.Sg. mask. und fem.)

z.B. mask.: idg. +_so_ - germ. +_sa_ (so noch got. _sa_ der)
    ags. _sê_ (< germ. _sai_[3])

2. t-Anlaut (Nom.Sg., Pl. neutr. und alle obliquen
    Kasus Sg. und Pl.)

z.B. mask.: Gen.Sg. idg. +_te-so_ > germ. +_þe-sa_
                ahd. _thes/des_ des
    Dat.Sg. idg. +_te-sm-o_ > germ. +_þe-mo_
                ahd. _themu/demo_ dem
    Akk.Sg. idg. +_to-m_ > germ. +_þan/þen_
                ahd. _den_ den

---

1 nominale Formen sind unterstrichen
2 aus Umfangsgründen muß die Flexion anderer Pronomen
  (Personal-, Possessiv-, Relativ-, Interrogativ-, Inde-
  finitiv-Pronomen) beiseite bleiben
3 i = zusätzliche deiktische Partikel (zu gr. _deiktikos_
  hinweisend), vgl. auch got. _sai!_ sieh!

Der t/d-Anlaut ist <u>im As. und Ahd.</u> auch in den Nom.Sg.
mask. und fem. eingedrungen: as. Nom.Sg. mask. *sê/thê/
thie*. Im Ahd. tritt überdies noch in Analogie zum Personalpronomen *-er* hinzu: *der*

Mit dem Übergang vom synthetischen zum analytischen
Sprachbau übernahm im Ahd. das ursprüngliche einfache
Demonstrativpronomen zunehmend die Funktion des Arti-
kels (nach dem Endsilbenabbau zur Kennzeichnung gegebenenfalls von Genus, Kasus, Numerus). Danach wurde ein

<u>neues Demonstrativ-Pronomen</u> mit wieder eindeutig de-
iktischer Funktion gebildet:

An das alte Demonstrativ-Pronomen (ahd. *der, daz, diu*)
trat eine deiktische Partikel *-s (-se)*. Die dadurch
entstandene ursprünglich 'innere Flexion' (+*der-se*)[1]
trat schließlich an das Ende des Kompositums:

ahd. mask.	*desêr*	neutr.	*ditz*	fem.	*desiu*
mhd.	*dirre/diser*		*diz/diჳ*		*disiu*
nhd.	dieser		dieses		diese

(Systemausgleich)

C Zum G e b r a u c h der verschiedenen Adjektiv-

Flexionen

Das Adjektiv kann attributiv beim Substantiv stehen,
oder prädikativ (etwa durch das Verbum substantivum)
auf das Substantiv bezogen sein.

<u>Im Ahd.</u> ist im attributiven und prädikativen Gebrauch
eines Adjektivs noch keine klare Trennung zwischen den
verschiedenen Flexionsformen zu erkennen. Es erscheint

attributiv *ein guot man*   neben *ein guotêr man*
prädikativ *der man ist guot* neben *der man ist guotêr*

<u>Im Mhd.</u> geht die Tendenz dahin,

<u>prädikativ</u> die <u>starke nominale Flexion</u> zu setzen
der man ist alt, die wege sint lanc

<u>attributiv</u>

- nach <u>bestimmtem</u> Artikel die <u>schwache Flexion</u>
  der alte man, die guoten tage, dem guoten kint

- nach <u>unbestimmtem</u> Artikel die <u>pronominale Flexion</u>
  ein alter man, ein guotez wort, lange wege

<u>Im Nhd.</u> wird diese Tendenz zur Regel

---

1 vgl. frz. mask. celui-<u>ci</u>, fem. celle-<u>ci</u>

X Das A d v e r b[1]

einem Verbum zugeordnete Erläuterung. Adverbien können aus Adjektiven (Adjektiv-Adverbien) oder Substantiven (Substantiv-Adverbien) gebildet werden.

A A d j e k t i v - A d v e r b i e n

Sie werden gebildet:

1. durch ein <u>Adverbial-Suffix</u>, im Germ. meist -ô,

entstanden aus einem idg. Ablativ auf -ôd, der
an den Adjektiv-Stamm angehängt wurde, vgl.

<u>im Lat.</u> die Adverb-Bildung auf -ō (neben der
regelmäßigen auf -ē[2])

Adj.: *citus* (m)   *citum* (n)   *cita* (f) schnell
Adv.: *citō*

Adj.: *sagitta cita* ein schneller/der schnelle Pfeil
Adv.: *sagitta citō volat* der/ein Pfeil fliegt schnell

<u>im Ahd.</u> Adj.: *snel* (m, n, f)   tapfer
          Adv.: *snello* auf tapfere Weise

Adj.: *daz heri ist snel/snella* (stark und schwach
                                        flektiert)
Adv.: *daz heri strîtit snello* das Heer kämpft
                                        tapfer

Besonderheiten:
Bei den ja-/jô-Stämmen der Adjektive zeigen sich
zwischen Adjektiven und Adverbien unterschiedliche Wurzelvokale <u>durch Umlaut</u> (Adjektiv) bzw.
dessen Fehlen (Adverb)

Adj.: ahd. *engi* (< vorahd. +*angi*)   eng
Adv.:   *ango*

die ahd. Lautform ist in mhd. *bange*/nhd. bang
(aus vorahd. +*bi-ango*) erhalten

Adj.: ahd. *festi* fest
Adv.:   *fasto*

die ahd. Lautform (mit Bedeutungswandel) erhalten
in
mhd. *faste*/nhd. fast

2. durch die <u>Bildungssilbe</u> -*lîche* (ahd. -*lîcho*)[3]

Adj.: mhd. *saelec*   selig
Adv.:   *saeleclîche*

---

1 aus lat. *ad* bei, *verbum* Wort: beim Verb stehend
2 vgl. dagegen *tardē* zu *tardus* langsam; außerdem Adverbbildungen auf -ter und -iter: *constanter* zu *constans*,
  acriter zu *acer*, *feliciter* zu *felix*
3 vgl. ahd. *ga-lîh*, mhd. *gelîch* gleich, entsprechend

3. durch <u>bestimmte (erstarrte) Kasus</u> (adverbiale
                                          Suppletivformen)

a) <u>Gen.Sg. neutr.</u>

     Adj.: mhd. *staete*   beständig
     Adv.:   *staetes* stets

b) <u>Akk.Sg. mask. oder fem.</u> der <u>schwachen</u> Flexion

     Adj.: ahd. *follo* (m), *folla* (f) voll
     Adv.:   *follon* (m), *follûn* (f) in vollem Maße
          mhd. *vollen*
     (neben ahd. *vollo*/mhd. *volle*)

c) <u>Akk.Sg. neutr.</u>

     <u>vgl. lat.</u> Adv. *ceterum* übrigens, im übrigen
                 zu *ceterus*, *-um*, *-a* der, die, das andere

     <u>im Mhd.</u>   v.a. in Zusammensetzungen (mit Ver-
                  stärkungsfunktion):

     mhd. *al-eine*, *al-so*, *al-waere* (einfältig, albern)

4. durch <u>Suppletivformen</u> (s. verbum substantivum)

     got. Adj.: *gôþs*   gut
         Adv.: *waila* (zu got. *wiljan* wollen)

     ahd. Adj.: *guot*
         Adv.: *wela/wola*[1], mhd. *wole/wol* nhd. gut, wohl

B S u b s t a n t i v - A d v e r b i e n

Sie werden gebildet durch <u>bestimmte (erstarrte) Kasus</u>

a) <u>Akk.Sg. neutr.</u>

     Subst.: ahd./mhd. *heim* (st. a-Stamm) Heim, Haus
     Adv. :   *heim* nach Hause

b) <u>Gen.Sg.</u>

     Subst.: mhd. *tac*
     Adv. :   *tages*   am Tag, tags

     analog dazu Adv. *nahtes*[2] nachts

c) <u>Dat.Pl.</u>

     Subst.: Nom.Sg. ahd. *hwîla/wîla* (fem. ô-Stamm)
                                  Zeit, Zeitraum
     Adv. :   *wîlôn* bisweilen
              mhd. *wîlen/wîlent*[3], weiland

---

1 o-Verdumpfung nach w, s. § 15 III 6
2 Subst. *naht* ist altes Wurzelnomen, das regelmäßig
  auch nach den fem. i-Stämmen flektiert: Gen. *naht/nehte*
3 t = Stützkonsonant, s. § 17 V A 5

XI Die S t e i g e r u n g des Adjektivs

Komparativ und Superlativ werden <u>im Ahd. nur schwach</u>
<u>flektiert</u> (Nom. mask. auf -o, neutr. und fem. auf -a
endend); im Mhd. finden sich starke und schwache
Flexion

1. Der K o m p a r a t i v[1]

   Gebildet durch Komparativsuffix:

   idg. *-$\underset{\frown}{i}es$, *-$\underset{\frown}{i}os$, *-$\underset{\frown}{i}\bar{o}s$, *-$is$ (ablautend)
   (got. $-iz$ $-\hat{o}z$)
   ahd. $-ir$ $-\hat{o}r$ (Rhotazismus)

   Die Verteilung der beiden Suffixe $-ir/-\hat{o}r$:

   - einsilbige Adjektive: i.d. Regel $-ir$
   - mehrsilbige Adjektive: $-\hat{o}r$

   ahd. *lang - lengiro* (mask., schwach flektiert)
   mhd. *lang - lenger*[2]

   ahd. *sâlig - sâligôro* (mask., schwach flektiert)
   mhd. *saelic - saeliger*

2. Der S u p e r l a t i v[3]

   Gebildet durch das Komparativsuffix + t

   ahd. *is-t   ôs-t*

   ahd. *engi* (ja-Stamm) - *engiro* - *engisto*[4]
   mhd. *enge*   - *enger* - *engest*

   ahd. *sâlig - sâligôro - sâligôsto*
   mhd. *saelic - saeliger - saeligest*

<u>Besonderheiten</u>:

In den mhd. flektierten Formen des Superlativs
wird das <u>Mittelsilben-e</u> (des Superlativ-Suffixes)
häufig ausgestoßen:

tiure- tiureste neben *tiurste* teuer

Gegebenenfalls tritt <u>Umlaut</u> des Stammvokals in
den Steigerungsformen gegenüber dem Positiv (der
Grundform) auf:

nhd. hoch - höher - am höchsten
auch Doppelformen: fromm - frommer neben frömmer

Der Superlativ kann <u>prädikativ</u> mit bestimmtem Ar-

---

1 lat. *comparare* vergleichen
2 im Mhd. ist der Auslautvokal abgeschwächt und <u>nach r</u>
  abgefallen, s. § 15 IV C
3 lat. *superlatio* Übertreibung
4 bei Adjektiven auf -i (ja-/jô-Stämme) verschmilzt das
  auslautende -i mit dem Vokal des Komparativ- und Superlativ-Suffixes

tikel und schwacher Flexion gebraucht sein:

er ist <u>der</u> größte

oder mit Präposition <u>an + Artikel dem (Dat.)</u>, kon-
trahiert zu <u>am</u>:

er ist am größten.

Bei dieser spezifisch deutschen <u>elliptischen</u> Wen-
<u>dung</u> ist ein Substantiv wie Punkt, Grad, Mal etc.
zu ergänzen. Findet sich in (seltenen) Ansätzen
schon im Mhd.:

fristen <u>an dem</u> allerjungisten (tage)[1] ... bewahren
                                            am allerletzten Tag

3. Suppletivformen:

U n r e g e l m ä ß i g e Steigerung mit anderen
Wortstämmen:

ahd. *guot - beȝȝiro - beȝȝist*
mhd. *guot - beȝȝer - best*

Steigerungsformen vom Adv. *baȝ* < idg. *+bhād* gut

vgl. lat. *bonus - melior - optimus* gut, besser, am
                                            besten

4. S e m a n t i s c h e Steigerung

Zur Steigerung eines Adjektivs können auch bestimmte Adverbien dienen:

vil, harte (sehr), *sêre*[2] (schmerzlich, gewaltig,
                                            heftig)

z.B. mhd. *ein harte schoene wîp*[3] eine sehr schöne
                                            Frau.

---

1 Priester Wernher 'Marienleben', Hs. D um 1280, 183,24
2 Substantivadverb zu *sêr* Schmerz, vgl. 'versehren'
3 Friedrich von Hausen, MF 48,24
4 vgl. auch die Steigerungsformen
  <u>im Englischen</u>: 1. germ. Steigerung: great, greater,
  greatest; 2. rom.: splendid, more splendid, most
  splendid; 3. unregelmäßig: good, better, best,
  <u>im Französischen</u>: 1. grand, plus grand, le plus grand,
  2. unregelmäßig: bon, meilleur, le meilleur,
  <u>im Italien.</u>: bello, piu bello, il piu bello

§ 22 <u>Der Wortschatz</u>

Gesamtheit der Wörter einer Sprache. Umreißt und kennzeichnet die Dimensionen eines sprachlichen Weltbildes und seiner kommunikativen Umsetzungen.

Der Wortschatz einer Sprache läßt sich ordnen:

- <u>diachron</u>: nach Genese (Herkunft) und Entwicklung
- <u>synchron</u>: nach Wortformen und Sprachschichten

I D i a c h r o n e r, genetischer Aspekt: <u>Herkunft der Wörter</u>

Der Wortschatz einer Sprache ist - ebenso wie die Lautung vor ihrer schriftlichen Fixierung - einem ständigen Wandel unterworfen, sei es durch Neubildungen, durch Bedeutungsentwicklungen, durch Neuzugänge (aus anderen Sprachen und aus Dialekten, auch durch Übergänge aus Sondersprachen in die Gemeinsprache), durch Untergang veralteter Wörter.

Auch die Wörter der nhd. Sprache sind unterschiedlichen Alters und unterschiedlicher Herkunft. Sie lassen sich mit Hilfe von Etymologie, Semasiologie, Wortbildungsforschung, Lexikologie gliedern in:

A G r u n d - und E r b w ö r t e r

1. idg. Erbgut: läßt sich durch Sprachvergleich ins Idg. zurückführen

2. germ. Erbgut: Wörter, die <u>nur</u> germ. Sprachen gemeinsam sind.

Dieser Grundwortschatz erweitert und verändert sich im Verlaufe der Sprachgeschichte fortwährend durch:

B F r e m d - und L e h n w ö r t e r

Aufnahme neuer Wörter aus anderen Sprachen, oft zusammen mit den durch sie bezeichneten Sachen oder Vorstellungen; bedeutsamer Faktor der Erweiterung des Wortschatzes einer Sprache

C L e h n p r ä g u n g e n

Nachbildung fremdsprachlicher Wörter und Begriffe mit eigensprachlichen Mitteln

D W o r t v e r l u s t e

Absterben veralteter Wörter: Parallel zur ständigen Neubildung stößt die Sprache auch Wortgut ab, meist im Zusammenhang mit kulturellen und zivilisatorischen Umschichtungen; mit zeitbedingten Sachen, Inhalten und Funktionen gehen oft auch die betreffenden Wörter unter (z.T. erhalten in den Dialekten oder in Sondersprachen).

E W i e d e r b e l e b u n g e n

Reaktivierung abgestorbener Wörter, zunächst in der Bildungssprache, vornehmlich im Zuge historischer Rückbesin-
nungen.

F W o r t n e u b i l d u n g e n

mit Elementen des bestehenden Wortschatzes (morphologische
Veränderungen):

1. <u>Derivativa</u> durch Ableitungen (Derivationen) mit Hilfe
von Affixen (Derivatemen: Präfixe, Suffixe)

2. <u>Komposita</u> (Zusammensetzungen)

Die Formen der Wortneubildungen (Verben, Nomen) sind jeweils bestimmten Flexionsklassen zugeordnet (s. § 20 VII,
§ 21 V).

G S e m a n t i s c h e Veränderungen

Bedeutungs- und Bezeichnungswandel (Semasiologie, Onomasiologie).

*

A 1. I d g. G r u n d w ö r t e r

elementare Bezeichnungen und Begriffe (Grundwortschatz).
Die lautlichen Unterschiede dieser Wörter gleicher (idg.)
Herkunft in den verschiedenen Sprachen erklärt die Laut-
geschichte.

A b s t r a k t a

a) <u>Zahlen</u>, z.B.

eins[1]: idg. *+oi-n-os* - lat. *unus*
ahd. *einaz* - mhd. *ein(e)z*

zehn : idg. *+dekṃ*[2]
gr. *déka* - lat. *decem*
got. *taíhun* - ahd. *zehan* - mhd. *zehen*
aind. *daša*[3] - tochar. *sake* - altslaw. *desęti*

hundert: idg. *+kṃtôm* (Grundwort idg. *+kṃt-* Zehner)
gr. *hekatón* - lat. *centum* - toch. *känt*
got. *+hundra-raþ*[4]
ahd./mhd. *hunt/hundert*
aind. *satám* - awest. *satem* - iran. *sata*
altslaw. *suto* (russ. *sto*)

---

1 Neutrum zu 'ein'
2 aus idg. *+de* zwei und *+kem/kom/kṃ* Hand, Grundbedeutung:
Zahl der Finger zweier Hände, germ. *handu-* die Fassende,
Greifende, Ablautstufe zu *+hinþan* fangen, noch in got.
fra-hinþan
3 zum Wechsel von k und s vgl. § 4
4 zu got. *raþjan* zählen

b) Adjektive, z.B.

    rot: idg. *+raudho* - aind. *rudhirá-*
        got. *rauþs* - ahd./mhd. *rôt*
        (vgl. auch gr. *erythrós* - lat. *rufus, ruber*)

    weiter: arm, dünn, eigen, faul, fern, frei, hart, jung,
            kalt, lang, lieb, neu, süß, stark, weiß, weit u.a.

K o n k r e t a

a) Waldbäume, z.B.

    Buche: idg. *+bhāgs* - gr. *phēgós*   (Eiche)
                    lat. *fāgus*
        got. *bôka* (Schrift)
        ahd. *buohha* - mhd. *buoche*

    weiter: Ahorn, Eiche, Eibe, Erle, Esche, Fichte, Linde u.a.

b) Wald- und Haustiere, z.B.

    Wolf: idg. *+u̯lku̯os* - gr. *lýkos* - lat. *lupus*
        got. *wulfs* - ahd./mhd. *wolf*

    Kuh : idg. *+gu̯ōus* - aind. *gáuh*
                  gr. *boũs* - lat. *bōs*
        ahd./mhd. *kuo*

    weiter: Bär, Biber, Elch, Fuchs, Hirsch, Otter - Bock,
            Hund, Katze, Ochse, Rind, Schaf, Schwein, Ziege u.a.

c) Verwandtschaftsnamen, z.B.

    Vater: idg. *+pətḗr* - aind. *pitár*
                gr.   *patḗr* - lat. *pater*
        got. *fadar*   ahd./mhd. *fater*

    weiter: Mutter, Sohn, Tochter, Bruder, Schwester, Neffe,
            Enkel u.a.

d) Körperteile, z.B.

    Zahn: idg. *+(e)dont*[1] - gr. *odōn* - lat. *dens, dentis*

        ahd. *zand/zan* - mhd. *zant/zan*

    weiter: Mund, Zunge, Lippe, Nase, Auge, Ohr, Kinn, Haupt,
            Fuß (lat. *pes, pedis*) u.a.

e) Personenbezeichnungen, z.B.

    Gast: idg. *+ghostis* (Fremder) - lat. *hostis*[2]
        got. *gasts* - ahd./mhd. *gast* (Fremder, Feind, Gast)

    weiter: Feind, Freund, Magd u.a.

---

1 Part.Präs. zu idg. *+ed-* essen
2 vgl. auch engl. hostile 'feindlich'

f) <u>Wohnen</u>, z.B.

    Zimmer: idg. *+dem-ro* (Gefügtes, zu *+dem-* bauen)
          gr. *dômos* - lat. *domus* (Haus)
        germ. *+tem-ra/timbra*[1] (Bauholz)
        ahd. *zimbar* (Bauholz, Bau)
        mhd. *zimber/zimmer* (Bauholz)

    schwaches Verb (Denominativum), abgeleitet aus
    ahd. *zimbar: zimbarôn* zimmern, erbauen;
    vgl. aus derselben Wurzel (ablautend):

        idg. *+dom-a* ans Haus gewöhnen, zähmen
        lat. *domare* - got. *(ga)tamjan*
        ahd. *zemmen*, Adj. *zam* zahm

    weiter: (Schweine-)Koben (eigentlich Wohnhöhle),
        Giebel, Dach (lat. *tectum*), Tür, Scheuer,
        Garten (lat. *hortus*) u.a.

g) <u>Ackerbau und Viehzucht</u>, z.B.

    Acker : idg. *+agros* - lat. *ager*
          ahd. *ackar* - mhd. *acker*

    Same(n): idg. *+sem-* - lat. *sēmen*
          ahd. *samô* - mhd. *sâme*

    Vieh : idg. *+peku-* (Kleinvieh)
          gr. *pokos/pékos* (Schaffell) - lat. *pecus*[2]
          got. *faíhu* (Vermögen)
          ahd. *fihu* - mhd. *vihe* Vieh

    weiter: Wagen, Rad, Achse, Nabe, Deichsel - Egge, Pflug,
        Sense, Spaten - Furche, Tenne - mahlen, mähen,
        schroten u.a.

h) <u>Natur</u>, z.B.

    Sonne: idg. *+sãu-/sŭ-*, mit l-Suffix: lat. *sōl*
        got. *sauil* - ags. *sol*
        ahd. (mit n-Suffix) *sunna* - mhd. *sunne*

    Mond : idg. *+mē(n)s-* (zu *+mē-* messen)
        got. *mêna* - ahd. *mâno* - mhd. *mân(e)*

        zum Mond als Zeitmesser vgl.
        idg. *+mēn-ōt* - lat. *mensis* Monat
        ahd. *mânôd* - mhd. *mânôt*

    weiter: Stern (lat. *stella*), Feuer, Donner (lat. *tonitus*),
        Wind (lat. *ventus*), Ache (Flußname, lat. *aqua*
        Wasser), Nebel (lat. *nebula*), Nacht (lat. *nox*,
        noctis) u.a.

---

1 b ist germ. Gleitlaut
2 Besitzgrundlage war das Vieh, davon abgeleitet lat.
  pecunia Vermögen, Geld

i) <u>Tätigkeiten</u>, z.B.

essen: idg. *ed-* (kauen, essen)
    gr. *édonai* - lat. *edere*
    got. *itan* - ahd. *ezzan* - mhd. *ezzen*

weiter: bauen, beißen, binden, fahren, flechten,
    fragen, gehen, kommen, liegen, sagen,
    sein, sitzen, schneiden, schwitzen, sprin-
    gen, stehen, steigen, sterben, tun, wa-
    chen, weben, werden, wissen, zähmen
    (s. auch Abschn. f)

Der idg. Erbwortschatz wird etwa auf ein Fünftel des Ge-
samtbestandes geschätzt. Er kann Auskunft über frühzeit-
liche (idg.) Gemeinsamkeiten geben (Sprach-Archäologie).

A 2. Germ. Grundwörter

Wörter, für welche sich in anderen idg. Sprachen
keine Entsprechungen finden,

a) <u>Seefahrt</u>, z.B.

See: germ. *saiwa-* (Binnensee, Sumpflandschaft)
    got. *saiws* - ahd. *sêo* - mhd. *sê*
    engl. sea - schwed. sjö

weiter: Ebbe, Kiel, Mast, Ruder, Segel, Steuer,
    Sturm, Himmelrichtungen Norden, Süden,
    Osten, Westen u.a.

b) <u>Kriegswesen</u>, z.B.

Waffen: germ. *wêpan* - got. *wêpna* (Pl.)
    ahd. *wâffan/wâfan* - mhd. *wâfen*
    engl. weapon

    vgl. dagegen Wappen, mhd. *wâpen:* Lehnwort
    aus mittelnld. *wâpen*

weiter: Bogen, Schild, Schwert, Spieß u.a.

c) <u>Staats- und Rechtswesen</u>, z.B.

König: germ. *kuningaz* - altnord. *konungr*
    ahd. *kuning* - mhd. *künec*
    engl. king

weiter: Graf, Herzog - Schöffe, Ding, Sache, Buße -
    Dieb, Raub, Sühne u.a.

B Fremd- und Lehnwörter

Spielen neben dem Grundwortschatz aus heimischem Sprachgut in der Geschichte der deutschen Sprache eine bedeutsame Rolle. Sie geben Auskunft über geistige, kulturelle,

zivilisatorische, technische Beziehungen eines Volkes zu anderen
Völkern[1], vgl. z.B. die Übernahme fremdsprachlicher Wörter ins
Lateinische

aus dem Griech.: *purpura* (gr. *porphýra* Purpurschnecke), *oleum*
(*élaion* zu *elaía* Ölbaum, Olive), *chorus* (*choros* Tanzplatz,
Chor), *epistola* (*epistolé* Botschaft, Brief), *historia* (*istoríā*
Kunde, Erzählung)

aus dem Etrusk.: *atrium* (Halle), *populus* (Volk), *servus* (Diener)

aus dem Germ.: *alces* (Elch), *urus* (Auer-Ochse)

aus dem Kelt.: *carrus* (Karren), *verēdus* (Postpferd, mit griech.
Präfix *para*: mlat. *paraveredus*[2].

Zu unterscheiden sind unter genetischen, diachronen Aspekten[3]

Fremdwörter (Bez. von Jean PAUL)

Wörter, die in den Wortschatz einer anderen Sprache aufgenommen
werden, wobei Lautung und Akzentuierung weitgehend beibehalten
werden: angeglichen wird meist nur die Flexion[4],
im Unterschied zu fremdsprachlichen Wörtern, die nur als punk-
tuelle, ephemere Zitate aus einer fremden Sprache auftauchen.

Bei sprachlichen Anleihen ergeben sich im Zuge kultureller Beziehungen phasenweise Schwerpunkte (z.B. lat. Wörter im Vorahd.,
Ahd. und im Humanismus, franz. Wörter in der höf. Zeit um 1200
und im Barock).

Lehnwörter (Bez. belegt seit Mitte 19. Jh.[5])

ursprüngliche Fremdwörter, welche in Lautung, Akzentuierung,
Schreibung, Morphematik (Formenbau) und Flexion an den einhei-
mischen Sprachgebrauch angeglichen und so weit eingegliedert
sind, daß sie auch Lautveränderungen (z.B. die 2. LV) mitmachen
(vgl. lat. *piper* - ahd. *pfeffar*). Aus solchen Beobachtungen kann
dann u.U. auf den Zeitraum der Übernahme geschlossen werden.

In der schriftlosen oder schriftarmen Zeit werden Fremdwörter
relativ rasch in die mündliche Empfängersprache integriert und
damit zu Lehnwörtern. Auf schriftlicher Basis wird die Umgestal-
tung in ein Lehnwort verzögert, wenn nicht verhindert, was nicht
unbedingt etwas über die Gebrauchshäufigkeit aussagt, sondern

---

1 die lautlichen Transformationen können auch jeweils über die
  unterschiedlichen Artikulationsbedingungen Auskunft geben.
2 zunächst als Fremdwort in ahd. *pfarifrit*, mhd. *pfärfrit*, *pfert*
  neben heimisch ahd. *hros*, mhd. *gûl*, ahd. *marah*, mhd. *marc(h)*,
  nhd. Mähre, vgl. auch 'Marschall'.
3 zu neueren Überlegungen zum Fremdwort unter synchronen Aspekten
  s. Peter BRAUN, Fremdwortdiskussion. 1979 (UTB)
4 zu Eindeutschungsversuchen vgl. Kap. E
5 vgl. H. EBEL, Über die Lehnwörter in der deutschen Sprache. 1856

nur über die Sprachschicht, in welcher ein Wort verwendet wird
(Bildungssprache).

In der Frühzeit bezeichnen Lehnwörter häufig Sachen, welche
aus einer anderen Kultursphäre übernommen wurden. Mit der
Christianisierung dringen dann Bezeichnungen für Religiöses
in die dt. Sprache ein. In dem Maße, wie sich die dt. Sprache
neben der lat. auch als wissenschaftliche Sprache etabliert,
werden auch abstrakte Bezeichnungen nachgebildet. Es zeigen
sich z.T. unterschiedliche Grade der Eingemeindung eines fremden Wortes: Bleibt es Teil eines Fachwortschatzes, wird es
meist nicht assimiliert.

1. W o r t e n t l e h n u n g e n

V o r a h d.   Z e i t   (vor der 2. LV)

Die Wortentlehnungen dieser Frühzeit wurden noch voll in die
Empfängersprache integriert, so daß ihre fremde Herkunft nur
mit Hilfe der Etymologie zu erkennen ist.

a) aus dem Keltischen

Amt: kelt. *ambaktos* (Diener)
      got. *andbahts* (Diener), *andbahti*   Amt, Dienst
      ahd. *ambaht*   (Diener/Dienst)
      mhd. *ambahte/ambet/amt*

weiter: Geisel, Glocke, Reich u.a.

b) aus dem Lateinischen (besonders bedeutsam)

schon in gemeingerm. Zeit über 400 Wörter (über Gallien -
gegebenenfalls erkennbar an durchgeführter 2. LV) aus folgenden Sachgebieten:

Landwirtschaft: Pflanze (*planta*, 2.LV), Frucht (*fructus*) -
Birne, Kirsche, Pflaume, Pfirsich - Kohl, Pilz, Rettich
(*radix*), Zwiebel - Kümmel, Senf - Wein, Winzer (ahd. *wîn-
zuril*), Most (*vinum mustum*)

Kochkunst: Küche (spätlat. *coquina*, ahd. *kuhhina*, mhd.
küchen), Koch

Geräte und Gefäße: Fackel, Kerze, Kette, Kiste (*cista*,
engl. chest), Sack, Tafel (*tabula*), Tisch (*discus*) -
Becher, Bottich, Kelch, Kessel (*catinus*), Pfanne, Schrein,
Schüssel (*scutula*)

Baukunst: Fenster (*fenestra*), Kalk, Kammer (*camera*, ahd.
chamara, engl. chamber), Keller (*celarium*, vgl. auch Zelle,
s. ahd. Zeit) Mauer, Mörtel, Pfeiler (spätlat. *pilarium*),
Pfahl, Pflaster, Pforte, Stube, Wall, Ziegel

Verkehr und Handel: Meile, Straße (*via strata* geebneter
Weg, engl. street) - Münze (*moneta*), Pacht, Pfund (*pondo*[1]),
Vogt (*vocatus* der Herbeigerufene[2]), Zoll u.a.

---

1 indeklinables Substantiv
2 vgl. das spätere Fremdwort gleicher Herkunft: Advokat

<u>Kriegswesen</u>: Kampf (*campus* Kampffeld, engl. camp), Kaiser, eines der ältesten Lehnwörter, vom lat. Personennamen *Caesar* (noch mit k-Artikulation und Diphthong): ahd. *keisar*, mhd. *keiser* (vgl. dagegen auf der Basis der spätlat. Aussprache: Zar) u.a.

c) aus dem <u>Griechischen</u> (über die got. Bibelübersetzung, 4.Jh.): Kirche (nach spätgr. *kyriakon*), Pfaffe (*papas*, vgl. russ. Pope) – Engel (*angelos* Bote), Teufel (*diabolos* Verleumder) u.a.

A h d. Z e i t

a) aus dem <u>Lateinischen</u> im Zusammenhang mit der Christianisierung und der Kloster- und Bildungsreform Karls des Großen (um 800): Altar, Kloster (*claustrum*, ahd. *clôstar*: ahd. Monophthongierung), Klause (*clusa*), Mönch (*monachus*), Nonne (spätlat. *nonna*), Zelle (*cella*: spätlat. z-Aussprache), Messe, Meister – Brief (*libellus brevis* kurzes Schreiben), schreiben, Tinte (*aqua tincta* gefärbtes Wasser) u.a.

b) aus dem <u>Slawischen</u>: Kürschner (altslaw. *kurzno* Pelz, mhd. *kursenaere* zu ahd. *kursinna*, mhd. *kürsen* Pelzrock).

M h d. Z e i t

Wortübernahmen v.a. im Zuge der Anlehnung an die höfisch-ritterliche Kultur Frankreichs. Seit dieser Zeit behalten die übernommenen Wörter oft fremde Lautung und Betonung bei, blieben Fremdwörter (partielle Zweisprachigkeit des Adels). Viele davon sind mit der höfisch-ritterlichen Kultur wieder untergegangen, z.B.: *baneken* (afrz. *banicare* sich tummeln), *bûhurt* (afrz. *bouhourt* scharweiser Ritterkampf), *gabilôt* (afrz. *gavelot* von kelt. *gaflach* Wurfspieß), *tjoste* (afrz. *jouste*, von lat. *iuxta* Zweikampf mit Speer).

In die Allgemeinsprache aufgenommen wurden u.a.:

a) aus dem <u>Französischen</u>: Abenteuer (afrz. *aventure* aus lat. *adventura*, mhd. *âventiure*), Kissen, Lanze, Tanz, Turnier, Visier – fein, klar, rund u.a.

b) aus dem <u>Lateinischen</u>: Apotheke, Materie, Prophet, Student (über Ital.?), Vision

c) aus dem <u>Niederdeutschen</u>: Ritter (oberdt. *rîtaere* Reiter), Tölpel (mhd. *dörper*)1 u.a.

d) aus dem <u>Orient</u> v.a. durch die Kreuzzüge, z.T. über franz. oder ital. Vermittlung: Schach (pers. *šah*, mhd. *schâch* König im Schachspiel, Schachspiel), Sultan (mhd. *soldan*), Barchent (arab. *barrakan* grober Stoff), Sirup, Spinat u.a.

1 zu ndt. *dorp*, oberdt. *dorf*, mit Dissimilation

S p ä t m h d. Z e i t (ab 15. Jh.)

a) v.a. aus dem Italienischen (Handel und Verkehr):
   Bank, Bankrott (*banca rotta* gebrochene Bank),
   Konto, Kredit – Barke, Golf, Kompaß – Ingwer,
   Muskat, Zimt, Melone, Rosine u.a.

b) aus dem Slawischen: Quark, Peitsche, Zeisig

N e u z e i t

a) aus dem Lateinischen (3. lat. Welle: Humanismus):
   Deklination, Disputation, Disziplin, Epistel,
   Matrikel, Präses – artikulieren, demonstrieren,
   experimentieren, philosophieren u.a.

b) aus dem Französischen:
   16./17. Jh. (2. frz. Welle: Barock, Alamode-Zeit):
   Baron, Kavalier, Präsident, Charm, Onkel, Papa,
   Tante, Kostüm, Korsett, Perücke, Plüsch – Balkon,
   Terrasse – Armee, Batterie, Bombe – amüsieren,
   garnieren, kandieren u.a.

   18. Jh.: (3. frz. Welle: Aufklärung): Debut, Despot,
   Demokrat, Republik, Tyrann, Zivilisation, Monsieur,
   Friseur – Menuett, Oboe, Ouvertüre – Park, Plagiat
   u.a.

   um 1800 (im Gefolge der Franz. Revolution):
   Anarchist, Bürokrat, Defizit, Emigrant, Fraktion,
   Reaktion, Proletarier, Terrorist u.a.

c) aus dem Italienischen (16. Jh., v.a. Fachwörter
   aus der Musik): Adagio, Duett, Kapelle, Motette,
   Sonate – Bariton, Sopran, Tenor u.a.

d) aus dem Englischen (im wesentlichen erst seit 17. Jh.):
   17. Jh.: Pudding, Punsch, Parlament – 18. Jh.:
   Gentleman, Frack, Club, Spleen, Budget – 19. Jh.:
   Hygiene, Start, Streik, Whisky – 20. Jh.: Knicker-
   bocker, Shorts, Pullover, Couch, Amateur, Sport,
   Tennis, Trainer, fair – Cocktail, Steak u.a.

e) aus dem Amerikanischen (v.a. 20. Jh.):
   Clown, Girl, Revue, Star, Party, Come-back, Quiz,
   Jazz, Beat, Hit, Song, Gag – Motel, Hostess, Jeep,
   Jeans, Make-up – Manager, Boss, Job, Trend, Lobby,
   Interview – high u.a.

f) aus dem Slawischen: 16. Jh.: Gurke – 17./18. Jh.:
   Droschke, Tornister – 18.Jh.: Grippe, Steppe –
   19. Jh.: Polka, Razzia – 20. Jh.: Kader, Kolchose,
   Kosmonaut, Sputnik u.a.

g) aus dem Jiddischen: schofel, schnorren, schmusen, Schlamassel (jidd. *schlimasel*, aus dt. schlimm und jidd. *masol* Stern, Schicksal) u.a.

h) Pseudo-Anglizismen: Show-master, Leg-warmer, Pullunder (v.a. Werbesprache)

2. L e h n s u f f i x e

Übernahme franz. Suffixe im Zusammenhang mit einem Fremdwort, z.B.

-<u>ieren</u>: frz. *partir* - mhd. Fremdwort *partieren* teilen,

danach auch auf andere aus dem Franz. stammende Wörter übertragen:
mhd. *parlieren* (zu frz. *parler*) u.a.

schließlich auch auf Wörter mit lat. Stamm:
disputieren (13. Jh., zu lat. *disputare*)

und dt. Stamm: spätmhd. *hofieren* (zu Hof)

-<u>ie</u>: frz. partie - mhd. Fremdwort *partie* Abteilung;

Suffix auch auf lat. Wörter übertragen, z.B.
mhd. *fantasîe* (lat. *phantasia*) und schließlich

auch auf dt.-stämmige Wörter:
jegerîe, zauberîe Jägerei, Zauberei

-<u>lei</u>: afrz. *ley* Art, als Endung in
mhd. *manegerleie* (Adj.) vielfach u.a.

3. M e h r f a c h e n t l e h n u n g e n

Ein bestimmtes Grundwort kann in verschiedenen, sprachgeschichtlich bedingten Formen zu verschiedenen Zeiten mehrfach - z.T. in verschiedene Sprachschichten - entlehnt werden, z.B.

<u>*palatium*</u> (lat., Name der Haupterhebung des Mons Palatinus, einer der sieben Hügel Roms, in der Kaiserzeit Ort der kaiserlichen 'Paläste')

1. ahd.: *phalanza* > mhd. *phalanze/phalze/phalz* > nhd. <u>Pfalz</u>

2. mhd.: *palas* (< afrz. *palais*) > nhd. <u>Palast</u>[1]

3. nhd. (17. Jh.) Entlehnung als Fremdwort: <u>Palais</u>

vgl. auch: Ortsname Palatin, it. palatino - Name der kurpfälzischen Bibliothek Heidelberg (gegründet 1560): Palatina (eigentlich Bibliotheca Palatina)

<u>*(ad)vocatus*</u> (lat. der Gerufene), ahd.: *foget* Rechtsbeistand, <u>Vogt</u> (Lehnwort) - 15. Jh. <u>Advokat</u> (Fremdwort)

---

1 spätmhd. Stützkonsonant t, s. § 17 V A 5a

4. Rückentlehnungen

germ./dt. Wörter, die in eine andere Sprache entlehnt
wurden und später in veränderter Lautung (und z.T. auch
Bedeutung) wieder in die dt. Sprache (rück)entlehnt
wurden, z.B.

Panier: wgerm. *banda*/got. *bandwa* Zeichen > afrz.
bandiere/baniere

> 12. Jh.: als Lehnwort mhd. *baniere* > nhd. Banner
> (als Fremdwort beibehalten)

Herold (14. Jh.): *heralt* < afrz. *heralt* < ahd. *+heri-*
walto (der des Heeres waltet, s. auch
Personennamen Harald)

furnieren (16. Jh.): < frz. *fournier* (liefern) < vorahd.
+frumjan (fördern, nhd. frommen)

Loge (17. Jh.): < frz. *loge* (Theaterplatz)[1] < vorahd.
+laubja (Laubhütte, Laube)

Boulevard (19. Jh.): < frz. *boulevard* < mhd. *bol-werc*
(aus Bohlen errichteter Schutzzaun,
nhd. Bollwerk)

Guerilla (19. Jh.): < span. Dim. zu *guerra*, frz. *guerre*
(Krieg) < vorahd. *+werra* (Verwirrung,
Streit)

C Lehnprägungen (inneres Lehngut)

1. Wörter

Eine zweite Möglichkeit der Erweiterung eines Wortschatzes liefert - neben der Übernahme eines fremdsprachlichen Wortkörpers (Wortentlehnung: Fremdwort,
Lehnwort) - die Nachbildung fremdsprachlicher Wörter
und Begriffe: Begriffsentlehnung.

Man unterscheidet unter dem Oberbegriff 'Lehnprägung'
(nach W. BETZ) v i e r Kategorien, die sich in unterschiedlicher Weise zum fremdsprachlichen Vorbild verhalten:

L e h n b i l d u n g e n schaffen neue Wörter
1. als Lehnformungen, d.h. Ganz- oder Teilübersetzungen
(Lehnübersetzung - Lehnübertragung) oder suchen
2. in einer Neuprägung - Lehnschöpfung - eine analoge
Wiedergabe des Vorbilds.

L e h n b e d e u t u n g e n geben vorhandenen
Wörtern nach fremdsprachlichem Vorbild eine neue Bedeutung.

---

1 vgl. im 18. Jh. auch 'Freimaurervereinigung' nach engl.
lodge

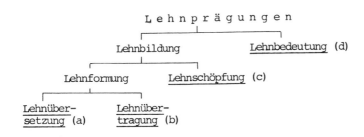

a) L e h n ü b e r s e t z u n g e n

Glied-für-Glied-Übersetzung (unter Berücksichtigung der
Wortbildungsmodi der Empfängersprache), z.B.:

Heiland: ahd. *heilant*, as. *hêliand* für lat. *salvator*

Montag: ahd. *mâne-tag* für lat. *dies lunae*[1]

Mitleid: mhd. *mite-lîde/mite-lîden/mite-lîdunge*
        für lat. *compassio* (nach gr. *sympathia*)

Lebenslauf (17. Jh.): für lat. *curriculum vitae*

Hellseher (18. Jh.): für frz. *clair-voyant*

Geistesgegenwart (18. Jh.): für engl. *presence of mind*
                        oder frz. *présence d'esprit*

Gemeinplatz (18. Jh.): für engl. *common place* (nach lat.
                      locus communis)

b) L e h n ü b e r t r a g u n g e n (Teil-Übersetzung)

Vaterland: mhd. *vaterlant* für lat. *patria*

Halbinsel (17. Jh.): für lat. *paeninsula*[2]

Gegenstand[3] (18. Jh.): für lat. *objectum*, für ältere
                Lehnübersetzung 'Gegenwurf' (Mystiker, 14. Jh.)

Mittelalter (18. Jh.): für lat. *medium aevum*, für ältere
                Lehnübersetzung 'Mittelzeit', so noch bei Goethe

Wolkenkratzer (20. Jh.): für amerik. *sky-scraper*

c) L e h n s c h ö p f u n g e n

Ein fremdsprachliches Vorbild ist Anstoß zur entsprechenden
Neubildung eines Wortes aus heimischem Sprachmaterial:
sachlicher - nicht sprachlicher Bezug:

Umwelt (um 1800): für frz. *milieu*

---

1 vgl. auch die übrigen Wochentage
2 vgl. die frz. Lehnübersetzung *presqu'-île*
3 Wort seit 16. Jh. belegt im Sinne von 'Widerstand'

Lehrgang (19. Jh.): für lat. *cursus*

Kraftwagen (20. Jh.): für 'Automobil' (Neologismus)

Rundfunk (20. Jh.): für 'Radio' (Neologismus)

Weinbrand: für frz. Cognac (s. 1921, Versailler Vertrag)

In diesen Zusammenhang gehören auch die immer wieder einsetzenden Bestrebungen der 'Sprachreinigung' seit dem Barock, s. Kap. F 3.

d) L e h n b e d e u t u n g e n

Ein heimisches Wort erhält eine neue Bedeutung (Form des Bedeutungswandels, s. § 24); häufig in ahd. Zeit im Rahmen der Christianisierung[1], z.B.:

Buße: ahd. *buoza* im Sinne von kirchenlat. *poenitentia*, statt ursprünglich 'Vergütung' (zu *baz* besser)

taufen: ahd. *toufen*, ursprünglich 'eintauchen'[2]

2. W o r t f o l g e n

a) L e h n w e n d u n g e n

Nachbildungen fremdsprachlicher Redensarten (Lehn-übersetzungen), z.B.:

etwas aufs Tapet[3] bringen (17. Jh.) für frz. mettre une affaire sur le tapis

den Hof machen nach frz. faire la cour

die Würfel sind gefallen nach lat. *alea iacta est*

b) L e h n s p r i c h w ö r t e r, z.B.

Volkes Stimme (ist) Gottes Stimme nach lat. *vox populi vox dei*

c) L e h n z i t a t e, z.B.

'Sein oder Nicht-Sein...' nach Shakespeare, Hamlet

3. L e h n s y n t a x

Übernahme der syntaktischen Eigenheiten einer fremden Sprache, z.B.: das ist meines Amtes oder die aus dem Lat. übernommene, durch einen Nebensatz isolierte

---

1 in der ahd. Benediktinerregel besteht (nach BETZ) der religiöse Wortschatz zu 60% aus Lehnbedeutungen, zu 27% aus Lehnbildungen, zu 13% aus Lehnwörtern
2 zum Wechsel von odt. f und ndt. ch vgl. auch odt. sanft, Neffe - ndt. sacht, Nichte (mhd. odt. *niftel*)
3 veraltete Bez. für Teppich, Tischdecke (frz. tapis) nach lat. *tapetum* Teppich für Boden, Wand, Tisch

Spitzenstellung eines Subjekts:

'Dies Pistol, wenn Ihr die Klingel rührt,...'
(KLEIST), 'Michael Kohlhaas') nach lat.: Caesar,
postquam...

D Wortverluste

Zu beobachten schon nach der ahd. Epoche: vgl.

a) ahd. Wörter, die <u>im Mhd. nicht mehr belegt</u> sind

wêwurt[1] Unheil (Hildebrandslied - HL),
itis Frau (Merseburger Zaubersprüche)

ahd. Wörter, die <u>im Mhd. nur noch in Zusammen-</u>
<u>setzungen</u> oder <u>Ableitungen</u> erhalten sind:

gund (HL) Kampf,Krieg: *Gunther*, *Hiltegunt*,
hiltia (HL) Kampf: *Hilteburc*, *Kriemhilt*
aha Fluß: Salzach, Biberach, Aach, Aachen
triu[2] Baum: *holunter*, *wêcholter* Wacholder
frô Herr (nur noch in der Anrede *frô mîn*), mhd.
    als Genitiv-Komposita: *frônlîchname* Fron-
    leichnam, *frônebote*, *frôndienest*, vgl. auch
    das movierte Fem. *frouwe*

b) mhd. Wörter, die <u>im Nhd. untergegangen sind</u>:

anke[3] Butter, *anst* Gunst, *âgeleize* Schnelligkeit,
Mühe, *anegenge* Anfang, *kerzstal* Leuchter, *lüppe*
Gift, *ritte/rite*[4] Fieber, *saelde* Glück, *swegler*
Pfeifer, *ünde* Welle, Flut, *vingerlîn* Ring u.a.,
s. auch Kap. B Fremdwörter der mhd. Zeit.

diezen[5] rauschen, *dingen* hoffen, *jehen* sagen
(noch in Beichte - ahd. *bi-jiht*), *kiesen* wählen,
smieren/smielen lächeln (vgl. engl. to smile)
dürkel durchlöchert (zu durch), *michel* groß,
sinwel rund[6], *vêch* bunt

mhd. Wörter, die im Nhd. <u>nur noch in Zusammenset-</u>
<u>zungen</u>, <u>Ableitungen</u>, <u>Dialektformen</u> oder in <u>ne-</u>
<u>gierter Form</u> erhalten sind:

feim Schaum - abgefeimt, *malm* Staub - zermalmen,
diet Volk - deutsch, *eiz* Geschwür - schwäb. aisə,

---

1 aus *wê* Schmerz + Ableitungsstufe von *werdan* geschehen
2 vgl. engl. tree, gr. <u>Dry</u>-ade Baumnymphe
3 verdrängt durch das Lehnwort Butter, lat. *butyrum*,
  vulgärlat. *butira*, ahd. *butera*, mhd. *buter*
4 verdrängt durch das Lehnwort Fieber, lat. *febris*,
  ahd. *fiebar*
5 vgl. Walther von der Vogelweide, Reichston; erhalten ist
  die Intensivableitung 'tosen'
6 vgl. noch den (runden) 'Sinwell'-Turm in Nürnberg

raeze scharf - alem. räß, *lützel* klein - ndt. lütt (vgl.
engl. little), *sagelîch* bemerkenswert - unsäglich, *wirdic*
trefflich, angesehen - unwirsch (im 18. Jh. aus frühnhd.
unwirdsch unwert, unwillig)

E W i e d e r b e l e b u n g e n

In der 2. Hälfte des 18. Jh.s versuchte man im Zuge einer
neuen Welle des Sprachpurismus und der Sprachbereicherung[1],
altdeutsche Wörter wiederzubeleben, meist in archaisieren-
den Stiltendenzen[2] und zur Erzielung besonderer poetischer
Valenzen, z.B.

Hain (Wäldchen, Kontraktionsform zu mhd. *hagen* Dornbusch,
                                          Einzäunung[3])

Hort (mhd. *hort* Schatz)

kosen (mhd. *kôsen* sprechen, plaudern, aus frz. *choser*),
       vgl. auch liebkosen, Kosename

weiter: Ampel, Aue, Banner, Barde, Eiland, Elfe, Fee, Heim,
        Sippe, hehr, sinnig, frommen, heischen

F N e u b i l d u n g e n, Neologismen[4]

Sie entstehen ständig,

1. durch die Notwendigkeit, neue Sachen und Sachverhalte zu
bezeichnen, durch Vorstöße in neue geistige Bereiche (hier
besonders Abstraktbildungen), auch aus dem Bedürfnis nach
poetischer Variation und Innovation.
2. durch Kontakt mit fremden Kulturen (s. auch Fremd- und
Lehnwörter, insbesondere Lehnprägungen, Kap. B, C)

Zu unterscheiden sind

1. Derivativa[5] (semantisch eingliedrige Wörter, sogenannte
              Simplicia[6]), z.B.

   a) Ausbildung der schwachen Verben als
      Deverbativa (trinken - tränken) und
      Denominativa (Sonne - sonnen), vgl. § 20 VII

   b) Substantivbildungen als Verbalabstrakta
      (brennen - Brunst), vgl. § 21 V

   c) durch Präfixe (Primitivum[7] - Derivativum):
      mhd. *mugen* (können) - *vermugen* im Stande sein
      nhd. mögen - vermögen

---

1 vgl. F. GEDIKE, Gedanken über Purismus und Sprachbereicherung,
  Dt. Museum 2, 1779
2 im 19. Jh. besonders Richard WAGNER
3 zu mhd. *hagen* vgl. Ortsnamen wie Hagenau, Hagen, zu Hain vgl.
  Göttinger Hain(bund), Ortsnamen wie Hainhausen, Ziegenhain
4 gr. *neos* jung, neu, *logos* Wort
5 Sg. Derivativum zu lat. *derivatio* Ableitung
6 lat. *simplex* einfach
7 lat. *primitivus* ursprünglich

mhd. *gelten – vergelten*
(beide Beispiele im Nhd. mit Bedeutungsunter-
scheidung)

d) durch Suffixe:
Blume – blum*ig*, mahnen – Mahn*ung*
Hof – hof*ieren*

2. Komposita (semantisch zwei- und mehrgliedrige Wörter),

bestehend aus einem Grundwort, z.B. Baum, und einem Be-
stimmungswort, z.B. Birne – Birnbaum

Komposita werden gebildet:

a) zur Beseitigung semantischer Unklarheiten:
Kleider-stoff – Roman-stoff

b) zur Informationskonzentration:
Halte-stelle

c) bei fehlenden Flexions- (meist Plural-)formen:
Schnee – Schneefälle

d) zur Steigerung oder Präzisierung:
krank – sterbenskrank
müde – todmüde, wund – todwund

3. Neologismen:

um 1000: in der ahd. Übersetzungsliteratur
(Notker Teutonicus):

wîsheit oder *wîstuom* für lat. *sapientia* Weisheit:
Kompositum aus Adj. *wîs* kundig und Subst. *heit*
Wesen bzw. *tuom* Handlung; ebenso

fruotheit für lat. *prudentia* Klugheit: Adj. *fruot*
verständig, klug, weise und Subst. *heit*.

um 1300 in der Mystik besonders häufig, z.B.

begrif Begriff zu *grîfen* greifen, *îndruc* Eindruck
zu *îndrucken, inbrunst* zu *brennen*

weiter: Einfluß, Verständnis, Zufall – einleuchten,
eigentlich;

Versuche, lat. Vorstellungen nachzubilden sind:

erbarmherzekeit (neben älterem *erbarmede, erbarme,
barmecheit*) für lat. *misericordia*; möglicherweise
in Analogie dazu *saelecheit* (neben *saelde,* ahd.
sâlida) – mit Wechsel des Grundwortes *heimlîchkeit,*
das schließlich älteres *daz/diu tougen* Geheimnis,
verdrängt.

17. Jh. (Zeitalter der Sprachgesellschaften): v.a.
in den Versuchen, Fremdwörter einzudeutschen, läßt
sich eine weitere sprachschöpferische Welle beobachten, s. auch Lehnprägungen, Kap. C

Beispiele, die sich durchsetzten: Anschrift (für Adresse),
Augenblick (für Moment), Gesichtskreis (für Horizont),
Grundstein (für Fundament), Leidenschaft (für Passion),
Rechtschreibung (für Orthographie), Mundart (für Dialekt),
Jahrhundert (für Saeculum)

Erfolglose Beispiele: Gesichtserker (für Nase, lat. *naso*),
Tagleuchter (für Fenster)

18. Jh.: Freistaat (für Republik), Kreislauf (für Zirku-
lation), Feingefühl (für Takt), betonen (für akzentuieren),
Herausgeber (für Editor) u.a.

19. Jh.: Briefumschlag (für Couvert), Abteil (für Coupé),
Eintrittskarte (für Entréebillet) u.a.

20. Jh.: Fernsprecher (für Telephon), Fernsehen (für Tele-
vision), Anzeige (für Annonce) u.v.a.

Die fortwährende Tendenz zur Umsetzung fremder Wörter in
heimisches Sprachgut führt in vielen Fällen zu einem
- oft nur stilistisch bedeutsamen - Nebeneinander von
Fremdwort und Eigenwort.

G S e m a n t i s c h e Veränderungen s. § 24

II S y n c h r o n e Aspekte: Sprachschichten, Anwendungsbereiche

A G e s a m t w o r t s c h a t z[1]

Jeder hat am Gesamtwortschatz einer Sprache einen aktiven
(für Sprechen und Schreiben verfügbaren) und passiven (nur
verstehbaren) Anteil (s. auch Idiolekt).

Der Gesamtwortschatz läßt sich nach sozialen, regionalen,
berufs- und standesspezifischen und stilistischen Aspekten
gliedern in:

1. Standardsprache/Normsprache

   Gemeinsprache (dieser Begriff betont Überregionalität,
                  vgl. gr. *koiné*)

   Schriftsprache - Hochsprache/Hochlautung
   (geschriebene - gesprochene Sprache)

2. Bildungssprache, z.B. Sprache der Dichtung

3. Umgangssprache/ Alltagssprache

   unterliegt weniger einem ästhetischen und systematischen
   Normierungsanspruch als die Standardsprache. Umgangssprachliche Wörter: z.B. abgebrannt (ohne Geld), abge-
   brüht (unempfindlich), deftig, fad, Plackerei, Rabatz
   (Unruhe), schuften (arbeiten), runter, ran, usw.

---

1 gesammelt etwa im DUDEN (200 000 Stichwörter)

4. Sonder<u>sprachen</u>

    a) <u>Fachsprachen</u>

       Sprache der Wissenschaft (Spezialausdrücke, z.B. gram-
       matische Begriffe) und Technik (Technolekt)

    b) <u>Amtssprache</u>

       v.a. Abstraktbildungen (Straßenverkehrsordnung, Einbe-
       stellung u.a.)

    c) <u>Berufssprachen</u>[1]

       kennzeichnend sind v.a. Sonderbedeutungen von Wörtern
       der Standardsprache (vgl. Jägersprache: Schweiß = Blut,
       Lichter = Augen, ähnlich Drucker-, Bergmanns-, See-
       manns-, Kaufmanns-Sprache u.a.)

    d) <u>Gruppensprachen</u>

       z.T. stark fluktuierender, im besonderen auch metapho-
       rischer Wortschatz, insbes. in Soldaten-, Studenten-
       und v.a. Schülersprache, Sprache der Subkultur, Jargon,
       Slang, Rotwelsch (frz. Argot), hier mit Tendenz zur
       Geheimsprache.

5. <u>Dialekte</u> (Mundarten, Patois[2])

    auch Regionalismen (z.B. österr. Paradeiser für Tomate)

6. <u>Idiolekt</u>[3]/Individualsprache

    Die verschiedenen Codes stehen untereinander in einem fort-
    während partiellen und punktuellen Austausch.

    Einzelsprecher oder Sprechergruppen bedienen sich jeweils
    einer anderen Auswahl aus dem Gesamt-Code - entsprechend
    ihren konkret-materiellen, ihren geistig-spirituellen und
    sozialen Erfahrungen und Bedürfnissen, ihrem sozialen Welt-
    bild und deren sprachlich-kommunikativer Erfassung.

    In jeder Sprache gibt es bestimmte nur dieser eigentümliche
    Wörter, die oft nicht übertragen werden können, z.B. in der
    dt. Standardsprache: Gemüt, Gemütlichkeit, Heimweh, Stim-
    mung, Geisteswissenschaften, Kindergarten; ebenso aber auch
    rasch auftauchende und wieder verschwindende zeittypische
    Besonderheiten, Wort- bzw. Begriffsaktualitäten wie Umwelt-
    schutz, Waldsterben, Rüstungswettlauf, Ökosystem, Katalysa-
    tor und Modewörter wie Streß, frustrieren.

---

1 Berufssprachen und Gruppensprachen werden auch als <u>Soziolekte</u>
zusammengefaßt zur Kennzeichnung von Sprachformen, die durch
eine bestimmte soziale Zugehörigkeit geprägt sind.
2 frz., Etymologie unsicher
3 Kunstwort in Analogie zu'Dialekt' mit gr. *idios* eigentümlich,
persönlich, privat

B W o r t f e l d e r

Durch semantische Veränderungen einzelner Wörter oder
durch neue Wörter (Fremd-, Lehnwörter, Neologismen) ändert sich jeweils auch das synchrone Beziehungsgeflecht
eines Wortfeldes, was zu einer semantischen Neuorientie-
rung führen kann, vgl. z.B.: das

Wortfeld der Bezeichnungen für weibliche Personen

a) im Mhd.:

frouwe, wîp, kone/quene[1], *frouwelîn, juncfrouwe, maget,*
magetîn, diu (Leibeigene), *dierne* (Dienerin)

b) im Nhd.:

Herrin, Dame, Frau, Ehefrau, Weib, Jungfrau, Jungfer,
Mädchen, Magd, Dirne

Die Wortfeldforschung untersucht die Neuorientierungen,
die synchronen Bedeutungsverschiebungen (im Unterschied
zu diachronen Veränderungen, s. Semasiologie, § 24).

Wortgeschichte ist auch ein Teil der Kulturgeschichte.
Eine Wortschatzuntersuchung der Sprache einer Gruppe kann
demgemäß auch Auskunft geben über deren kultur- und gei-
stesgeschichtlichen Status und ihre inter-nationalen Beziehungen; in historischer Sicht kann sie Einblicke in
frühe denkmal- und zeugnisarme Kulturstufen vermitteln
(vgl. auch Etymologie, § 23).

§ 23 Etymologie

Wortherleitungslehre, Spracharchäologie.

Im Altertum und Mittelalter war die Etymologie eine (spekulative) Lehre von der 'wahren' Bedeutung der Wörter, die
über das Wesen der benannten Dinge Aufschluß geben sollte.

I Die sprachwissenschaftliche Etymologie deckt H e r k u n f t
und damit auch G r u n d b e d e u t u n g e n und U r -
v e r w a n d t s c h a f t e n[2] auf:

1. Zusammenhänge zwischen Wörtern gleicher Herkunft aber
   unterschiedlicher Lautgestalt

z.B. sind urverwandt, abgeleitet von einem Präterito-
Präsens vorahd. +*lais* ich weiß (vgl. got. *lais*):

List (Verbalabstraktum auf der Basis der Schwundstufe),
     Grundbedeutung 'Wissen' - und

lehren ahd. *lêran*, jan-Verbum, kausative Ableitung
       (s. auch § 20 VIII 2) - ebenso:

---

1 ahd. *quena*, vgl. auch engl. queen
2 Ihre unterschiedlichen lautlichen Ausprägungen in verschiedenen
  Sprachen und Zeiten erhellen Lautgeschichte und Wortbildungs-
  regeln; Bedeutungsunterschiede erklärt die Semasiologie.

Haß (mhd. *haz* feindselige Gesinnung) und

häßlich (mhd. Ableitung *hazzelîch* feindselig, verhaßt,
    seit dem 16. Jh. als Gegensatz zu 'schön' ge-
    bräuchlich).

2. Die (unterschiedliche) Herkunft von Wörtern gleicher
oder ähnlicher Lautung, z.B.

Ball a) Kugel (< idg. *+bhel-/+bhol-* schwellen, mhd. *bal*)

    b) Tanzveranstaltung (< idg. *+bel* sich drehen, lat.
    ballare, aus frz. *bal*, im 17. Jh. als Fremdwort
    übernommen)

vgl. etwa auch die verschiedenen Wurzeln von
Mark a) als Geldeinheit, b) in Knochen-mark, c) in Grenz-
                                         mark

3. Grundbestandteile (Zusammensetzung) eingliedrig ge-
wordener Wörter, z.B.

elf: mhd. *eilf*, ahd. *einlif* = Zusammensetzung aus
    ein + lif Rest, Überbleibsel;
    Grundbedeutung 'eins darüber', d.h. über zehn
    (auf der Basis des Zehnersystems)

Welt: ahd. *werald/worold:* in diesem Wort stecken got.
    waîr, ahd. *wër* Mann[1] und got. *alds* Zeit[2];
    Grundbedeutung 'Menschenalter, Menschenzeit',
    dann Verschiebung der temporalen Bedeutung in
    räumliche Dimensionen.

4. Konkrete Wurzelbedeutung abstrakter Begriffe, z.B.

Kummer: mhd. *kumber* Schutt, metaphorisch: Belastung,
    Mühsal, Bedrängnis, Lehnwort nach mittellat.
    cumbrus Verhau, Sperre, aus gallo-lat.
    +comboros Zusammengetragenes (vgl. noch frz.
    décombrer 'von Schutt reinigen')

5. Kulturelle (Vorstellungs-)Gemeinsamkeiten, z.B.

Zaun: germ. *+tûnaz*, ahd./mhd. *zûn* Umfriedung,
    aisl. *tûn* eingezäuntes Land, Hof, engl. *town*
    Stadt, vgl. gallisch *-dûnum* (*Noviodûnum* =
    Neuenburg) und slaw. *gorodit* umzäunen (russ.
    Nowgorod = Neuenburg).

6. Gemeinsame Wurzel verschieden lautender Suffixe, vgl.

Auf germ. *+ôdus* > ahd. *-ôti* gehen zurück:

Kleinod: mhd. *kleinôt/kleinât*

Heimat : ahd. *heimôti/heimuoti* (in Analogie zu *muot*)
    mhd. *heimôt/heimuote/heimât*[3]

---

1 vgl. noch in Werwolf
2 vgl. Alter
3 lautliche Nebenform, vgl. *kleinôt/kleinât*

Armut : ahd. *armôti/armuoti* (in Analogie zu *muot*)

Einöde: ahd. *einôti* - mhd. *einoede* (in Analogie zu
mhd. *oede* unbewohnt, leer, unbebaut).

II Beispiel einer etymologisch aufgeschlüsselten
W o r t f a m i l i e

f a h r e n nhd. Bedeutungsverengung gegenüber

mhd. *varn*, ahd./got. *faran*, germ. *+faran* (sich fort-)
bewegen, befinden, leben, idg. Wurzel *+por-*

ursprüngliche Bedeutung noch faßbar in Seefahrt,
Hoffart (mhd. *hôchvart* vornehme Lebensart), hoch-
fahrend, Wohlfahrt, sich (mit der Hand) über die
Stirn fahren, aus der Haut fahren, vgl. auch engl.
fare well 'lebe wohl'.

Auf der idg. Wurzel (Etymon[1]) *+per-*, ihrer Ablautstufe *+por-* und der Schwundstufe *-pr̥* bauen jeweils
e i g e n e Wortfamilien auf:

1. Wortfamilie zu idg. *+per-* (Grundstufe) hinüberführen,
hinüberbringen, vgl. z.B.

gr. *pérā* (Adv., Präd.) (dar)über hinaus, jenseits,
perein hinüberbringen, durchschreiten, durchdringen

lat. *per* (Präp.) durch
ex-perīri versuchen (durchdringen) erfahren
ex-pertus erprobt (FW Experte, 19. Jh.)
ex-perimentum Versuch, Probe (FW Experiment,
per-iculum Versuch, Gefahr   17. Jh.)

got. *faír* heraus, *faír-weitl* Schauspiel[2]

ahd. *fir-/ far-* (Präfix): *farlâzzan/firlâzzan*,
mhd. *verlâzen* verlassen

ahd. *fer/ferro/ferron* (Adv.) mhd. *verre/verren* fern

mhd. *verren* (schw. Verb) sich entfernen, fern sein

nhd. weiter: fern, Ferne, entfernen, Fernglas u.a.

urnord. *+ferþu* aus idg. *+per-tu*
altnord. *fjørdr* Fjord (s. auch 'Furt' unter c)

2. Wortfamilie zu idg. *+por-* (Abtönungsstufe zu *+per-*)

gr. *por-os* Durchgang, Überfahrt vgl. Bos-por-us
(wörtlich: Rinderfurt, analoge Wortbildungen
etwa: Oxford, Ochsenfurt, s. unter 3)

---

1 Kunstwort ('Wurzel') zu gr. *etymos* wahr, wirklich
2 zu got. *weitan* sehen

lat. *por-tare* tragen
    por-ta Tor
    por-tus Hafen

vgl. auch frz. port, it. porto, engl. port und
Städtenamen wie Portsmouth, Portofino, Porto
(in Portugal)

ahd./mhd. *faran/varn* (s. oben), *fart*[1] Fahrt, ferner:

nhd.: Fährte, Gefährte, Gefahr, Gefährdung, erfahren,
Erfahrung, vorfahren, ab-, bei-, hin-, her-
fahren und entsprechend: Vorfahrt, Abfahrt usw.
fahrig, fahrlässig, fertig, abfertigen

ahd. *fuoren* führen (jan-Verbum, Kausativum von *faran*,
as. *fôrian*) - mhd. *füeren*, dazu

nhd. Führung, Führer, aus-, ein-, ab-, zu-, anführen,
Fuhre, Aus-, Einfuhr, Fuhrmann u.a.

Fremd- und Lehnwörter zur Wurzel idg. +por-

Pforte, ahd. *pforta* (2. LV) von lat. *porta*
Portal (15. Jh.) von mlat. *portale* Vorhalle
Porto (17. Jh.) von ital. *porto* Fracht(kosten)
Transport (17. Jh.) von frz. *transport* Beförderung
Portwein (18. Jh.) von engl. *port-wine* Wein aus der
                             portugies. Stadt Porto
Portier (18. Jh.) von frz. *portier* - lat. *portarius*
                                  Türhüter
Portemonnaie, Portière (19. Jh.)

3. **Wortfamilie zu idg. +pr** (Schwundstufe zu +per-)

Folgt auf ṛ ein Konsonant, entsteht durch Sproßvokal
eine Silbe -ur
folgt ein Vokal (z.B. e, a, ô), wird sonantisches ṛ
zum Konsonanten

ahd. *furi* (Adv., Präp.) vorne, vor
    furisto, der Vorderste, Erste, mhd. *fürste* Fürst

ahd. *furt* (i-Abstraktum zu *faran* auf der Basis der
         Schwundstufe idg. +pṛ-tis), aengl. *ford*

vgl. Frankfurt, Ochsenfurt, Fürth, Herford

ahd./mhd. *first* First aus idg. pṛ-stā vorstehen

lat. *prae* (Adv., Präp.) voran, vor, vgl. FW Präfix,
Prädikat, Präposition, Präfiguration u.a.

lat. *primus* erster - FW primär, Primat, Primus, Pri-
maner, Primadonna, Prinz, Prinzipal, Prior (Superlativ), Prinzip, Prinzipat, primitiv (Grundbedeutung: anfänglich, urtümlich), Premiere,
Premierminister, Prestige

1 Verbalabstaktum auf -t der i-Deklination, vgl. § 21 V, S. 203

gr./lat. *pro* (Adv., Präp.) vorn, vor
   gr. *pro-mos* der Vorderste (FW Promotion, Prolog,
                           Prognose, Programm)

ahd. *frô* (Defektivum[1] < idg. *+pr̥-u̯-on*) der Erste, Herr[2],
   frôno (Gen.Pl.) dem Herrn gehörig, noch in Fron-
   leichnam, Fron(dienst)

ahd. *frouwa* (moviertes Femininum zu *frô*), got. *frauja*,
   mhd. *frouwe*, altnord. *Freya*, Frau

ahd./mhd. *fram* (Adv.) vorwärts, weiter, entfernt
   ahd. *framadi/fremidi*, mhd. *fremede*, entfernt, fremd

ahd./mhd. *frum* nützlich, tüchtig, rechtschaffen, fromm
   ahd. *frummen*, mhd. *frumen* vorwärts bringen, beför-
   dern, frommen, nützen

gr.   *prō-i* früh
ahd./mhd. *fruo* früh, ahd. *fruoi* Frühe, dazu Frühling,
   Frühstück u.a.

III Rekonstruktion einer i d g. W u r z e l[3]

Beispiel: Schwärz l o c h (Ortsname)

Schwärz-: < *swertis*, Gen. zu ahd./mhd. *swert* Schwert

-loch: < mhd. *lôch*, *lô*, ahd. *lôh*, germ. *+laukaz* Gehölz,
                              (heiliger) Hain

Bedeutung: Schwerthain, vgl. Ortsnamen wie: Hohenlohe,
Buchloe (Buchenhain), Oslo, Waterloo

Für die idg. Wurzel zu -loch sind zu vergleichen:

altind.   *lōkáḥ* (< *lōkás*) freier Raum
altlat.   *+loucos*, lat. *lūcus* (heiliger) Hain
litauisch *laũkas* freies Feld
ahd.   *lôh*

Gemeinsam ist jeweils das Konsonantengerüst: l - k - (s)
(ahd. k > hh durch 2. LV, überdies Endsilbenabbau)

Die Vokale lassen sich nach den für die einzelnen Sprachen
bekannten Lautentwicklungen auf gemeinsame Grundformen zurückführen:

altind.   ō < idg. au, eu, ou / a < idg. a, e, o
altlat.   ou < idg. - eu, ou / o < idg. - - o
litauisch au < idg. au, eu, ou / a < idg. a - o
ahd.   ô < idg. au - ou   -   -

Gemeinsame Vokalkonstellation: ou - o

---

1 Wort, das nicht mehr in allen Formen gebräuchlich ist, zu lat.
defectus unvollständig, mangelhaft
2 vgl. ähnliche Vorstellung bei dem Wort Herr: ahd. *herro* = substantivierter Komparativ *hêriro* zu *hêr* grau, alt, evtl. Lehnübersetzung von lat. *senior,* zu *senex*
3 nach H. KRAHE, Idg. Sprachwissenschaft § 5

<u>Idg. Wurzel</u> *+l o u k o s*

louk- : Wortwurzel
-o- : Stammsuffix (o-Deklination)
-s : Flexionssuffix (sigmatischer Nominativ)

<u>Ursprüngliche Bedeutung</u> mutmaßlich 'Lichtung' (ein freier Platz in einer Waldgegend, geeignet für Zusammenkünfte)

IV P s e u d o - E t y m o l o g i e (auch: Volksetymologie)

Analoge Umdeutungen und Umformungen von nicht (mehr) verstandenen (veralteten) oder fremdsprachlichen Wörtern, die sich auch auf Wortform und Lautgestalt auswirken, z.B.

<u>Sündflut</u>: spätmhd. religiöse Umdeutung von mhd. *sintfluot* aus *sin-fluot* (mit Gleitlaut t) = immerwährende Flut (*sin* ≙ lat. *sem-per*)

<u>Maulwurf</u>: ahd. *mûwerf* eigentlich Haufenwerfer (zu *mû*, ae. *muha/muwa*, engl. *mow* Haufen)

spätahd. *mulwurf/multwurf*, mhd. *moltwerf* Erd(auf)werfer, in Analogie zu mhd. *molte* Erde

seit 13. Jh. dann *mûlwerf* in Analogie zu *mûl* Maul

<u>Wetterleuchten</u>: frühnhd. Umdeutung von mhd. *weterleich* Blitz (zu *leichen* hüpfen); vgl. auch die lyrische Gattung des Leichs

<u>Leinwand</u>: frühnhd. aus mhd. *lîn-wât* (*wât* Kleid, Gewandstoff) in Analogie zu mhd. *gewant* Gewandstoff, Zeug

<u>Hängematte</u>: (17. Jh.) aus niederländ. *hang-mat* über frz. *hamac* von haitisch *(h)amaca* hängende Schlafstelle

Zu volksetymologischen Umdeutungen von Endsilben, s. oben I 6 Heimat, Armut - Einöde

§ 24 <u>Semasiologie</u> - <u>Onomasiologie</u>

Bedeutungslehre, Bedeutungsentwicklungen - Bezeichnungslehre, Bezeichnungsveränderungen

I S e m a s i o l o g i e

Befaßt sich mit einem Grundproblem der Sprachentwicklung
und des Sprachverständnisses: Nicht nur Lautung und Form
eines Wortes, auch seine Bedeutung kann - z.T. unabhängig
von der sonstigen Wortgeschichte, z.T. abhängig davon -
mannigfachen Veränderungen unterworfen sein. Dabei kann
das Grundwort erhalten bleiben, aber auch verloren gehen[1].

Während die Etymologie nach dem lautlichen Ursprung eines
Wortes fragt, verfolgt die Semasiologie

den W a n d e l dieser Grundbedeutung im Verlaufe der
Sprachgeschichte (<u>diachron</u>).

Die Bedeutungs b r e i t e eines Wortes in einer bestimmten Zeitebene erforscht die Semantik (<u>synchron</u>).

Bedeutungsentwicklungen können oft auch aufschlußreiche
Einblicke in Kultur- und Geistesgeschichte eröffnen.

A B e d e u t u n g s w a n d e l

Zu unterscheiden sind

1. q u a n t i t a t i v e Aspekte

a) <u>Bedeutungserweiterung</u>

idg. *māg- kneten (von Lehm)
ahd. *mahhōn* zusammenfügen, bereiten, ausführen,
<u>machen</u>

ahd. -*hel*[2] tönend, laut (<u>nur</u> akustisch, vgl.
noch in Hall, <u>helle</u> Stimme)
mhd. auch: glänzend, licht, <u>hell</u> (akustisch
und <u>optisch</u>)

ahd. *thing/ding* Rechtssache, Gerichtsversammlung[3]
nhd. allgemein Sache, Gegenstand, <u>Ding</u>

mhd. *bildunge* Bildnis, Gestalt, äußere Erscheinung (bis 18. Jh.)
seit Ende 18. Jh. geistig-sittliche Bedeutung,
<u>Bildung</u>

---

1 von syntaktischer Semantik wird hier abgesehen
2 ahd. nicht als Simplex belegt, vgl. aber *gahelli* mitklin-
gend, *hellan* tönen
3 vgl. germ. *thing Volksversammlung, dän. *folketing* Volksversammlung, Parlament

während   ursprünglich Part.Präs. von währen, dauern,
18. Jh.: auch Präp. + Gen.: während des Tages;
schließlich auch Konjunktion (temporal und ad-
versativ: Bedeutungs- und Funktionswandel!)

b) Bedeutungsverengung

ahd. *faran*/mhd. *varn* jede Art der (Fort)bewegung
nhd. fahren eingeschränkt auf Fortbewegung auf Rädern,
vgl. auch § 23 II

mhd. *frum* tüchtig, nützlich, gottgefällig
nhd. fromm eingeschränkt auf 'gottgefällig', vgl. aber
noch: ein frommes Pferd, Nutz und Frommen

ahd. *rîm* Zahl, Reihenfolge
mhd. *rîm* Verszeile, Reimvers, Reim
nhd. Reim eingeengt auf spezifisches poetisches Kennzeichen (Homoioteleuton[1]), vgl. aber noch:
Kinderreim, Kehrreim

mhd. *getregede*/*getreide* alles, was 'getragen' wird
(z.B. Kleidung, Gepäck), womit getragen wird
(Tragbahre), was die Erde 'trägt', hervor-
bringt (Ertrag: Gras, Blumen, Früchte usw.)
nhd. Getreide eingeschränkt auf Brot-Frucht

2. q u a l i t a t i v e Aspekte

a) Bedeutungsverbesserung (Melioration[2])
meliorative Bedeutungsentwicklung

ahd. *marahscalc* Pferdeknecht[3] (aus ahd. *marah* Pferd
und *scalc* Knecht, Diener, vgl. noch
'Schalk');
mhd. *marschalc* höfischer oder städtischer Beamter,
zuständig v.a. für Reisen und Heeres-
züge, auch Befehlshaber der waffen-
fähigen Mannschaft eines Hofes;
nhd. Marschall höchster Militärrang (Einfluß von
frz. maréchal)

b) Bedeutungsverschlechterung (Pejoration[4])
pejorative Bedeutungsentwicklung

Diese Entwicklung ist weitaus umfassender als die um-
gekehrte (a), oft mit sittlichem Akzent, kulturge-
schichtlich z.T. besonders aufschlußreich, vgl.:

---

1 gr. *homoios* gleich, *telos* Ende, Ziel
2 lat. *melior* besser, Komparativ zu *bonus* gut
3 vgl. ähnlich ae. hláford Brotverwalter (zu ae. *hláf*, engl.
loaf Laib), engl. lord; ae. hlaefdige Brotkneterin, engl. lady
4 lat. *peior* schlechter, Komparativ zu *malus* schlecht

mhd.   *grâlen*   vollkommen wie der Gral sein,
spätmhd. *grâlen* lärmen (wie bei den spätmal. bürger-
                   lichen Turnierfesten, als *grâl* bez.[1]),
nhd.   grölen

mhd. *schimphen* scherzen, spielen, spotten[2]
nhd. schimpfen, schmähen

ahd. *ala-wâr(i)* ganz wahr (aus *al* ganz und *wâr* wahr)
mhd. *al-waere*   schlicht, einfach
nhd. albern   töricht

mhd. *kneht* Knabe, junger Mann[3]
nhd. Knecht, dienende männl. Person (für Feldarbeit
                                    und Handwerk)

3. B e d e u t u n g s v e r s c h i e b u n g

a) Vom Besonderen zum Allgemeinen
   (kann auch als Variante der Bedeutungserweiterung,
   s. 1a, betrachtet werden)

mhd. *hübesch* (mdt. Nbf. zu odt. *hövesch*) hofgemäß,
               gebildet, gesittet
nhd. hübsch, angenehm, gefällig im Äußeren

b) Vom Allgemeinen zum Besonderen

mhd. *berillus*, *berille* Beryll (Halbedelstein, aus dem
                           Brillen hergestellt wurden)
nhd. Brille (vom Stoff zum Gegenstand)
     vgl. frz. briller glänzen,
     Fremdwörter: brillieren, Brillant

spätlat. *clima* (nach gr. *clima*) Gegend, Landschaft
nhd.   Klima die für eine Landschaft eigentümlichen
         meteorologischen Verhältnisse (Bedeutungs-
         übertragung)

c) Modusverschiebungen

ahd. *snel* kräftig, tapfer
nhd. schnell: Modus der Bewegung (nb. Zusammenhang
             zwischen Tapferkeit und Schnelligkeit)

ahd. *bald* (Adj.) kühn, vgl. noch in Raufbold, Trunken-
                   bold, Leopold, engl. bold
nhd. bald (Adv.) mit temporaler Bedeutung

---

1 vgl. z.B. Magdeburger Schöppenchronik, 14. Jh.
2 vgl. noch Johann PAULI, Schimpf und Ernst, 1522
3 vgl. auch engl. knight 'Ritter', dagegen engl. knave 'Schuft'
  (≙ mhd. *knabe* Knappe, junger Mann); vgl. auch frz. vilain
  'Leibeigener, Bauer', engl. villain 'Schuft'

d) Vom Konkreten zum Abstrakten
   (oft metaphorische Verwendung)

   mhd. *sweric/swiric*[1] voll Schwären, eitrig –
                            schwärig, schwürig bis 19. Jh.
   um 1800 <u>schwierig</u> mit Bedeutungswandel: schwer zu be-
                                                   handeln

   mhd. *zwec* Nagel aus Holz oder Eisen, vgl. noch
                'Reißzwecke'; seit 15. Jh.:
                Nagel, an dem eine <u>Zielscheibe</u> aufgehängt
                ist, dann das <u>Ziel</u> selbst,
   schließlich übertragen: <u>Absicht</u>, Sinn, <u>Zweck</u>

e) Vom Abstrakten zum Konkreten

   mhd. *sache* Rechtsgegenstand (abstrakt), dann konkreter
                 Rechtsfall, schließlich im
   Nhd. jeder konkrete Gegenstand (Bedeutungserweiterung)

f) Aspektänderungen bei Präpositionen

   mhd. *lesen <u>an</u> den buochen* – nhd. <u>in</u> den Büchern lesen
   mhd. *sitzen <u>ob</u> dem tische* – nhd. <u>am</u> Tisch sitzen

g) Bedeutungswandel bei Adverbien

   mhd. *aber* wieder (temporal)
   nhd. adversative Bedeutung; <u>aber</u> = jedoch
        vgl. dagegen noch 'abermals'

   mhd. *wider* gegen, entgegen; temporale Nebenbedeutung:
                                                   abermals
   nhd. <u>wieder</u>: temporale Nebenbedeutung wird zur Haupt-
                       bedeutung, Grundbedeutung noch in 'Wider-
                       part', 'Widerspruch'[2]

h) Euphemismus
   <u>verhüllende</u>, beschönigende Bedeutungserweiterung eines
   Wortes (s. auch Polysemie)

   <u>entschlafen</u> (einschlafen) für 'sterben'

B Synchrone Differenzierungen, S e m a n t i k

  1. bezogen auf ein E i n z e l w o r t

     a) <u>Polysemie</u> (Mehrdeutigkeit)

        kommt dadurch zustande, daß bei einem Wort zur Grund-
        bedeutung sekundäre, übertragene (metaphorische) Be-
        deutungen treten können.

---

1 zu mhd. *swëre* Schmerz, Geschwulst, vgl. nhd. schwären
2 beachte die unterschiedliche Schreibung zwischen den beiden
  Bedeutungen im Nhd.

Die Grundbedeutung bleibt meist erhalten, vgl.:

Horn: Tiergeweih (Grundbedeutung), dann
     Stoff, aus dem dieses besteht,
     Geräte (Trinkhorn, Blasinstrumente), die daraus
          hergestellt werden, schließlich auf
     vergleichbare Formen übertragen (z.B.
     Berge: Matterhorn, Rittner Horn)

Fuß: Körperteil (Grundbedeutung), dann konkret:
     Fuß eines Berges, Tisches usw., abstrakt
     Längenmaß (25 - 31 cm, bis 1872)
     Verseinheit (Versfuß)

Schloß: Riegel, Verschluß (Grundbedeutung), dann
     verriegeltes, verschlossenes, geschütztes
     Gebäude

das: Relativ-Pronomen - Artikel (s. auch Syntax)

natürlich: Adjektiv - bekräftigendes Formwort

vgl. weiter: Gericht, Presse, Schimmel, Schöpfer,
Stock, Zug, Korn (dazu auch II b) - überholen, ver-
geben, verhören, warten usw.

Bedeutungsvarianten mit gegensätzlicher Sinngebung:

Ausschuß: Abfall - Gremium

anführen: leiten - täuschen

Die Grundbedeutung kann verloren gehen, vgl.:

hoch: ursprünglich 'gewölbt' (verwandt: Hügel, Höcker),
     dann: Gegensatz zu 'nieder, tief' in räumlicher
     und zeitlicher Bedeutung: Hoch-Haus - Hochsommer,
     höchste Zeit, hohes Alter (vgl. engl. 'high noon')

b) Homonymie

gleichlautende (und gleich geschriebene) Wörter etymologisch verschiedener Herkunft:

Kiefer - Kinnbacken: < mhd. *kiver*, geht zurück auf
        Verbum mit Wurzelbedeutung 'nagen'
        (mundartlich kiefen), vgl. Käfer

      - Nadelbaum: Kontraktion aus Kien-Föhre (16. Jh.:
        Kien = abgespaltenes Holz, vgl. Keil)

Tau - Schiffsseil: < nld. *touw* (zu ahd. *zouwen* bereiten,
     got. *taujan* machen)

     - Niederschlag: < mhd. *douwen* schmelzen,
             vgl. auch 'verdauen'

sieben - Verbum (durchseihen)
        - Zahl

meine   - 1.Sg.Ind.Präs. von meinen (ich meine)
        - Possessivpronomen (meine Bücher)

c) Homophonie

verschiedene Bedeutung gleichlautender, jedoch orthographisch und etymologisch verschiedener Wörter, z.B.:

Zuname - Zunahme; Rute - Route; Arm - arm; Leib - Laib
(im Oberdt. keine Homophone, die Aussprache entspricht
hier der Schreibung)

d) Homographie

Wörter gleicher Schreibung, jedoch Aussprache und Betonung, Bedeutung und Herkunft verschieden, z.B.

kosten (Infinitiv 'wert sein')
(sie) kosten (3.Pl.Ind.Prät. zu kosen)

Montage (Wochentage)
Montage (mon'ta:ʒe; Fremdwort 'Zusammenbau')

mōdern (Verbum) - modérn (neuzeitlich)

érblich (Adj.)   - (er) erblích (3.Sg.Ind.Prät.)

Tenōr (Sänger)   - Tēnor (Inhalt, Sinn)

Semantisch mehrdeutige Wörter bilden in der Regel Problemfälle n u r bei Isolierung vom Kontext. Im Satz- und
Sinnzusammenhang ist ihre Bedeutung meist klar fixiert.

Bewußt wird die sprachliche Mehrdeutigkeit von Witz und
Wortspiel eingesetzt: 'Er ist zwar ein Gesandter, aber
kein Geschickter/geschickter'.

e) Tautologien[1]

Bedeutungsabschwächung oder gar Bedeutungsverlust
führt zu tautologischen Bildungen, z.B.:

Kebsweib   (mhd. *kebse* Nebenfrau, Konkubine)

Lindwurm   (mhd. *lint* Schlange, aber auch schon
            mhd. *lintwurm, linttrache*)

Walfisch   (mhd. *wal*, wie auch noch nhd. Wal)

Maulesel   (mhd. *mûl* aus lat. *mulus* Maultier, -esel)

Windhund   (frühnhd. *wind* wendischer Hund)

---

1 gr. *tautos* dasselbe, *logos* Wort

f) Bedeutungsveränderungen auf Grund mißverstandener Verwendung oder falscher Analogien (besonders bei Fremdwörtern):

Friseur/Frisör (frz. coiffeur), dt. Fremdwort nach
          frz. friser, Haare kräuseln

Flair (neutr.) Fremdwort nach engl./frz. flair (m.)
          Spürsinn, Witterung: so noch DUDEN 1955

          neuerdings Verwechselung mit frz. air (m.)
          Klima, Aussehen, verwendet im Sinne von lat.
          aura (fem.) Fluidum (n.), Ausstrahlung: so
          DUDEN 1980

          Zum Gebrauchswandel vgl.

          früher: er hat ein Flair für alte Bücher
          jetzt : die Buchausstellung hatte ein besonderes
                Flair

g) Vgl. auch verschiedene Bedeutungsentwicklungen in den germ. Sprachen, z.B.

mhd. *kneht* Knabe, junger Mann - nhd. Knecht
                              engl. knight, Ritter

ahd. *quena*/mhd. *kone* Ehefrau - engl. queen, Königin

lat. *lacus* See, Teich:
nhd. Lache, ndt. Lake 'Salzlösung', vgl. auch Leck,
engl. lake, See   Lagune

2. bezogen auf   W o r t f e l d e r

   a) Synonymie

      Wörter verschiedener Herkunft und vergleichbarer Be-
      deutung decken ein Bedeutungsfeld ganz oder teilweise
      ab. Dabei sind nicht nur Bedeutungsnuancen, sondern
      auch stilistische Varianten zu berücksichtigen, vgl.
      z.B.

      Buch, Band, Foliant, Faszikel, Broschüre, Heft, Po-
      stille, Schrift, Grundriß, Druck-, Flugschrift;
      umgangssprachlich: Wälzer, Schwarte, Schmöker

      Haupt, Kopf, Schädel; umgangssprachlich: Hirnkasten,
      Birne u.a., mundartlich: Däz (frz. tête), Meggl, Riebl

      Fahrstuhl, Aufzug, Lift

      Fleischer, Metzger, Schlachter, Schlächter, Selcher,
      Fleisch-, Knochenhauer

      Flaschner, Klempner, Spengler, Blechner, Blechschmied,
      Installateur

In einzelnen Sprachregionen sind z.T. jeweils andere
Präferenzen zu beobachten, vgl. z.B. Berufsbezeich-
nungen oder etwa

norddt. (Dach)boden – Treppe, Stufen – umgraben
süddt. Bühne   – Stiege, Staffel – schoren

b) Bedeutungsdifferenzierung hochdt. und niederdt. Wörter
   gleichen Ursprungs in der Hochsprache:

   niederdt. Wappen   –   oberdt. Waffen (2.LV)
             sacht   sanft
             tauchen   taufen
             Knappe   Knabe
             Loipe   Lauf

c) Bedeutungsveränderungen durch Abschwächen der Grundbedeutung – bei Verben ausgeglichen durch Präfixe, z.B.

   mhd. *mügen* können, imstande sein, führt im
   Nhd. zum Nebeneinander von mögen – ver-mögen

II O n o m a s i o l o g i e (Bezeichnungslehre)
   geht von Sachen und Begriffen aus:

1. d i a c h r o n:
   fragt nach deren jeweiligen, bisweilen unterschiedlichen
   Bezeichnungen im Verlaufe der Sprachgeschichte (oder in
   verschiedenen Sprachen), z.B.

   Eheschließung:

   im Mhd. *brûtlouf* (Wort untergegangen)
   im Nhd. Hochzeit – *hôchzît* im Mhd. allgemein 'Fest'[1]

2. s y n c h r o n:
   s. § 3 II C 2; dasselbe Wort kann z.B. in unterschiedlichen
   Regionen Unterschiedliches bezeichnen, vgl. z.B.

   Korn: Kollektivbegriff für Getreide, bezeichnet regional
         verschieden die jeweilige Hauptgetreideart, Brot-
         frucht:

         Dinkel (z.B. Schwarzwald, Schweiz)
         Weizen (z.B. Nordwürttemberg)
         Roggen (z.B. Norddeutschland)
         Hafer (z.B. Westfalen)
         Gerste (z.B. Friesland, Schweden)
         Mais   (z.B. USA: corn-flakes,
                 vgl. schwäb. Welschkorn)

---

1 vgl. mhd. *der brûtloufte hôchgezît* (das Fest der Hochzeit,
  Parzival 53,23)

III Z u s a m m e n f a s s u n g

Das nhd. Wort 'Gift' in etymologischer, semasiologischer und onomasiologischer Sicht:

etymologisch:

nhd. Gift < mhd./ahd. *gift*
              got. *-gifts* (z.B. *fra-gifts* Verleihung)

gift: Verbalabstraktum der i-Deklination zu:
      nhd./mhd. *geben* < ahd. *geban* (st. Verbum Kl. V)

idg. Wurzel: +*ghebh-*, ursprüngliche Bedeutung: <u>Gabe</u>.

Die unterschiedlichen lautlichen Ausprägungen in den einzelnen Sprachphasen erklärt jeweils die Lautgeschichte.

semasiologisch:

mhd. *diu gift* (fem.) Gabe, Geschenk[1] (vgl. engl. *gift*),
                 nhd. noch in 'Mitgift'

seit dem Spätmittelalter in euphemistischer (beschönigender) Bedeutung für

lat. *venēnum*, ursprünglich 'Schönheitsmittel' (< Venus),
             dann 'Zaubermittel', 'Gifttrank'

vgl. frz. *venin*, engl. *venom* (tierisches) Gift neben frz./engl. *poison* < lat. *potio(nem)*, Akk.Sg., Gift-, Liebes-, Heiltrank

Mit dem <u>Bedeutungswandel</u> ist <u>Genuswandel</u> verbunden: <u>das</u> Gift (neutr.), vielleicht zur Unterscheidung vom positiv gebrauchten Grundwort *diu gift*

onomasiologisch

nhd. 'Gift' (lat. *venēnum* Zaubertrank) entspricht

mhd. *lüppe* (fem. und neutr.) Salbe, Arznei, Gift, Zauber-
           (trank), Adj. *lüppec* giftig, vergiftet
ahd. *luppi*
got. +*lubja* (vgl. *lubja-leisei* Giftkunde)
an. *lyf* Heilkraut

Das Wort wurde im Nhd. durch 'Gift' verdrängt

---

1 als Femininum noch bei Goethe, Faust 10 927

§ 25 Wandlungen der Satzstruktur

Syntaktische Entwicklungstendenzen (Auswahl)

Sie sind durch zwei Grundzüge geprägt:

1. Beziehungen zwischen Wörtern, welche durch den Abbau der flexionstragenden Endsilben nicht mehr genau bestimmt waren, werden durch Ersatzformen (Artikel, Umschreibungen u.a.) bezeichnet.

2. Die Beziehungen zwischen Haupt- und Nebensätzen werden genauer ausgewiesen (Relativ-, Demonstrativ-, Konditional-bezüge). Damit können dann auch komplexere Sachverhalte syntaktisch verdeutlicht werden.

Ansätze zu diesen syntaktischen Umstrukturierungen zeigen sich teilweise schon im Ahd.; sie werden zahlreicher im Mhd., haben sich dann durchgesetzt im Nhd.

I S u b s t a n t i v und V e r b im Satzgefüge

1. Übergang von synthetischer zu analytischer Wortkonstruktion

Für die idg. synthetische Wortkonstruktion vgl.

lat. *multos filiorum Israel convertet ad Dominum Deum ipsorum* (Vulgata, Lukas 1,16)

so noch
ahd. *manage Israheles barno giuuerbit zi truhtîne gote iro* (Tatian, um 830)

Für die analytische Konstruktion seit dem Mhd. vgl.

frühnhd.: *er wirt der kinder von Israel viel zu Gott yhrem herren bekeren* (Luther, 1522)

Beachte im besonderen:
- im Ahd. Präsens (*giuuerbit*) anstelle der futurischen Form im Lat. - noch kein Artikel
- im Frühnhd. umschreibende Genitivkonstruktion (von Israel)

2. Ausbildung des Tempussystems, insbesondere des Futurs (s. § 20 II C e)

lat. *Elisabeth pariet tibi filium* (synthetisches Futur)

ahd. *Elysabeth gibirit* (Präs.) *thir sun*

frühnhd. *Elisabeth wird dir einen sohn gebähren* (analytisches Futur)

3. Genitivkonstruktionen im Nhd. oft ersetzt durch einen anderen Kasus (meist Akk.)

mhd. *mîner sorgen* (Gen.) *ich vergaz* (Walther v.d. Vogel-weide, L 94,27)

nhd. ich vergaß meine Sorgen (Akk.)

mhd. *dô wart er fröuden* (Gen.) *rôt* (Nibelungenlied 770,1)

nhd. da wurde er vor Freude rot

4. Verwendung des Konjunktivs (häufiger im Mhd., ebenso im
   Nhd. bis ins 19. Jh.)

   mhd. *diu krône ist elter danne der künec Philippes[1] sî*
   (Walther L 18,29)
   nhd. die Krone ist älter als der König Philipp ist.

II S a t z v e r k n ü p f u n g e n

1. Übergang von Parataxe[2] zu Hypotaxe[3]

   Im Ahd. und Frühmhd. sind parataktische Fügungen noch
   stark verbreitet, vgl.

   mhd. *dar nâch diu frouwe niht vergaz,/si gieng och dâ
   der wirt saz* (Parzival 34,7)

   nhd. danach vergaß die Dame nicht, dahin zu gehen, wo
   der Hausherr saß.

2. Im Mhd. zunehmender Ausbau des Systems von satzverknüp-
   fenden Pronomina und Konjunktionen

   a) mhd. *unde sage iu daz:/ der keinez lebet âne haz*
      (Walther L 8,34 f.)
      daz hier Demonstrativpronomen; durch Verschiebung
      des Satzeinschnittes entstünde ein Objektsatz
      (*unde sage iu, daz der keinez lebet...*),
      daz jetzt Konjunktion

   b) mhd. *si gît im daz er nie gewan* (Walther L 17,8)

      Demonstrativ- und Relativbezug durch ein
      Pronomen ausgedrückt, im Nhd. Differenzierung
      von Demonstrativ- und Relativpronomen:

      nhd. sie gibt ihm das, was er nie erreichte

3. Beseitigung von syntaktischer Indifferenz[4] und Inkongruenz

   Auch im Mhd. war die Satzkonstruktion zum großen Teil
   noch offen, vgl. als auffallendste Erscheinung

   A die constructio apo koinu[5] (verschwindet im 15. Jh.
     aus der Literatur)

   Ein Satzglied gehört zu zwei verschiedenen Gliedsätzen:

---

1 eigentlich *Philippus* (abgeschwächter Endsilbenvokal, s. § 15 IV B)
2 gr. *para* (Präp.) neben, bei, *taxis* Ordnung, Anordnung
3 gr. *hypo* (Präp.) unter
4 lat. *indifferens* unterschiedslos
5 lat. *constructio* Bau, gr. *apo* durch, mit, *koinós* gemeinsam,
  d.h. Satzbau mit einem gemeinsamen Satzglied

a) als Subjekt: *dô spranc von dem gesidele her Hagene*
alsô sprach (Kudrun 538,1)

b) als Subjekt und Objekt (Kasusdivergenz):

...gieng er dâ er vant/ gezweiet in ir muote von
Hegelinge lant Kûdrun enphieng in mit anderen
frouwen -Kûdrun = Akk. und Nom. (Kudrun 654,1-3)

dir enbiutet sînen dienest, dem (Nom. und Dat.) *du*
bist ... als der lîp (MF 11,14)

(dir bietet seinen Dienst an jemand, dem du so
teuer bist wie das Leben)

B Inkongruenz[1]

a) beim Numerus: *lieb unde leide daz teile ich sant*
(mit) *dir* (MF 9,22)

im Nhd. erfordern die Substantive *lieb* und *leide*
ein Pronomen im Plural

b) beim Genus: *des burcgrâven tohterlîn, diu sprach*
(Parzival 372,15 - nhd. das sprach)

c) anakoluthische[2] Fügungen

Inkongruenz der Bezugswörter im Vorder- und Nachsatz:

swer si ze rehte lucket, so suochent si den man
(MF 10,18)

im Mhd.: Vordersatz eingeleitet durch Fragepronomen
(in relativischer Funktion), Nachsatz durch eine
unbestimmte Relativpartikel

im Nhd.: entweder Fragepronomen (wer ...) und Rela-
tivpronomen (dem ...) oder konditionale Konjunktion
(wenn einer ...) und Zeitadverb (dann ...)

4. Wandel des präpositionalen Aspektes (s. auch § 24 I A 3 f)

mhd. *an Gahmuretes lîp si sprach* (Parzival 94,3)
nhd. zu Gahmuret sagte sie

mhd. *genâde suoch ich an ir lîp* (Walther L 72,23)
nhd. Gnade suche ich bei ihr

mhd. *er gewan an sînem wîbe einen sun* (Veldeke, Eneide,
nhd. er erhielt von seiner Frau einen Sohn   v.13344)

mhd. *... er an den buochen las* (Hartmann von Aue,
nhd. in den Büchern   Armer Heinrich, v.2)

---

1 lat. *incongruens* nicht folgerichtig
2 gr. *anakolouthon* nicht entsprechend (der begonnenen Satzkonstruktion)

mhd. *swer an mich strîtes gert* (Parzival 124,6)
nhd. wer mit mir zu streiten wünscht

(vgl. auch frz. prendre quelque chose dans une armoire
- dt. etwas aus einem Schrank nehmen)

5. Adverbien werden zu Präpositionen durch veränderte
   Zuordnung:

   der Zug fährt von Stuttgart ab (Adv.)[1] - dagegen:
   der Zug fährt ab Stuttgart (Präp.)

   (vgl. so schon im Lat.: *post* - ursprünglich Adverb,
   dann Präposition)

R ü c k b l i c k

Drei große Phasen lassen sich in der germ.-dt. Sprachgeschichte herausstellen:

1. eine vorliterarische Phase: Hier vollziehen sich die
   signifikanten Lautentwicklungen, durch welche sich das
   Germanische und Deutsche in ihrer jeweiligen spezifischen
   Lautung herausbilden,

2. eine literarisch offene Phase, einsetzend mit der ahd.
   Zeit (8. Jh.). Schriftformen bleiben noch ohne Einfluß
   auf die Lautentwicklung. In den verschiedenen Schreib-
   dialekten finden sich z.T. nebeneinander festgewordene
   (historische Schreibung) und aktuelle Schreibformen. Die
   lautliche Entwicklung tritt allmählich an Bedeutung hinter der Wortschatzerweiterung zurück,

3. eine literarisch normierte Phase, beginnend mit dem 16.
   Jh. Die verschiedenen Mundarten entwickeln sich lautlich
   eigenständig weiter. Über dieser Basis bilden sich immer
   stärker reglementierte Schriftformen heraus, die allmählich zu einer nhd. Schriftsprache führen (ein gewisser
   Endpunkt wird erst um 1900 erreicht).
   Die Lautungen werden mehr und mehr 'festgeschrieben';
   man spricht 'nach der Schrift' (im Unterschied etwa zum
   Französischen und Englischen). Im Lautbereich sind auf
   dieser Sprachebene dann kaum mehr größere Sprachwand-
   lungen möglich. Diese vollziehen sich nun umso mehr auf
   dem Gebiet der Semantik, des Wortschatzes und der Syntax
   - auf Gebieten, denen sich mit synchronen Frage-Ansätzen
   dann die neuere Linguistik zuwendet.

---

1 im DUDEN noch 1950 als 'besser' ausgewiesen

Ergänzungen zu § 6

II C <u>Synchroner Lautwandel</u> bei Wortübernahmen aus fremden
Sprachen, z.B.
E n t m o u i l l i e r u n g[1] in Fremdwörtern bei
unterschiedlichem Eindeutschungsgrad, vgl.:

frz. billet (bi'jɛ)   - dt. Billet
                         gespr. bil<u>j</u>et, bi<u>ll</u>et

frz. briller (bri'je) - dt. brillieren
                         gespr. bril<u>j</u>ieren, bri<u>l</u>ieren
                                                (österr.)

Mallorca (span. mal'jorka)   dt. gespr. ma<u>l</u>orka
         (frz. ma'jorka)   (nach DUDEN)

IV 4. <u>Sprachentwicklungstheorie</u>

Jeder Sprache wohnt offenbar ein entelechiales Gesetz der Veränderung inne, vergleichbar den Muta-
tionen in der Natur. Die Entwicklungen vollziehen
sich zwischen zwei gegensätzlichen Kräften

- einer <u>zentrifugalen</u> Kraft, welche von den Konstan-
ten wegführt, gesteuert durch Sprachabnutzung, den
Hang zu Artikulationserleichterungen, Akzentver-
änderungen und einem Streben nach Ausdrucksdiffe-
renzierung. Beweggründe sind im einzelnen nicht
immer genau auszumachen,

- einer <u>zentripedalen</u> Kraft der Beharrsamkeit, die
jener entgegenwirkt, bestimmt durch die Funktions-
gebundenheit der Sprache, ihren Zweck der Kommunikation, der Verständigung.

Zwischen diesen beiden Polen können sich neue Formen
im nachbarschaftlichen Kommunikationsverbund ausbil-
den. Die Selektion unter verschiedenen Änderungs-
möglichkeiten wird gesteuert durch Kommunikations-
zwänge benachbarter Sprachgemeinschaften (Familie,
Dorf, Region).

Da die Entwicklungstendenzen in gewissem Grade offen
sind, können sich bei den verschiedenen Sprachgemeinschaften jeweils verschiedene Endpunkte ergeben, die

---

1 zu mouillieren, von frz. *mouiller* (< lat. *mollis* weich)
anfeuchten, auch: ll und gn wie j aussprechen, 'erwei-
chen' oder: ein j nachklingen lassen

sich auf Grund der Notwendigkeit, eine Verständigung zu
garantieren, aber in einem bestimmten Radius der Ähnlichkeit bewegen.

Sprache entwickelt sich nicht in allen Sektoren gleichzeitig, in gleichem Tempo und mit gleichem Geltungsbe-
reich. Deshalb sind die Sektoren Lautung, Morphologie,
Wortschatz jeweils getrennt zu betrachten.

Die Bindung der Entwicklung an kommunikative Notwendigkeiten läßt den Eindruck einer wellenartigen Ausbreitung
entstehen, vergleichbar den Wasserwellen in einem Teich.
Auch hier ist zwischen der tatsächlichen physikalischen
Bewegung (vertikal) und dem optischen Eindruck (horizon-
tal) zu unterscheiden: An jedem Punkt ändert sich Sprache
entelechial, nach eigener Gesetzlichkeit. Die Kommunika-
tionsbindung wahrt aber einen verwandtschaftlichen Zusammenhang von Ort zu Ort fortschreitend. So entsteht auch
in der Lautgeschichte der Eindruck einer horizontalen Ausbreitung von bestimmten Punkten aus.

Anfängliche Zufallsabweichungen können, wenn sie einer
generellen Entwicklungstendenz entsprechen, an Häufig-
keit zunehmen. Auf synergetischem[1] Wege bildet sich dann
allmählich aus dem labilen Zustand zwischen Eigendynamik
und kohärenter Statik eine neue Struktur heraus.

Sprachentwicklung bewegt sich also auf einem Mittelweg
zwischen entelechialen diachronen Entwicklungstendenzen
und synchronen Kommunikationsbedürfnissen. Sie ist letztlich das Ergebnis diatopischer[2] co-artikulatorischer
Prozesse.

Diese Prozesse werden offenbar durch Kommunikationsinten-
sität begünstigt: in größeren Kommunikationszentren
(Städten) oder an wichtigen Kommunikationswegen (Handels-
straßen) zeigen sich solche Entwicklungen eher als in ab-
gelegenen Gebieten (vgl. etwa bestimmte Sprachinseln mit
z.T. sehr konservativen Formen wie die *sette ville* nord-
östlich von Verona).

Betroffen ist von solchen mehr mechanischen Bedingtheiten
v.a. die Lautung, weniger die Formenbildung. Der Wortschatz entwickelt sich jeweils eher konzentrisch von bestimmten, meinungsbestimmenden Zentren aus (s. Fremdwort-
adaption).

---

1 zusammenwirkend, aus griech. *syn* zusammen, *energos* (Adj.)
  tätig, wirksam
2 über den Raum verteilt, zu griech. *dia* durch, *topos* Ort

L i t e r a t u r v e r z e i c h n i s (Auswahl[1])

A r e n s, H.: <u>Sprachwissenschaft</u>. 2. Aufl. 1969

S a u s s u r e, F. de: Grundfragen der allgem. Sprachwissenschaft. 2. Aufl. 1967

B l a c k a l l, E. A.: Die Entwicklung des Deutschen zur <u>Literatursprache</u> 1700 - 1775. (1959). Dt. Übers. 1966

H e n z e n, W.: <u>Schriftsprache</u> und <u>Mundarten</u>. 2. Aufl. 1954

P a u l, H.: Prinzipien der Sprachgeschichte. (1880). 9. Aufl. 1975

*

B e s c h, W./ R e i c h m a n n, O./ S o n d e r e g g e r, St.: <u>Sprachgeschichte</u>. Ein Handbuch zur Geschichte der deutschen Sprache und ihrer Erforschung. 1984/85

+T s c h i r c h, F.: Geschichte der dt. Sprache. 2 Bde. (1966/69). Bd.1 3.Aufl. 1983, Bd.2 2.Aufl. 1976

+S c h m i d t, W. und Autorenkollektiv: Geschichte der dt. Sprache. (1969). 4. Aufl. 1983

K ö n i g, W.: dtv-Atlas zur dt. Sprache. Tafeln und Texte. (1978). 4. Aufl. 1981

S o n d e r e g g e r, St.: Grundzüge der dt. Sprachgeschichte. Bd. 1 1979

P o l e n z, P. von: Geschichte der dt. Sprache. 9., überarb. Aufl. 1978

E h r i s m a n n, O./ R a m g e, H.: Mhd. Eine Einführung in das Studium der dt. Sprachgeschichte. 1976

E g g e r s, H.: Dt. Sprachgeschichte. 4 Bde. (1963/77). Bd. 1: Das Ahd., 8. Aufl. 1976; Bd. 2: Das Mhd., 7. Aufl. 1976; Bd. 3: Das Frühnhd., 3. Aufl. 1975; Bd. 4: Das Nhd.

+B a c h, A.: Geschichte der dt. Sprache. (1938). 9., durchges. Aufl. 1970

+A g r i c l o a, E./ F l e i s c h e r, W./ P r o t z e, H.: Die dt. Sprache. Kleine Enzyklopädie. 2 Bde. 1969/70

+T s c h i r c h, F.: 1200 Jahre dt. Sprache in synoptischen Bibeltexten. 2., durchges. Aufl. 1969

+M o s e r, H.: Dt. Sprachgeschichte. (1950). 6., überarb. Aufl. 1969

S t o l t e, H.: Kurze dt. Grammatik. Auf Grund der 5-bänd. Grammatik von H. P a u l eingerichtet. (1949). 3., verb. Aufl. 1962

C o s e r i u, E.: Synchronie, Diachronie und Geschichte. Das Problem des <u>Sprachwandels</u>. 1974

W i e s i n g e r, P.: Phonetisch-phonologische Untersuchungen zur Vokalentwicklung in den dt. Dialekten. 2 Bde. 1970

*

---

1 Werke, denen ich besonders verpflichtet bin, sind mit + bezeichnet

+K r a h e, H.: <u>Idg.</u> Sprachwissenschaft. 2 Bde. Bd. 1: Einleitung
und Lautlehre, 5. Aufl. 1966; Bd. 2: Formenlehre,
5. Aufl. 1969

+K r a h e, H.: <u>Germ.</u> Sprachwissenschaft. 3 Bde. Bd. 1 und 2
7. Aufl. 1969; Bd. 3, bearb. v. W. Meid 1967

K r a h e, H.: Einleitung in das vergleichende Sprachstudium.
Hrsg. v. W. Meid. 1970

+K r a h e, H.: Sprache und Vorzeit. 1954

*

H e r r l i t z, W.: Historische <u>Phonologie</u> des Deutschen.
Bd. 1 Vokalismus. 1970

K i e n l e, R. von: Historische Laut- und Formenlehre des
Deutschen. (1960). 2. Aufl. 1969

B r a u n e, W.: <u>Got.</u> Grammatik. (1880). 19. Aufl., neu bearb.
von E.A. Ebbinghaus. 1981

K r a h e, H.: Histor. Laut- und Formenlehre des Gotischen. (1948).
2. Aufl., bearb. von E. Seebold. 1967

L e h n e r t, M.: <u>Altengl.</u> Elementarbuch. 6. Aufl. 1965

K o z i o l, H.: Grundzüge der Gesch. der engl. Sprache. (1967).
2., durchges. Aufl. 1975

H e u s l e r, A.: <u>Altisländ.</u> Elementarbuch (1913). 7. Aufl. 1967

H o l t h a u s e n, F.: <u>Altsächs.</u> Elementarbuch (1899).
2., verb. Aufl. 1921

+B r a u n e, W.: <u>Ahd.</u> Lesebuch. (1875). 16. Aufl., bearb. von
E.A. Ebbinghaus. 1979

+B r a u n e, W.: Ahd. Grammatik. (1886). 14. Aufl., bearb. von
E.A. Ebbinghaus. 1977

S o n d e r e g g e r, St.: Ahd. Sprache und Literatur.
Darstellung und Grammatik. 1974

S c h w e i k l e, G.: Akzent und Artikulation. Überlegungen zur
ahd. Lautgeschichte. Beitr. 86 (Tüb. 1964) S. 197 - 265

B e r g m a n n, R./ P a u l y, P.: Alt- und <u>Mittelhochdeutsch.</u>
(1973). 3., erw. Aufl. 1985

d e B o o r, H./ W i s n i e w s k i, R.: Mhd. Grammatik.
9., um eine Satzlehre erw. Aufl. 1984

+P a u l, H.: Mhd. Grammatik. (1881). 22. Aufl. von H. Moser und
I. Schröbler. 1982

*

H o l t h a u s e n, F.: Got. <u>etymologisches</u> Wörterbuch. 1934

G r a f f, E. G.: Ahd. <u>Sprachschatz.</u> 6 Teile 1834/46.
Nachdruck 1963

M a s s m a n n, H. F.: Vollständiger alphabet. Index zu dem ahd.
Sprachschatze von E.G. Graff. 1846. Nachdruck 1963

S c h ü t z e i c h e l, R.: Ahd. Wörterbuch. (1969). 2., erg. Aufl. 1974

L e x e r, M.: Mhd. Handwörterbuch. 3 Bde. 1872/78. Nachdruck 1979

L e x e r, M.: Mhd. Taschenwörterbuch. (1885). 34. Aufl. 1974

G ö t z e, A.: Frühnhd. Glossar. (1912). 7. Aufl. 1967

*

K e r n, P. CH./ Z u t t, H.: Geschichte des dt. Flexionssystems. 1977

E r b e n, J.: Einführung in die dt. Wortbildungslehre. (1975). 2., durchges. und verm. Aufl. 1983

K l u g e, F.: Nominale Stammbildungslehre der altgerm. Dialekte. (1899). 3. Aufl., bearb. v. L. Sütterlin u. E. Ochs. 1926

*

+M a u r e r, F./ S t r o h, F.: Dt. Wortgeschichte. 3 Bde. (1943). 3., neubearb. Aufl. 1974/78

G r i m m, Jacob und Wilhelm: Deutsches Wörterbuch. 33 Bde. 1854 - 1961. Nachdruck 1971, dtv 1984

O s m a n, N.: Kl. Lexikon untergegangener Wörter. (1971). 3., durchges. Aufl. 1976

+B e t z, W.: Deutsch und Lateinisch. Die Lehnbildungen der ahd. Benediktinerregel. (1949). 2. Aufl. 1965

*

S e e b o l d, E.: Etymologie. Eine Einführung am Beispiel der dt. Sprache. 1981

M a c k e n s e n, L.: Dt. Etymologie. (1962). 2. Aufl. 1977

P i s a n i, V.: Die Etymologie. Geschichte, Fragen, Methode. Dt. Übers. der 2., durchges. Aufl. 1967 von I. Riemer. 1975

K l u g e, F.: Etymologisches Wörterbuch der dt. Sprache. (1883). 21. Aufl., bearb. von W. Mitzka. 1975

W a s s e r z i e h e r, E.: Woher? Ableitendes Wörterbuch der dt. Sprache (1918). 17., neubearb. Aufl. bes. von W. Betz. 1966

DUDEN, Etymologie. Herkunftswörterbuch der dt. Sprache. Bearb. von G. Drosdowski und P. Grebe. 1963

*

S p e r b e r, H.: Einführung in die Bedeutungslehre. 3. Aufl. 1965

D o r n s e i f f, F.: Bezeichnungswandel unseres Wortschatzes. (1955). 7., neubearb. Aufl. v. A. Waag. 1966

K r o n a s s e r, H.: Handbuch der Semasiologie. (1952). 2. Aufl. 1968

H u n d s n u r s c h e r, F.: Neuere Methoden der Semantik. (1970). 2., durchges. Aufl. 1971

F r i t z, G.: Bedeutungswandel im Deutschen. 1974

K o s e l l e k, R.: Historische Semantik. 1979

E b e r t, R. P.: Historische Syntax des Deutschen. 1978

*

DUDEN, Grammatik der dt. Gegenwartssprache. 4., völlig neu bearb. und erw. Aufl. hrsg. v. G. Drosdowski u.a. 1984

W i s n i e w s k i, R.: Dt. Grammatik. 1978

E r b e n, J.: Abriß der dt. Grammatik. (1958). 11., völlig neu bearb. Aufl. u.d.T.: Dt. Grammatik. Ein Abriß. 1972

DUDEN, Rechtschreibung der dt. Sprache und der Fremdwörter. Hrsg. von der DUDEN-Redaktion im Einvernehmen mit dem Institut für dt. Sprache. 18., neubearb. und erw. Aufl. 1980

*

N i c k e l, G.: Einführung in die Linguistik. (1979). 2., überarb. Aufl. 1985

A l t h a u s, H. P./ H e n n e, H./ W i e g a n d, H. E. (Hrsg.): Lexikon der germanistischen Linguistik. (1973). 2., vollst. neu bearb. und erw. Aufl. 1980

H e u p e l, C.: Linguistisches Wörterbuch. (1973). 3., völlig neu bearb. Aufl. 1978

*

W e n d t, H. F.: Sprachen. Fischer-Lexikon. (1961). Neuausg. 1977

Ergänzungen

B u ß m a n n, H.: Lexikon der Sprachwissenschaft. 1983

L e w a n d o w s k i, Th.: Linguistisches Wörterbuch. 3 Bde. (1973/75), 4. Aufl. 1984/85

T r i e r, J.: Wege der Etymologie. Nach der hinter- lassenen Druckvorlage mit einem Nachwort hrsg. von H. Schwarz. 1981

B i r k h a n, H.: Etymologie des Deutschen. 1985

C o r d e s, G.: Altniederdt. Elementarbuch. 1973

B a u s i n g e r, H.: Dialekte. Sprachbarrieren, Sondersprachen. 1978

F e i n ä u g l e, N.: Fach- und Sondersprachen. 1974

Dialektologie. Ein Handbuch zur deutschen und allgemeinen Dialektforschung. Hrsg. von W. B e s c h u.a. 2 Bde. 1982/83

V o s s e n, C.: Mutter Latein und ihre Töchter (1968) 2. Aufl. 1969, Fischer Tb 1972

---

1 Bei manchen Stichwörtern Stellenangaben nur in Auswahl;
  mit + wird auf etymologische Erklärungen verwiesen;
  unterstrichen sind wesentliche Stellen

Peter Eisenberg
Grundriß der deutschen Grammatik

1985. 504 Seiten, gebunden.
ISBN 3-476-00582-8

Der »Grundriß der deutschen Grammatik« stellt die Kernbereiche
der deutschen Grammatik dar: Formenlehre, Satzlehre, Semantik.
Über zweihundert praktische Aufgaben und Problemfälle mit
Lösungshinweisen vertiefen das theoretische Wissen.
Der »Grundriß der deutschen Grammatik« bezieht ausführlich die
Ergebnisse der neueren, insbesondere der deutschen Grammatik-
Forschung mit ein. Der Grundriß ist eine logisch aufgebaute,
verständlich geschriebene Grammatik; eine materialreiche,
umfassende Anleitung für Studium, Unterricht und Selbststudium.
Inhalt: Rahmen und Zielsetzungen – Das Verb: Valenz und Satzstruktur – Die
Einheitskategorien des Verbs – Substantiv, Artikel, Pronomen – Adverb und
Adverbial – Attribute – Subjekte und Objekte – Koordination – Adverbial-
und Ergänzungssätze – Infinitivkonstruktionen – Aufgabenstellungen –
Lösungshinweise – Literaturverzeichnis – Sachregister – Wortregister

Gert Ueding / Bernd Steinbrink
Grundriß der Rhetorik

Geschichte · Technik · Methode
1985. XII, 372 Seiten, gebunden.
ISBN 3-476-00557-7

Diese Einführung in die Rhetorik, ihre Geschichte, Methoden und
Techniken ist ein Lehr- und Arbeitsbuch. Der erste Teil enthält
einen ausführlichen historischen Abriß von der Antike bis zur
Gegenwart. Der zweite Teil lehrt in verständlicher Form und
logischem Aufbau, Rhetorik als Technik und Methode für die
Erstellung und Interpretation von Texten anzuwenden. An reich-
haltigen Beispielen aus der deutschen Literatur verdeutlichen die
Autoren die Probleme des rhetorischen Systems. Der Grundriß ist
eine Anleitung zum Reden in verschiedenen Bereichen: in Politik,
Predigt, in Gerichtsreden, den Massenmedien und der Schulbildung.
Inhalt: Einleitung in die Rhetorik – Geschichte der Rhetorik (Die Begründung
der Rhetorik in der Antike – Christliche Erbschaft der Rhetorik im Mittelalter – Studia humanitatis und Barockstil – Rhetorik der Aufklärung – Verfall
und Weiterleben der Beredsamkeit im 19. Jahrhundert – Aspekte moderner
Rhetorik-Rezeption. Das 20. Jahrhundert) – Einführung in Technik und
Methoden der Rhetorik – Anmerkungen – Literaturverzeichnis – Namen-
und Sachregister

J. B. Metzler Stuttgart

METZLER LITERATUR LEXIKON

Stichwörter zur Weltliteratur

Herausgegeben von
Günther und Irmgard Schweikle
1984. VII, 497 Seiten, gebunden.
ISBN 3-476-00560-7

Das Metzler Literatur Lexikon enthält 2.800 Stichwörter zu allen
Sachbegriffen der Weltliteratur von der Antike bis zur Gegenwart.
Es informiert ausführlich, zuverlässig und allgemeinverständlich
über literarische Begriffe, Definitionen und Bezeichnungen zu Form,
Geschichte und Theorie der Literatur. Jedes Stichwort ist durch Bei-
spiele erläutert und enthält weiterführende Literaturangaben. Alle
Stichwörter berücksichtigen den neuesten Forschungsstand. Die 50
Autoren sind im Bereich der Lehre und Forschung tätig.
Das Metzler Literatur Lexikon ist ein Nachschlagewerk für jeden,
der sich beruflich oder privat über sachliche Zusammenhänge der
Weltliteratur informieren will; es ist unentbehrlich für Studium
und Unterricht.

»Das von Schweikle herausgegebene, von einer illustren Schar
gelehrter Mitarbeiter verfaßte Literaturlexikon ist vergleichbaren
Kompendien an Genauigkeit und Methodik überlegen. Es fällt auf,
daß die Artikel um mehr Konkretheit bemüht sind. Mit den
Auskünften des neuen Lexikons läßt sich gut arbeiten, nicht zuletzt,
weil die Literaturhinweise auf Aktualität Wert legen.«

Die Zeit

J. B. Metzler Stuttgart